JN114483

JACINDA ARDERN
A NEW KIND OF LEADER

ニュージーランド
アーダーン首相

世界を動かす共感力

マデリン・チャップマン
西田佳子〔訳〕

集英社インターナショナル

illustration
yusuke saitoh

bookdesign
albireo

Internal images reproduced courtesy of: Yearbook photos, both Morrinsville College;
Young Labour bus photo, Kent Blechynden / Stuff / Dominion Post;
DJing at Laneway Festival, Fiona Goodall / Stringer / Getty;
First press conference photos, Embracing a mourner, all Hagen Hopkins / Stringer / Getty;
Clark and Ardern, Stuff / Dominion Post;
Ardern and Gayford at Buckingham Palace, AAP;
Ardern–Gayford family at the UN, Don Emmert / Getty

モリンズヴィル高校理事会の生徒代表になったアーダーン。政治の世界への入口だった。

2004年から2005年、〈ヤング・レイバー〉の宣伝ツアーに参加した。

国民党のサイモン・ブリッジズとともに、「次世代のスター」としてテレビの情報番組に出演。

2014年、オークランドのレーンウェイ・フェスティヴァルでDJをするアーダーン。

2017年8月1日、労働党党首としての最初の記者会見で。

選挙で選ばれたニュージーランド最初の女性首相ヘレン・クラークは、
アーダーンのよき相談相手であり、理解者でもあった。

クラーク・ゲイフォードのツイッター 2018年10月19日

A year ago today @winstonpeters made a bold call that changed EVERYTHING. We watched on TV like everyone else, except I pointed a camera the other way. Here's a before and after thats never been seen.

What an incredible year it has been, what a year ahead. Welcome to the ride.

12:49 pm · 19 Oct 2018

1年前の今日、@winstonpetersが大胆な決定をし、その瞬間からすべてが変わった。ぼくたちもみんなと同じようにテレビをみていたが、同時にぼくは、カメラをテレビとは反対のほうに向けていた。そしてこれが、衝撃的なビフォー・アンド・アフター。

信じられないような1年だったし、これからの1年、なにが待っているんだろう。スリル満点だ

アーダーンが首相になると決まった瞬間の直前と直後。

2018年4月、エリザベス女王との晩餐会に招かれてバッキンガム宮殿に到着したアーダーンとパートナーのクラーク・ゲイフォード。

2018年9月。ニューヨークの国連本部で隠し撮りされた家族三人のありのままの姿。

2019年3月。ニュージーランド史上最悪の銃撃事件のあと、悲しむ市民を抱きしめるアーダーン。
人々の悲しみに心を寄せるアーダーンの姿は、世界中から賞賛された。

最初にこの本を読んで、
最初に自慢してくれるはずだった
ファタおじさんに

プロローグ　二〇一七年十月十九日

ジャシンダ・アーダーンは、首相にはなりたくなかった。「首相という仕事をしつつ家族を大切にするのがどんなに難しいか、先輩たちの例でわかっているんです」二〇一四年の言葉だ。その一年後はもっとはっきり宣言した。「首相にはなりたくありません」それが党としての見解だったにせよ、個人的な発言だったにせよ、本心からの言葉だろう。

だからこそ、その後の展開には、アーダーン本人がいちばん驚いたことだろう。二〇一七年、南半球の明るい春の午後、彼女はニュージーランドの首相に選ばれる瞬間を待っていた。

目まぐるしいほどの大出世だった。比例代表で国会議員に初当選したのは二〇〇八年。当時の最年少議員だったアーダーンが、九年後の二〇一七年には当時の野党である労働党の党首になったのだ。同年初頭には、まだ若くキャリアも浅い労働党の一員に過ぎなかった。二月の補欠選挙に当選し、比例代表でなく選挙区で当選した議員となったため、首相候補となる資格を得る。その二週間後、労働党副党首の引退を受けて副党首となり、それからわずか五カ月後、党首が辞任したことにより、アーダーンが党首になった。リーダーにはなりたくなかったのに。

その時点で、総選挙までわずか七週間。アーダーンは低迷する支持率を挽回し、選挙に勝つという使命を負うことになった。党首就任時のスピーチが国民の支持を集めたのを皮切りに、気候変動に積極的に取り組む姿勢やフェイスブックでの頻繁なライブ配信が功を奏した。数十年のうちで最低レベルだった労働党の支持率がみるみる回復し、政権与党・国民党に迫るほどの議席数を獲得した。

しかし、政権を握るには他党との連立が必要だった。そのため、九議席を持つニュージーランド・ファースト党との話し合いが行われた。ニュージーランド・ファースト党のウィンストン・ピーターズが、国政を左右するキーマンになったのは、政治家のキャリアの中でこれが三度目だった。労働党および国民党（総選挙での獲得議席は最多ではあったものの、政権を得るにはやはり連立が必要だった）との話し合いは数週間にわたった。労働党との連立を選べば、少数連立政権が誕生する。しかし、ピーターズがマイクの前に立つ瞬間まで、労働党は彼がどう動くのかを知らされていなかった。ピーターズは自分の切り札をぎりぎりまで明かさなかったのだ。

オフィスでスタッフに囲まれたアーダーンは、テレビに映るピーターズをみつめていた。ピーターズは、決断を下すのがどんなに難しかったかを語りつづける。プロポーズの相手を決めかねて求愛のバラを指先でもてあそぶ騎士（ナイト）のようだった。

スピーチの最後に「労働党との連立を選ぶ」とピーターズが告げたとき、アーダーンのオフィスは喜びにわきたった。ウィスキーのボトルをあけたアーダーンは、自分以外全員のグラスに注いだ。

つわりはまだ始まっていなかったが、それも時間の問題だった。ほんの六日前――総選挙から三週間後、ニュージーランド・ファースト党との交渉中に――アーダーンは第一子の妊娠を知った。

結局、母親と首相というふたつの仕事をこなすことになったのだ。

首相にはなりたくないといってから三年後、そして覚悟を決め、党首として戦いはじめて七週間後、三十七歳のジャシンダ・アーダーンは、ニュージーランドの第四十代首相になった。

ニュージーランド地図と基礎データ

面積:27万534㎢(日本の約4分の3)

人口:約504万人(2019年)

首都:ウェリントン 人口約21万人
(暫定値2020年)

最大都市:オークランド
人口約165万人(2018年)＊1

民族:欧州系(70.2%)、マオリ系(16.5%)、太平洋島嶼国系(8.1%)、アジア系(15.1%)、その他(2.7%)(2018年)注

言語:英語、マオリ語、手話(2006年以降)

宗教:キリスト教36.5%、
無宗教48.2%(2018年)

GNP:2,052億米ドル(日本の約1/24)(2019年)

ひとりあたりGNP:4万1,667米ドル
(日本:4万256米ドル)(2019年IMF)

通貨および為替レート:ニュージーランドドル
1NZドル=約81円(2021年10月15日)＊2

政治体制・内政

政体:立憲君主国

元首:エリザベス2世女王(英国女王)

総督:シンディ・キロ
(2021年10月着任、5年の任期)

議会:一院制(120名、任期3年)

出典:外務省　＊1 Statistics New Zealand　＊2 ニュージーランド準備銀行　注:複数回答有　地図:タナカデザイン

Contents

ムルパラからモリンズヴィルへ

・

From Murupara to Morrinsville

一九八五年の写真には、トレーラーハウスの中でにっこり笑うふたりの白人の女の子が写っている。ふたりのうちひとりは明るいブロンド、もうひとりは褐色の髪。髪形は襟足（えりあし）を長く伸ばしたおしゃれなマレットヘアだ。まわりには近所に住む十人あまりの子どもたち。グループの中で、白人はそのふたりだけ。

ジャシンダ・アーダーンと姉のルイーズは、ニュージーランド北島中部にある林業の町ムルパラで育った。町の人口は二千人で、その大部分は先住民のマオリであり、姉妹のクラスメートたちもほとんどがマオリの人々だった。

世の中は不公平だ

ジャシンダ・ケイト・ローレル・アーダーンは、一九八〇年七月二十六日、ムルパラから車で二時間あまりの都市ハミルトンで生まれた。しかし子ども時代の思い出があるのは、ここムルパラ。

ジャシンダが五歳のとき、一家はムルパラに越してきた。父親のロス・アーダーンが警察官で、ムルパラはその赴任先である。しかし、そこはやっかいな地域だった。トライブズメンと呼ばれるバイク乗りのギャング集団が暴走行為を繰りかえすし、林業の民営化により失業者が増えていた。アーダーン一家が住む家は、警察署の向かいにあったが、それでもジャシンダは、貧困や暴力を日常的に目撃していた。ジャシンダはかつて、子ども時代の経験が、政治家としての自分の素地を作ったのだと話したことがある。「小さな子どもの心に社会的良心を植えつけることは可能です。まさにわたしの身に起こったことなのです」

もちろん、五歳のジャシンダが靴を履かずに歩きまわる子どもたちをみて、主要産業である林業が民営化されたことの影響や、中央政府の腐敗について考えたわけではない。ただ、靴を持っていない子どもたちをみて、世の中は不公平だと感じた。「当時は政治というレンズを通さずに世の中をみていましたし、いまもそういうことは多いです」彼女はのちにこんなふうに述べている。「子どもや一般市民の視点で世の中をみるようにしています。世の中は公平であるべきだという概念を常に頭に置いています」

幼いころのジャシンダは、ムルパラの格差問題からある意味守られて暮らしていた。地域のほかの人々より経済的に恵まれていたからだ。しかし、父親は警察官。一家に反感を持つ人々もいた。家に空きビンが投げつけられることもあったし、いわれのない暴言を吐かれることもあった。

ある日、ジャシンダは、家の裏口を出て買い物に行こうとしたとき、父親が男たちに囲まれているところに出くわした。男たちが怒っているのはひと目でわかった。父親は落ち着いて彼らに応じ、状況を悪化させまいとがんばっていた。そして、立ちつくしているジャシンダに気づくと、「ジャシンダ、心配はいらないよ。行きなさい」といって、男たちに向きなおった。一瞬の出来事だったが、騒ぎを穏やかにおさめようとする父親の姿はジャシンダの記憶に刻まれた。やがて国会議員になったジャシンダは、同僚や対立する政治家たちに対していつも穏やかな態度で接することで知られるようになった。

ジャシンダが七歳のとき、一家はムルパラを離れたが、この地でみたことは強烈な記憶となって彼女の胸に残った。失業者があふれていたこと。近所の人が亡くなり、それが自殺だったとあとで知らされたこと。ある日ベビーシッターの全身が肝炎で黄色くなり、その後は一度も姿をみせなかったこと。政治とは関係なく、ただ不公平だと思った。

民主主義的な生徒会長

一九八七年、ジャシンダの両親が子どもたちに「引っ越しをするよ」といった。行き先は大都市？　いや、同じく北島にあり、ムルパラから車で二時間ほどのモリンズヴィルだった。

モリンズヴィルは大都市とはいえないが、ムルパラに比べれば大きくて広い町だ。ニュージーランドという国全体の縮図みたいな町ともいえる。裕福な人々と貧しい人々が混在する町。広大な土地で酪農を行い、成功している人もいれば、そのすぐそばには外国からやってきたばかりの難民たちが暮らしている。もっとも大規模で高級な施設は〈モリンズヴィル・ゴルフクラブ〉で、その敷地に隣接した区画にアーダーン邸がある。釘を一本も使わず、木材を組み合わせて作られた木造住宅で、ジャシンダの祖父が建てたものだ。

お小遣い稼ぎのために、ジャシンダはゴルフ場と自宅を隔てる柵に接して、果物の無人売店を開設した。柵の向こうに広がるゴルフコースを歩いてくるゴルファーたちが柵越しに手を伸ばし、ひとつ二十セントのリンゴを取ってくれる。お代は置いてある箱に入れてもらう仕組みで、客を信用してこそ成り立つ商売だ。グリーンのむこうには、白い雪を頂くテ・アロハ山が遠くにみえた。

モリンズヴィルにも貧困の問題はあったが、ムルパラほどの露骨な格差はなかった。それでもジャシンダは社会の不均衡に目を向けつづけ、モリンズヴィル中学に入ると、問題提起の場をみつけた。生徒会だ。

生徒会室で開かれる会議で、十一歳から十三歳までの生徒たちは、ジュースやアイスキャンディの価格がどんどん上がっていくことや、学校を中心とする半径五十メートルの区域では交通安全のために自転車に乗れない問題などについて話し合った。こうした議題を真剣に話し合いはしたものの、彼らが生徒会に参加する本当の理由はただひとつだった。授業への出席が一定期間免除されるということだ。

ただ、そうではない生徒もひとりだけいた。生徒会長のジャシンダ・アーダーンだ。ジャシンダは自身を生徒たちの代表者と考え、民主主義的なやりかたで問題にアプローチした。生徒会における民主主義など、ほかの生徒たちは意識したこともなかっただろう。だれかがなんらかの問題を提起すると、それが深い考えに基づくものでなくても、ジャシンダは真剣に取りくんだ。地元のさまざまなチャリティ団体とその財政状況について独自の調査をおこない、次のマフティ・デイ（生徒たちが学校に制服ではなく私服を着ていくかわりに寄付金を出す日）で集めたお金をどの団体に寄付するのがいいか、提案した。生徒会のほかのメンバーたちは、みな厳粛な面持ちでうなずいたものだ。ジャシンダにはリーダーとしての素質があったらしい。

ジャシンダが十代のころからこうした活動に打ちこんだのは、なにも教育熱心な両親に命じられてのことではない。純粋に自分の意志でそうしていたのだ。十二歳のときにはもう、人権擁護運動にみずから関心を寄せていた。

シャツの裾問題を解決する

四年後、モリンズヴィル・カレッジに進学したジャシンダを、もっと現実的な問題が待っていた。女子生徒がショートパンツをはいていいかどうかという問題だ。十七歳になったジャシンダは、ショートパンツ賛成派。学校には制服があって、女子はスカート、男子は長ズボンか短パン、男女ともに襟つきのシャツと決まっていた。ジャシンダは制服についての決まりをすっかり変えてしまおうとしているかのようだった。というのも、前年モリンズヴィル高校で、シャツのデザインを変えるのに成功していたからだ。学校の理事会は生徒たちに、シャツの裾をスカートやズボンに入れるように定めていたが、生徒たちはそれに反発していた。そこでジャシンダは、裾をウエストに入れずに着られるようなデザインのシャツを制服とするように求め、それを実現させた。

理事会のメンバーは男性が過半数。生徒の参加を以前から認めてはいたものの、ジャシンダのように発言力のある生徒ははじめてだったという。ジャシンダは自分の意見をまとめたメモを持って会議に参加し、さまざまな議題について積極的に発言した。九〇年代のモリンズヴィルにおいて、女子生徒がこのような態度をとるのはめずらしかった。というより、モリンズヴィルであれどこであれ、性別は関係なく、このような生徒は少数派だったのだ。

ジャシンダは理事会だけでなく学年会でも実力を発揮した。活動のリーダーだったわけではない。学年長はヴァージニア・ドーソン。オックスファム（飢餓・貧困・不正の根絶を目的とするNGO）やユニセフでの活動を経て、いまはミャンマーのニュージーランド大使館で開発協力機構のトップに立つ人物だ。ジャシンダは学年のリーダーになるのではなく、一生徒としての立場を重視した。本当の変化をもたらす力はそこにあると信じていたからだ。十数年後、われわれは彼女のその姿勢をふたたび目撃することになる。三十代の国会議員として、さまざまな場面で「首相にはなりたくない」と発言した。首相としてではなく一議員としてのほうが力を発揮できると考えたからだ。

国民党の票田で

モリンズヴィルは酪農がさかんで、一ヘクタールあたりの乳牛の頭数が世界一なのが町の自慢だ。多いときには、ニュージーランド最大の企業である乳製品会社フォンテラ社の工場で一日あたり百万リットルの牛乳が生産される。オークランドから一号線を南へ二時間行き、ごくありふれた曲がり角で左に曲がる。道路は次第に細くなり、やがてモリンズヴィルに到着する。携帯電話の電波はいったん途切れるが、町に着けば復活する。二〇〇八年に初当選を果たした直後のスピーチで、ジャシンダは自分が急進派であるという風評を否定した。「わたしはモリンズヴィル出身です。

それだけいえばわかっていただけるでしょう。モリンズヴィルは、ホールデンやフォードではなくトヨタに乗っているだけで急進派と呼ばれるような土地です」

父親のロスは、モリンズヴィルを含むマタマタピアコ地区の警察で副司令官を務めていたが、その後、ハミルトンへ移り、捜査官として犯罪捜査に携わった。母親のローレルはモリンズヴィル・カレッジのカフェテリアで働いていたが、当時の生徒たちにきいたところによると、ジャシンダも姉のルイーズも、そのおかげでランチタイムに得をすることなどなかったらしい。

マタマタピアコは昔からの国営農業地区である。したがって、モリンズヴィルは、保守政党である国民党の票田だった。国内には同様の町がいくつもあり、これまでのどの総選挙でも、国民党を支持してきた。九〇年代のモリンズヴィル・カレッジの生徒たちは、デイヴィッド・ロンギ首相の施政下で学生時代を過ごした。ロンギ首相は労働党員で、群を抜いた弁舌家。国民的人気を博した首相であり、非核政策をとったことで有名だ。イギリスのテレビ番組で口にした、論敵の息からウランのにおいがする、という発言も話題になった。ニュージーランド全国でみれば、政治に関心のある若者たちのスター的存在だったが、モリンズヴィル・カレッジにおいては敵視されていた。各家庭の食卓で、両親が彼を悪くいうからだ。ところがアーダーン家は違った。母ローレルの実家は根っからの労働党支持者だったからだ。

真面目が服を着ている高校生

ジャシンダがモリンズヴィル高校*に入学したのは一九九四年。モリンズヴィルでの中学卒業後の進路といえば、この学校しかない。裕福な家庭の子どもたちは三十キロ離れたハミルトンまで行くが、それはほんのひとにぎりだ。モリンズヴィル高校の一学年は七十人から百人。町のティーンエイジャーのほぼすべてが通っているので、その内訳は、町全体の縮図といっていい。大部分は、マオリ語でパーケハーと呼ばれる白人入植者の子孫。少数派の中には、増加しつつあるマオリと、農業を通して強力なコミュニティを作るインド系の人々、ニュージーランドにやってきてすぐにこの地に住居を与えられたカンボジア難民たちがいる。当時の生徒や教職員にきいた限り、ミクロネシアやポリネシアの出身者はひとりもいなかった。

モリンズヴィルでは全住民が知り合い同士だ。家族のこともみんなが知っている。そういう意味では、ジャシンダはいつも姉のルイーズとセットで認識されていた。ルイーズはジャシンダに比べれば〝クール〟な生徒だった。少し乱暴な言葉でいいかえれば、生徒会活動にはあまり興味がないということ。現在に至るまで、ルイーズはニュージーランドのマスコミに取りあげられることがほとんどない。世界的に有名な首相の姉であるにもかかわらず、いまなお謎めいた存在だ。

ジャシンダはクールではなかったかもしれないが、だからといってダサかったわけでもない。元クラスメートたちにきけば、みながそう即答する。ただ、若者たちが〝ダサい〟と考えるようなことを、ジャシンダはあれこれやっていた。そのひとつは学校の理事会の生徒代表。それを一年だけでなく二年もやったのは、後にも先にもジャシンダひとりだけだという。ディベート大会にも参加した。スピーチ大会にも参加し、優勝した。アルコールは飲まなかった（訳注：ニュージーランドでは、親や法定後見人の同伴・責任のもとの飲酒に最低年齢制限はない。購入は十八歳から）。十年後には、SN

Sで何千人ものフォロワーがいて副業でDJをやっているクールな若手政治家として知られるようになるものの、高校時代は、真面目が服を着ているような生徒だった。優秀で人気もあったとはいえ、真面目すぎると思われていただろう。

リベラル派の恩師ファウンテン

当時のジャシンダを覚えている人はみな、〝いい人〟だったという。けっしてほめ言葉とはいえない。〝いい人〟というのは〝つまらない人〟という意味だと考える人が多いし、ジャシンダもそうだったのかもしれない。実際、同学年だったのに彼女をまったく覚えていない人もたくさんいる。よく覚えているというのは理事会関係者ばかりだ。理事会の生徒代表であり、ディベート大会やスピーチ大会で活躍した生徒として、ジャシンダのことを覚えているわけだ。そういった人々の中で、ジャシンダの人生にとって最も重要な意味を持った人物が、グレガー・ファウンテン氏だ。

ファウンテン氏は一九九五年、二十二歳でモリンズヴィル・カレッジの教壇に立った。首都ウェリントンで育ち、南島の中心都市クライストチャーチの教育大学を出てすぐに、モリンズヴィルという田舎町にやってきた。担当は社会学と歴史。対話型の授業をしていたことが、当時の生徒たちの記憶に残っている。単に教科書を読むのではなく、歴史上の出来事を再現してみんなで体験するような授業だったという。授業でガンジーを取りあげたときは、ファウンテン氏はガンジーを真似た服装で教室にあらわれた。一九九五年だからできたことで、いまならなにかと問題になったかもしれない。しかしいずれにしても授業はうまくいった。ファウンテン氏は地元の政治の状況や政治運動に興味があり、また、圧倒的に保守的な学校の中で、自分がリベラル派であることを公言していた。都会出身者ならではの自由な感覚と熱意は、またたくまに学生に伝播したし、とくに十四歳のジャシンダ・アーダーンに大きな影響を与えた。

もともと政治に興味のある生徒にたいしてだけでなく、そうでない生徒たちにも、惜しみなくその豊かな知識を与えつづけた。二〇一七年の総選挙直後、テレビの有名司会者であるマーク・セインズベリのインタビューを受けたジャシンダは、恩師についてこんなふうに語っている。「なにか意見を持ったときは必ず、その意見の根本が正しいかどうかを考えろ、と教わりました。自分はどうしてそう思うのか、その発想はどこから来たものなのか、それを考えるようにと。わたしはものの考えかたをファウンテン先生に教わったんです」

先住民側からみた歴史を教える

ファウンテン氏の授業は歴史全般に関するものではあったが、とくにニュージーランドの歴史を全方位的にとらえることを重視していた。植民地はどこでもそうだが、入植者側からみた歴史を教えることが多い。たとえば、クック船長が十八世紀にニュージーランドにやってきて、英国国王が先住民のマオリとのあいだに条約を結び（ワイタンギ条約）、ヨーロッパから来た人々とマオリが友好的に暮らせるようにした、といわれる。両者のあいだに紛争や衝突が絶えなかったという事実はあまり伝えられていないのだ。土地の所有権をめぐって、マオリとヨーロッパ人とのあいだには戦争が何度も起こったり大虐殺が企てられたりした。ファウンテン氏は入植者側だけでなく先住民側からみた歴史も教えた。ジャシンダを含む一部の生徒は、それを熱心に勉強した。

タイミングもよかった。一九九五年、一九世紀のマオリ戦争時の土地の不正取得について、政府はワイカト・タイヌイのマオリの人々に公式な謝罪を行った。ジャシンダはそのとき十五歳で、ファウンテン氏の歴史の授業をとっていた。そして、事実をより詳しく知りたいと考えた。のちにファウンテン氏は、当時のジャシンダの努力についてこう話している。「ジャシンダは、自分がどのような価値観を持って生きていくべきかを考え、それを自分なりに作りあげていこうとしていました。タイヌイの和解について、ふたりで話をしたのを覚えています。彼女はほかの生徒たちとは違って、広い視点で歴史を眺めていました」

〈独裁者にFaxを〉

ジャシンダとファウンテン氏の価値観には相通じるものが多かったという。ファウンテン氏はモリンズヴィル・カレッジに社会運動のグループをいくつも作り、ジャシンダはそれらすべてに参加して熱心に活動した。そのひとつが、一九九七年に発足した〈人権活動グループ〉だ。顧問はファウンテン氏。多くの学校と同じで、彼らの活動は社会を変えることこそできなかったが、少なくともその声は大きかった。他国における人権侵害の例をあげてそれを糾弾し、刑務所の囚人たちの更生に協力した。〈独裁者にFａｘを〉という企画を立てて生徒たちに働きかけ、世界中の独裁者たちに非難の手紙を書いた。

一九九七年の学年アルバムには、〈人権活動グループ〉に属する二十六人の生徒たちの写真がある。その中心にはファウンテン氏。右隣には学年長のヴァージニア・ドーソン（ジャシンダの親友だった。11ページ参照）、左隣にはジャシンダが写っている。その写真におさまっているほかの生徒たちに話を聞いても、自分がそのグループに入っていたことや、そのグループがあったこと自体を覚えていない人がたくさんいた。ファウンテン氏が無関係な生徒に声をかけて写真に入らせ、グループを大きくみせたのだという証言もあるほどだ。実際、〈人権活動グループ〉で活動していたのはこの三人だけだったようだ。

とはいえ、ファウンテン氏は人気教師だった。モリンズヴィル・カレッジの歴史の履修生はどんどん増えていった。もちろん、生徒たちが急に歴史好きになったせいではない。しかし彼はもともとモリンズヴィルに長居するつもりではなかった。彼という魚にとってモリンズヴィルという池は小さすぎたのだ。ジャシンダと同じで、もっと大きなことをなしとげる運命にあったのだろう。三年間の在籍中はずっとジャシンダに教えていたが、一九九七年度が終わると、ハミルトンの私立学校に移った。その後もさまざまな学校で教鞭をとり、二〇一八年にはウェリントン・カレッジの校長になった。自身の母校でもあり、ニュージーランドではいちばんの名門校だ。就任後最初に取りかかったのは、校訓の改定だった。

グレガー・ファウンテン氏がモリンズヴィル・カレッジを去ったとき、ジャシンダの卒業まではあと一年だったが、ファウンテン氏は、ジャシンダの大きな飛躍を予見していたという。「世界を変えることのできる人間だと確信していました」

フィッシュ・アンド・チップス店でのアルバイト

しかし、世界を変える前に、ジャシンダは小さな町に変革をもたらすべく奮闘した。まずは、SADD（飲酒運転防止学生連合）のグループリーダーになった。世界のどの国でも、地方での飲酒運転は深刻な問題だ。夜になると電車やバスが終わってしまうし、警察官の数も限られている。しかも娯楽が少ないから、気軽に飲酒運転をしてしまう。事故を起こしても運がよければ大事には至らず、農場のフェンスに車がつっこむ程度ですむ。モリンズヴィル・カレッジのSADDはこの状況の改善を訴え、校庭で、実際に起こった事故を再現してみせた。派手で悲惨なパフォーマンスをすることで、生徒たちや地域の人々の飲酒運転をやめさせようとしたのだ。それだけではない。普段から酒を飲まないジャシンダは、酒を飲んだ生徒たちが無事に帰宅できるよう、みずから行動した。一九九七年の学校主催ダンスパーティーのあと、生徒代表かつSADDのリーダーとして、パーティーが終わったあとの生徒たちのためにバスを手配したのだ。バスに乗れなかった生徒たちは自分の車で家まで送りとどけた。（訳注：当時は十五歳で普通自動車免許を取得できた。現在は十六歳から）

十年後、国会議員となったジャシンダは〝新卒政治家〟と揶揄されることがよくあった。政治家としてのキャリアしかない人間がどう国を動かすのか、というわけだ。この議論はいまもよくなされる。多くの政治家は、ほかの分野でさまざまな社会人経験を積んでから政治の世界に入るからだ。しかし、ジャシンダのことをそんなふうに批判する人たちが見逃していることがひとつある。たしかにジャシンダは社会人として政治家以外の仕事をしたことはないが、ティーンエイジャーのころには驚くほどさまざまなアルバイトを経験している。たとえば金曜の夜はフィッシュ・アンド・チップスの店。クラスメートたちがどこかの畑で酒を飲んで楽しんでいるあいだに、〈ゴールデン・キウイ〉という店の、一週間でいちばん忙しい夜のシフトに入っていた。

この〈ゴールデン・キウイ〉は、国民食であるフィッシュ・アンド・チップスのレストランで、一九六三年からコヴィック家が経営している。そのおよそ三十年後、店主を務める息子のグラントは、母親の車で履歴書を持ってやってきた十四歳のジャシンダをアルバイトに採用した。当時の〈ゴールデン・キウイ〉は昔ながらのスタイルにこだわっていた。フィッシュ・アンド・チップスのレストランはだいぶ前からテイクアウト専門店が主流になっていたが、ここでは簡素な椅子とチェック柄のテーブルクロスを使ったイートインスタイルを続けていたのだ。ジャシンダの仕事は客の注文を取って料理を出したり、テイクアウト希望の客のために料理を新聞紙で包んだりすることだった。母親のローレルは経験不足な娘を心配するあまり、キャベツを買ってきて、新聞紙で包む練習をさせたという。

フィッシュ・アンド・チップスの店でのアルバイト経験は、ジャシンダには大きな意味のあるものになった。というのも、ニュージーランドでは、揚げた魚とジャガイモを新聞紙で包む仕事こそ、人々の暮らしにもっとも根づいたものと認識されているからだ。

ニュージーランド首相になりそう

モリンズヴィルでのジャシンダの暮らしぶりは、彼女がいかに人並みはずれた人物だったかを示すものではなく、むしろその逆だった。学校の成績はよかったが、天才といわれるほどではなく、放課後は近所の店などでアルバイトをした。モリンズヴィルの人々に彼女の印象をきくと、みんなが口を揃えて「なんでも無難にこなすタイプだったね」という。

卒業アルバムをみると、ジャシンダの名前のあとにはたくさんの記載がある。ディベートクラブで活躍、スピーチ大会優勝、論文コンクール準優勝、科学コンクール優勝。理事会に出席しているときのジャシンダの顔写真もある。サングラスをかけて、髪にはブロンドのハイライト。クールではないが、けっしてダサくはない。

意外なのは、最上級生のときのバスケットボール・クラブでの写真だ。とはいえ、ジャシンダ・アーダーン首相がスポーツも得意だったとわかっても、驚く人は多くないだろう。なんでもできるがんばり屋、というイメージが強いからだ。しかし実際のところ、スポーツは彼女の弱点だったらしい。学生代表として理事会に出席し、さまざまな意見をバランスよく取りあげて交渉するのは得意でも、手足をバランスよく動かすのは難しかったのだろう。バスケットボール・クラブはお遊び的なものだったし、姉のルイーズとバドミントンでダブルスを組んだこともあるが、テニスのヴィーナスとセリーナのようなスーパー姉妹にはなれなかった。それでもジャシンダは真剣にプレイしたし、後年は女性のスポーツ参加を奨励する政策をとることになる。そういう真剣さや熱意は、なにかにつけ無関心を装う現代ニュージーランド人にはよしとされないが、ティーンエイジャーのころからジャシンダがそれらを大切にしていたことは間違いない。

一九九八年の理事会で、十七歳のジャシンダは、女子がショートパンツをはいて登校することを認めてほしいと訴えた。ジャシンダ自身はスカートが好きだったが、それはまた別の話。生徒代表として、生徒たちの希望を実現させたかった。長時間の会議を何度も重ねて、とうとう保護者や教職員の説得に成功した。田舎の古い学校の制服の決まりを、二年間で二度も変えさせたのだ。ジャシンダ自身がショートパンツ姿で登校することは一度もなかったが、現在のモリンズヴィル・カレッジには、ショートパンツで登校する女子生徒がたくさんいる。

一九九八年の終わり、卒業を間近に控えたジャシンダとクラスメートたちは、生徒たちにさまざまな賞を与えることにした。〈ベストユーモア賞〉、〈ベストドレッサー賞〉、〈ベストフレンド賞〉、〈ベストカップル賞〉などを投票によって決めるのだ。同時に将来の予測もした。不名誉な賞をもらった生徒もいたが、将来を予測された生徒は三人しかいなかった。ひとりはジェレミー・ハブグッド。最初に億万長者になるだろう、との予測だった。そして、いちばん成功するだろうといわれたのは、学年長のヴァージニア・ドーソン。ニュージーランド首相になりそうだといわれたのは？もちろんジャシンダ・アーダーンだ。

＊訳注：ニュージーランドでは、日本の高校、及び総合大学（university）進学のための予備教育機関、単科大学などがまとまってひとつの学校となっていることが多く、「カレッジ（college）」と総称するが、わかりやすくするため、ここでは「高校」「カレッジ（高校課程卒業後および学校全体を指す）」と書き分けている。

2 モルモン教との別れ

・
Leaving the Church

ジャシンダ・アーダーンがクラスメートと違うことがもうひとつあった。宗教だ。モルモン教の家庭に育ったジャシンダとルイーズは、日曜日には教会に通っていた。モルモン教では飲酒や喫煙を禁じているし、日曜日にスポーツをしてもいけない。スポーツ好きな国民の多いニュージーランドでは、日曜日のスポーツ禁止が理由でモルモン教から離れることがよくある。離教のもうひとつの理由は、私服登校日（マフティ・デイ）になにを着るかという問題だ。私服登校日は昔から、子どもたちが好きな服を着て学校に行ける特別な日だ。一九八〇年のモリンズヴィルでは、〈スター〉のジャケットと〈オリジン〉のジーンズが大人気だった。しかし、信仰心の強い家庭の女の子はロングスカートをはくのが普通だ。そしてコーラも飲めない。モルモン教では、カフェインをドラッグの一種とみなしているし、アーダーン家もその決まりに従っていた。

こうしたちょっと〝変わった〟習慣は別として、ジャシンダはいかにもモルモン教徒という感じの生徒ではなかった。注意深く観察していれば、パーティーやデートに興味がないとか、キリスト教の解釈が非常に保守的だとかいう面に気づいたかもしれない。しかしジャシンダの場合、教会で教えられてそうしているというより、もともとパーティーのようなにぎやかな場や、人づきあいが好きではなかったのだろう。生来の性分がたまたま教義にあてはまっていただけで、教義のために我慢していたわけではない。ルイーズのほうは、ある意味典型的なモルモン教徒のティーンエイジャーだった。決まりをよく破ったし、そのことでしょっちゅう両親とけんかをしては、家出してやると息巻いていた。ジャシンダは決まりに不服はなさそうだったが、そもそもそういう話を人にすることがなかったようだ。ただ、髪を染めたり鼻にピアスをつけたりはした。生徒会活動に情熱をささげるモルモン教徒のティーンエイジャーとしては、かなり意外な行動だ。抑圧への反抗というのは、人によっていろいろな形をとるということだろう。

引き金はLGBTQIA+についての教義

戸別訪問による伝道活動で知られるモルモン教は、一八二〇年代のアメリカでジョセフ・スミスが始めた、比較的新しい宗派だ。一夫多妻制を掲げるモルモン教原理主義教会と混同されることも多いこの宗派は、ニュージーランドではキリスト教の一派ではあるもののほぼ別物と考えられている。結婚相手以外とのセックスや同性愛を厳禁する宗教、というのが一般的な認識だ。ジャシンダ本人や友人たちの記憶によると、ジャシンダの離教は突然のものではなかったようだ。もともとリベラルな思想を持っていたジャシンダにとって、ＬＧＢＴＱＩＡ＋についての考えかたが、教義とは合わなかった。モルモン教では昔から、同性愛は一種の病気であり、〝治す〟べきものと信じられていた。二〇一八年になってようやく、信徒の性的指向を積極的に変えることをやめると発表したものの、LGBTQIA+を強く否定する姿勢はいまも変えていない。もちろん、ある宗教や宗派の信者であるからといって、教義の一部に共感しないとか生活に取りいれないとかいうのは珍しいことではないかもしれないが、モルモン教はそういった中途半端な姿勢を許さない厳格な宗派だ。教えを百パーセント守るか、信者をやめるか、どちらかしかない。同性愛者は、そういった性的指向を自分で選択しているものとみなされるので、教えを守っていないことになってしまう。結局、このことが引き金となって、ジャシンダはモルモン教を離れた。

ゴミの分別をしながら、民主主義を訴える

カレッジ卒業後、ジャシンダはワイカト大学でコミュニケーション学を三年学び、うち一学期は米アリゾナ州立大学に留学した。ニュージーランドの大学生はとにかくよく酒を飲むが、当時のジャシンダは敬虔なモルモン教徒で、酒は飲まなかった。勉学に熱心に打ちこんでいたこともあり、ワイカト大学時代については特筆すべき記録がない。学生らしく羽目をはずして遊んでいたことを示す写真もビデオもない。自宅は大学に近かったので（キャンパスはハミルトンにあり、ジャシンダはモリンズヴィルから三十分かけて通学していた）、大学に入って新しい世界に足を踏みいれたというより、世界が少し広がったくらいの感覚だっただろう。

本物の多様性社会を経験するのは、その後ウェリントンに移ってからだ。ウェリントンはモリンズヴィルに比べれば驚くほどリベラルな大都市で、生まれ育った町と違って多様性がある。ジャシ

ンダがモルモン教の教義について疑問を持ったのも、この大都市でゲイであることを公表して堂々と生きる人々と交流したことがきっかけだった。また、ジャシンダが属していた〈ヤング・レイバー〉という労働党の青年組織は、何十年も前から、LGBTQIA+の権利を支援していた。

一九九六年の総選挙で、ジャシンダはニュープリマスのハリー・ドゥインホーフェンの選挙運動をボランティアで支援した。まだモリンズヴィル・カレッジの生徒だったころだ。長年労働党を支持していた伯母のマリー・アーダーンに紹介されてのことだった。二〇〇一年にワイカト大学を卒業したあと、ジャシンダは進路を求めて、唯一のコネクションともいうべきドゥインホーフェンを頼った。しかしドゥインホーフェンは国会議員といってもまだキャリアも浅く、彼の下で働いていても、政治家になるという夢が花開くかどうかはわからない。とはいえ、政界に足を踏みいれることはできたわけだ。そこでの仕事をつづけたジャシンダに、二〇〇三年、〈ヤング・レイバー〉の執行部が目をつけた。組織のリーダーとして新しい顔を求めていた彼らに、ジャシンダの友人のトニー・ミルンが「いつかはニュージーランドの首相になる人物ですよ」といって、彼女を推薦したという。その言葉に強い説得力はなかったものの、ジャシンダを〈ヤング・レイバー〉のリーダーにするというアイディアは受け入れられた。「優秀な人なんです。ハリー・ドゥインホーフェンのオフィスで働いていています。妙なところでと思うかもしれませんが、仕事はできます。モルモン教徒なんです。〈ヤング・レイバー〉のメンバーがモルモン教徒だなんて珍しいと思うでしょうが、とにかく立派な人です。そして、女性です」

当時の〈ヤング・レイバー〉には、どんな選挙にせよ立候補できるような女性が少なかったこともあり、女性を――しかもきわめて優秀な女性を――リーダーにすれば躍進が狙えるのではないか、ということで意見が一致した。ジャシンダの存在が〝クール〟だとみなされたのだ（クールであることの基準は、高校よりも政界のほうが低かったらしい）。

トニー・ミルンが強く後押しするまでもなく、執行部はジャシンダを選んだ。ジャシンダ自身が自分を売りこんでくることはなかったらしいが、ミルンがジャシンダを推薦したとき、本人の同意を得ていなかったとは考えにくい。〈ヤング・レイバー〉のリーダーになったジャシンダは、さまざまなイベントを企画し、組織とコミュニティとのつながりを強めた。もっとも大きな力を注いだのは、〈ヤング・レイバー〉の宣伝ツアーだ。スタートは二〇〇四年のクリスマス明け。〈ヤング・レイバー〉のメンバー十人がミニバスに乗り、ニュージーランド北島の北端から南島の南端まで移動しつつ、途中の町に立ちよっては、住民たちとの交流活動をおこなった。ビーチを掃除したり、野鳥の保護活動を手伝ったり、大晦日には人々にコンドームを配ったり。訪問した町はファンガヌイ、レヴィン、ネルソン、カイコウラ、アシュバートン、バルクルーサ、インヴァーカーギルなど。夏にも九日間かけて同様のツアーをおこなった。二十代半ばの〈ヤング・レイバー〉たちはリサイクル施設でゴミの分別をしながら民主主義の大切さを人々に訴えた。クールな仕事とはいえないだろうが、恥ずかしい仕事でもない。

労働党とモルモン教

〈ヤング・レイバー〉は、一般党員の中にも、執行部の中にも、ＬＧＢＴＱＩＡ＋の人が多く、活動の中でもそうした人々の権利についての主張が目立つ。ジャシンダが二十四歳のとき（二〇〇四年）、シヴィル・ユニオン法が成立した。婚姻ではない生活共同関係の同性及び異性のカップルに、名前を除くすべての点で、異性婚と同じ権利を保障するものだ。労働党の二議員が提起したもので、自由投票によって議決された。つまり、党の路線に従う必要がないということだ。法案を支持した六十五票のうち四十五票が労働党議員によるものだった。ジャシンダのふたつの世界——実家のモルモン教と、いまや生活の大きな部分を占める労働党——が、ここで衝突した。それまでの人生を共にしてきたモルモン教は、事実上、法案に反対する立場を取っていた。しかし職場では、ジャシンダ自身も同僚も（同僚の中には自身がゲイである人もたくさんいた）、だれもが平等であるという新法案を全面的に支持していた。このときまで、ジャシンダは飲酒をしなかった。酒好きな人間が多いことで有名なニュージーランドの政界で働いているというのに、そういう機会を避けていたのだ。かといって、酒やタバコ、その他、モルモン教が禁じるさまざまな習慣を持つ人々を批判することはなかった。自分はやらない、それだけだ。

二〇〇五年、ヘレン・クラーク元首相の下で総選挙の準備を進めていたとき、ジャシンダはウェリントン中心部のザ・テラス通りにあるマンションを、同僚三人とルームシェアして暮らしていた。三人ともゲイ。その年に催されたアウトテイクス・ゲイ・レズビアン映画祭では『レター・デイズ（Latter Days）』という作品が注目された。モルモン教の青年が同性愛と信仰のはざまで味わう苦悩を描いたものだ。ジャシンダのルームメイトたちにとっても、友人のミルンにとっても、とくに印象に残らない映画だった。感動する場面がいくつかあったな、という程度。しかし映画のエンドロールがはじまったとき、彼らは驚いた。ジャシンダが涙を流していたのだ。ジャシンダにとって、それが自分の信仰について考えなおす転換点になった。

モルモン教のような、ある意味閉鎖的な宗教を捨てるというのは、じゃあこれからはお酒を飲もう、というような単純なものではない。ジャシンダの家族は、遠い親戚も含めて、当時もいまも敬虔なモルモン教徒だ。モルモン教徒でなくなるということは、家族や親類やそのコミュニティ――自分を育ててくれた人々――から離れるということでもある。二〇一六年、ジャシンダが離教のことをまだあまりオープンにしていなかったころ、父親にはまだ打ち明けていない、母親にはひどくがっかりされた、とまわりに話していた。子どものころには大きな存在だったのに大人になってからは疎遠になってしまったモルモン教との関係を――別離を、といったほうがいいだろうか――語るのは気が進まないようだった。離教のせいで家族との関係にひびが入ったりはしていないと強調するが、そうならないためにこそ、離教について公の場で語りたくないのかもしれない。信仰の違いのせいで食卓での会話がなくなってしまうくらいなら、違いは無視して共通点に目を向けたほうがいい。首相に就任してすぐ、二〇一八年のウェブニュースサイト〈Ｓｔｕｆｆ〉によるインタビューで、ジャシンダは言葉を選びつつ、自分はモルモン教の教義のいくつかは受け入れられなくなったが、人間関係には変わりがないと話した。「わたしという人間を作りあげてくれたものはいろいろありますが、そうしたものから自分を切り離すことはできません。わたしは宗教から遠ざかりはしましたが、ネガティヴな思いはいっさいありません」

アーダーンはいま、自分を不可知論者だと考えている。人間は神の存在を証明することも反証することもできない、という考えかただ。自分自身は無宗教であっても、他人の信仰を否定することはしない。二〇一九年五月、モルモン教会の長老である伯父と伯母は、二巻に及ぶアーダーン家の家系図を作成し、アーダーンに贈呈した返礼に、閣僚執務棟〈ビーハイヴ〉（訳注：蜂の巣［ビーハイヴ］のような外観からこう呼ばれる国会議事堂の建物のひとつ）に招待された。その際ふたりに同行したのはラッセル・M・ネルソン。教会の大管長だ。アーダーン家にとっては一大イベントだっただろうが、政府にとっては前代未聞の出来事だった。どの宗教であれ、ニュージーランドの首相がそのリーダーをビーハイヴに招待したことなど、それまでに一度もなかったのだ。

ジャシンダの離教に政治的な背景があったかどうかはわからない。宗教を保守主義に結びつけて考えることは国会では珍しいことではないが、少なくとも議事堂の左側に座る人々には、あまり関係のない話だ。ニュージーランドのようにさまざまな宗教が存在する国であっても、モルモン教徒であるということは選挙のときに利点になりにくいし、むしろ明らかに不利になることがある。

労働党員であると同時にモルモン教徒であるというのは、アーダーンにとっては常に問題の種だった。国会議員として多くの国民に注目される前に離教したのは、その意図がどこにあったにせよ、彼女のキャリアにとってはいい決断だったといえる。これまでの生涯の半分は保守的なモルモン教徒であったという事実は、単なる興味深いプロフィールのひとつに過ぎず、そのことに彼女の人間性や考えかたや価値観があらわれているとは考えられずにすむからだ。過去の信仰を今後のプライベートな部分に生かしていくかどうかは、アーダーン本人にしかわからない。

3 見習い政治家

The Apprenticeship

ジャシンダ・アーダーンは優しくて心根のまっすぐな女性だ。しかし世間知らずというわけでもない。政治家として成功するためには、だれを味方につけるかが大切だとわかっていた。そういう人たちと知り合って、しっかりした関係を築かなければならない。議会の中での友だちづきあいにそういった計算はなかった。いや、多少の計算はあったかもしれないが、〝計算ずくだった〟と決めつけるのはばかげた考えだ。ハリー・ドゥインホーフェンの下でしばらく働いたあと、アーダーンは法務・外務大臣を務めるフィル・ゴフのオフィスで働くことを志願した。労働党からの強い推薦もあり、その職を得た。なお本格的に政治家への道を歩み始めたジャシンダをこの章からアーダーンと呼ぶ。

首相からの抜擢

しかし、ゴフのオフィスでの仕事は短期間で終わった。ヘレン・クラーク首相の目に留まったからだ。クラーク政権の二期目が終わりに近づき、二〇〇五年の選挙を間近に控えているときだった。敵は国民党のドン・ブラッシュ。苦戦が予想されていた。若い有権者の支持を増やすべく、クラーク首相はアーダーンを政策アドバイザーとしてオフィスに迎えいれた。〈ヤング・レイバー〉とのつながりを強化する狙いもあった。アーダーンにとっては大抜擢だった。首相直々の引き抜きを受けたのだから。当時のアーダーンはまだ二十四歳。政治家というより政治家の卵のようなものだった。とはいえ、すでに出世階段を駆けあがってはいた。〈ヤング・レイバー〉の副リーダーとして、十八歳から二十四歳までの有権者の支持を集めるのに大きな役割を果たしていた。

フリーダイヤル作戦

二〇〇五年の選挙活動で、〈ヤング・レイバー〉はクラーク首相をさわやかにみせること——少なくとも暑苦しくみせないこと——に尽力した。それはブラッシュが、二〇〇四年一月のブラッシュのスピーチ以降、国民党が一気に支持率を伸ばしていた。それはブラッシュが、マオリに与えられていた権利を不当な特権とみなし、それを終わらせるべきだと主張したことによる。たしかに、マオリは犯罪率が高く、健康問題を抱え、刑務所に収監されている割合も高かった。また、教育や貧困の面でも問題があった。ブラッシュはそこを突いたのだ。スピーチから二週間で、国民党の支持率は二十八パーセントから四十五パーセントに伸びた。

ヘレン・クラークもドン・ブラッシュも若くはなかった（クラークは五十代、ブラッシュは六十代）が、ブラッシュはあえて高齢者の票を狙った。もともと若い有権者には人気がなかったし、そこを挽回するのは無理だとわかっていたのだろう。その政敵を攻撃するにはどうしたらいいのか。ザ・テラス通りのマンションでルームシェアして暮らしている政治家の卵は、ある天才的なプランを思いついた。フリーダイヤル作戦だ。ウェリントン周辺の家々にポスティングをした。「このフリーダイヤルに電話をかけて、ブラッシュの政策をきいてください」というもの。電話をかけると自動応答音声が流れる。指示に従って番号を押すことで、ブラッシュの政策演説の中でも不評なものが流れてくるという仕組みだ。「国有資産売却についてはボタン1を……」という具合に、いくつもの選択肢が示される。いたずら電話を自分から受けにいくようなものだ。これが大当たりだった。一日に何百人ものウェリントン市民が電話をかけた。受信するのはアーダーンのマンションの固定電話。このことが全国で大人気のラジオ番組でも取りあげられると、電話をかけてくる人は何千人にも増えた。だれも予想しなかったほどの大成功。ただ、この作戦にはリーダーだったアーダーンが考えもしなかった盲点があった。電話代だ。この作戦のあと、何千ドルもの請求書が届いた。しかしアーダーンもルームメイトの三人も——全員が労働党のスタッフだった——経済的に余裕はない。とんでもない額になってしまった電話代を払えば、ろくに食べることもできなくなってしまう。ここは交渉人ジャシンダ・アーダーンの腕のみせどころだ。電話会社に事情を話し、電話代を大幅に減額してもらうことができた。

こうした経費に悩まされることもあったものの、ヘレン・クラークのオフィスという労働環境はアーダーンにとってありがたいものだった。ニュージーランド初の女性首相の仕事ぶりやその手腕を間近でみて、すべてを吸収していった。とはいえ、受け身で学ぶだけではなかった。クラークからは、選挙運動に向けて、部門別にまとめた政策目標を作る仕事を与えられていた。アーダーンは緻密な政策作りで知られるが、その能力の原点はそこにあったのだ。あらゆる資料に目を通し、疑問点があればとことん解決した。選挙運動がはじまると、すべての演説とそれに対する有権者の反応をよく観察し、どんな作戦が有効なのか、あるいは無効なのかをしっかり分析した。

二〇〇五年の選挙は、だれにも結果が読めない状況だった。しかし政界に入ったばかりの若手として、アーダーンはいくつかの決断を迫られていた。ひとつはっきりしていたのは、この華やかな選挙運動が終わり、投開票の夜が明けたら、いったんここを離れようということだった。海外に出て視野を広げる。短期間でもいいからそうしようと決めていた。そこで、労働党が僅差の勝利を祝っていた夜、ビーハイヴの九階にあるオフィスに戻ってきたクラークと入れかわるように、アーダーンは空港に向かった。

ニューヨークのスープキッチンでボランティア

イギリス連邦王国であるニュージーランドに住む白人（パーケハー。13ページ参照）にとって、大学を卒業したらイギリスに行くのは文化的伝統のようなものだ。白人であるということを少しでも誇りに思って育ってきたなら、少なくとも二、三年、ときにはもっと長く、ロンドンで暮らす。二〇〇〇年代の初頭、一年に一万五千人から二万人のニュージーランド人が中長期の予定でイギリスに渡っていた。その多くはロンドンで暮らし、仕事を得る。ニュージーランド人にとって、ロンドンに住むのはもっとも安全な形の冒険なのだ。観光ビザではなく就労ビザをとれば二年間暮らせるし、ライフスタイルの変化も最小限ですむ。フェイスブックの〈Kiwis in London〉というコミュニティ・ページの登録者数は八万人を超える。ほとんどのメンバーは、外国ではあるがとてもよく似た住環境の町に移っただけだと考えている。そして結局は、故郷の町のストリートパーティーで出会った相手と結婚して母国に落ち着くのだ。アーダーンが旅に出たのも似たような感覚だった。

ただ、アーダーンはまっすぐイギリスに行ったわけではない。二〇〇六年のはじめ、アーダーンはニューヨークで暮らしていた。持っていたのが観光ビザだったので働くことができず、ボランティアとして労働者の人権運動の手助けをした。また、ブルックリンのパーク・スロープにあるスープキッチン（ホームレスに食事を提供するところ）〈CHiPS〉でミートボールを作るボランティア活動もした。このスープキッチンでの経験は、のちにアーダーンのプロフィールを語るときには必ずといっていいほど紹介されることになる。なぜなら、国会議員になって最初のスピーチで、本人がそのエピソードを話したからだ。たしかに、千金に値するエピソードといえる。社会主義者の若者として、ニューヨークのホームレスに食事を提供するボランティア活動をしていた――政界にあらわれた〝新星〟を語るには最高の紹介文ではないか。ともあれ、そういうみかたは脇に置くとしよう。アーダーンがそこでボランティアをしていたのは事実だ。これまでの風評をみるかぎり、アーダーンは嘘をつくような人間ではない。

ブレアとアーダーン、「中道」という共通点

無収入でのニューヨーク暮らしを何カ月か続けたあと、アーダーンはイギリスに行き、労働党の

トニー・ブレア首相のスタッフになるべく自分を売りこんだ。しかし、いざその仕事についてみると、状況はかなり残念なものだとわかった。ブレアは退陣間近。彼がやったことでいちばん有名なのは二〇〇三年のイラク侵攻であり、そのせいで戦犯扱いをされることになった。こんな事務所で働くのは自分のためになるんだろうか、とアーダーンは思ったが、働かなければならないという現実があった。「名より実を取りました。海外での暮らしを続けたかったんです」二〇一七年、アーダーンは記者にそう話した。「海外で暮らして経験を積みたかった。ボランティアの仕事は楽しかったけど、食べるためには働かなければなりませんでした」

二〇一一年にブレアがニュージーランドを訪れたとき、アーダーンは労働党の国会議員だった。彼女はチケットを買ってまでブレアのイベントに参加し、そのことで批判を浴びた。当時、左派の人々のあいだでは、ブレアはろくな仕事をしなかったというのが共通の認識だったからだ。そのイベントでおこなわれたインタビューをきいて、アーダーンはがっかりした。インタビュアーによる質問は当たり障りのないものばかりだった。国民の不評を買うような政策をあえて採ったのはなぜなのかを知りたかったのに。そこで、観客の質疑応答の時間になると、二〇〇三年の派兵を後悔していますか、と質問した。「結果がこうなることを知っていたら、あのとき、別の決断をしましたか?」ブレアはこう答えた。「いや、もう少し準備に時間をかけたでしょうね。そうすればもっと長くイラクに軍を置いていられたでしょう」アーダーンがブレアの事務所に長居しなかったのも、この答えをきけば納得できる。

とはいえ、ブレアとアーダーンには共通点がある。ブレアも若くして政界に入り、三十歳のときに労働党の国会議員になった。そして前任者の突然の退場（一九九四年のジョン・スミス急逝）によって急遽党首に就任し、一九九七年の総選挙では、十八年間苦汁をなめてきた労働党を大勝利に導いた。ブレアは労働党の方針をがちがちの左派から中道寄りに転換し、通常なら右寄りといわれるであろう政策を採用した。たとえば犯罪への刑罰を重くする、法人税を軽減するなどだ。右派寄りの経済政策と左派寄りの社会主義思想を組み合わせ、基本的なスタンスは中道という、いわゆる〝第三の道〟を作ったのだ。ビル・クリントンがアメリカで行ったときのように、この方法は国民の評価を得た。ところがどちらの国でも、その後がまずかった。右派の政治家がますます右に舵を切るようになったのだ。ブッシュやトランプ、メイやジョンソンをみればわかる。アーダーンは自分のことを〝実利的理想主義者〟と呼ぶ。中道という言葉こそ使っていないが、実質的にはこれほどうまく中道派を定義する言葉はないだろう。

世界中に友だちが

ただ、ロンドンにいたあいだ、アーダーンはブレアの直接の配下で働いていたわけではない。内閣府とビジネス・企業・規制改革省のサー・ウィリアム・サージェントの下では参事官補佐として各種規制問題を扱い、内務省のサー・ロニー・フラナガンの下では政策の見直しを行った。地味ではあるが、なかなかの経歴だ。

週末には、当時同じくロンドンに住んでいた姉ルイーズと旅行を楽しんだ。オランダやスコットランドだけでなく、二〇〇七年にはアルゼンチンまで行った。ふたりはブエノスアイレスに一カ月間滞在してスペイン語を学んだ。窓もない安アパートをシェアして、ソファで眠るような生活だった。アーダーンはどこへ行っても友だちがいた。国際社会主義青年同盟（IUSY）の一員として活動していたからだ。

〈ヤング・レイバー〉でのアーダーンの最初の役割は国際（渉外）担当書記官だった。〝国際〟という肩書がつくのは、〈ヤング・レイバー〉はIUSYに所属しているからだ。全世界の労働党青年部だけでなく、社会民主政党の青年部も、IUSYに所属している。IUSYが発足したのは一九〇七年。組織の目的は、先進国の社会主義政党が発展途上国の政党にその知識や実践方法を提供すること。世界中の何万人もの若者が、そのメンバーになっている。自国の青年政治団体に参加して活動していると、外国で開催される国際会議に参加することができるので、それを楽しみにしているメンバーが多い。メンバー同士の交流には組織としてはほとんど関知しないが、そこはそつのないアーダーンのこと、ロンドンに行くときまでには世界中の代表者たちと知り合いになっていた。姉といっしょにどの国を訪ねても、IUSYの友だちに会うことができる。プライベートの楽しみも増えたし、政治家としてもその人脈は役立った。アーダーンが組織のリーダーになることを決めたとき、世界中のたくさんの友だちがそれを応援してくれたのだ。

国際社会主義青年同盟アジア太平洋地域のリーダー

国際担当書記官でIUSYにおけるニュージーランド代表者でもあったアーダーンは、アジア太平洋地域代表やIUSYの総代表にふさわしい人材だった。

ＩＵＳＹのような国際組織の中で一国あるいは一地域の代表になれば、その人物は個人としてではなく、その国や地域の政府と同格の存在感を持つことになる。二〇〇四年当時のＩＵＳＹにおいて、アジア太平洋地域はほぼ忘れられた存在で、ヨーロッパが同盟の中心となっていた。ニュージーランド代表は歓迎されたが、それは、ニュージーランドは他国との関係において基本的に対立がほとんどなく、たがいに友好的とはいえない状況にある国々の仲裁をすることが多かったからだ。それでこそ昔ながらのニュージーランド。みんな仲良くしましょう、がモットーの国だ。

アジア太平洋地域のほかの国にもいえることだが、ニュージーランドにはリーダーシップをとろうとする代表者がそれまでいなかった。ＩＵＳＹの総代表はヨーロッパから選ばれるのが恒例だ。総代表経験者はその後、自国内閣の中心人物になることが多い。アーダーンはアジア太平洋地域のリーダーとして世界のあちこちで開かれた集会に参加し、その後の戦略を話し合い、情報を交換した。

二〇〇四年、アーダーンとミルンはハンガリーのＩＵＳＹ総会に出席した。さまざまな国際政治問題を話し合い、自国の利益を考えて、さまざまな動議に投票する。こうした投票が、ＩＵＳＹの外部に向けたスタンスを決める。ＩＵＳＹ総会は仕事一色のイベントだし、世界中から集まるメンバーも数百人にとどまる。

アーダーンの人脈作り

四年ごとに場所を変えて催されるＩＵＳＹワールドフェスティヴァル（政治オタクのためのオリ

ンピックのようなもの）は、総会とはまったくの別物だ。一週間続くパーティーのようなもの。二〇〇六年はスペインのアリカンテで開かれ、アーダーンも参加した。何千人ものメンバーが、仕事を口実にして海外旅行を楽しむイベントだ。昼間はワークショップや講演があるものの、参加者のお楽しみは日が落ちてからはじまる。

しかし、ニュージーランドの代表者たちの認識は違っていた。〈ヤング・レイバー〉のメンバーで構成された一団は、一年かけてスペイン行きの資金を貯め、まじめな気持ちでこのイベントに臨んだ。渡航費が安くあがるヨーロッパの代表者たちとは違って、昼間の講演などにも参加したし、影響力のある国々の代表者たちと積極的に交流した。

人脈作りのスキルは、政治家としてある程度キャリアを積むまではなかなか身につかない人が多いし、いつまでたっても苦手という人もいる。政治の仕事には人脈作りが肝要だが、ベテラン政治家でさえ、本物の信頼関係を伴う人脈を作るのには苦労することがあるのだ。ところが、二十代前半のアーダーンは、それをごく自然にやってのけた。友だちもIUSYの人々も、それは彼女がもともと持っているフレンドリーさや人を惹きつける魅力がなせるわざであり、そのための苦労なんかしていないと感じていたに違いない。もしかしたら彼女自身も、それをキャリアアップのためにやっているという意識はなかったのかもしれない。

複雑な満場一致の大抜擢

二〇〇六年のアリカンテで、その人脈作りが実を結んだ。その年の前半にロンドンに移住したアーダーンは、ＩＵＳＹのニュージーランド代表を続ける資格を失ってしまった。ニュージーランドの〈ヤング・レイバー〉で働いていないからだ。ＩＵＳＹの仲間にこのことを知らされたあと、しかたなく自分の後任候補を探すことになった。選んだのは〈ヤング・レイバー〉の一員、ケイト・サットン。サットンがアーダーンに代わってＩＵＳＹのアジア太平洋地域副代表とニュージーランド〈ヤング・レイバー〉を務めることが内定した。

アリカンテのフェスティヴァルでは、アーダーンが退任し、後任にサットンを推す予定だった。ところがいざ会議場に入ってみると、アーダーンは次期ＩＵＳＹ総代表の候補者になっていて、二〇〇八年の総代表に選ばれた。総代表選挙は二年ごとに行われる。

アーダーン抜きでの話し合いがすでに重ねられていたのだろう。小さな文字で書かれたＩＵＳＹの細則を守ることより、アーダーンをリーダーに据えることのほうが重要だという結論に至っていたわけだ。まさに満場一致。めったにないことだった。それだけではない。ニュージーランドの代表者が他国の代表者を抑えて総代表に選ばれること自体、はじめてだった。複雑な利害関係もあるし、野心を持つ人間はほかにもたくさんいる。にもかかわらずの、この大抜擢。アーダーン本人を含むニュージーランドの代表団全員が喜んだ。アーダーンが辞意を伝えるために会議場に入ったことなど、だれもが忘れていた——というより、そんなことはどうでもよくなっていた。

友人の出世を約束しておいて、結果的には自分が大出世を遂げたのだ。ひどい話かもしれない。しかしサットンは、個人的にはがっかりしていたものの、アーダーンの快挙を祝い、また、ＩＵＳＹの総代表がはじめてニュージーランドから選ばれたことに歓喜していた。このことを仲間たちに知らせるとき、アーダーンはひどく動揺しているようにみえたという。総代表という役職を得たことではなく、友人を裏切るような形になったことを申し訳なく思っていたようだ。

もちろん、IUSYの総代表選挙において、〝たまたまこうなった〟とか〝いつのまにかそうなっていた〟ということはあり得ない。アーダーンがIUSYのトップにのぼりつめたのは画期的な出来事であり（百年に渡るIUSYの歴史において、総代表がニュージーランド人であることは初めてだったし、女性はふたりめだった）、それが実現するまでには、舞台裏でさまざまな折衝が行われていたに違いない。結果として割りを食う羽目になったのがケイト・サットンというわけだが、これも不運ながらしかたのないこととして受け入れられた。このような大きな役職につくチャンスを蹴ってまで約束を果たそうという人はそうそういないだろうが、それでもなお約束を破った相手と友好的な関係でいられるのは、アーダーンくらいなものだろう。

だれも知らないリスト上位の候補者

アーダーンがロンドンに戻って働いていると、フィル・ゴフから電話がかかってきた。二〇〇八年の総選挙に労働党から出馬しないかという依頼だった。アーダーンは断った。彼女はこのパターンをその後も繰りかえすことになる。はじめは断り、次に受け入れるというパターンだ。ゴフから二度目の電話がかかってきたとき、答えはイエスだった。

二〇〇八年のはじめ、アーダーンは予定通りIUSYの総代表に就任した。就任式に参加するため、長年の友人であるトニー・ミルンの結婚式に出ることができなかった。本当なら花嫁の介添え役をするはずだったのだが、それもできなかった。それでもミルンは、アーダーンの快挙を喜んでいたという。

二〇〇八年の総選挙を半年後に控えたある日、労働党のウェリントン地区出馬予定者リストが〈ドミニオン・ポスト〉紙にリークされた。リストの上から五番目までは現職の議員だったが、六番目にあげられた名前をみて、記者はちょっとした驚きをみせた。ジャシンダ・アーダーン。この二年間をロンドンで暮らしていて、キャリアとしては「ヘレン・クラークのオフィスで働いていた」ことしか書かれていない。アーダーンが選挙のためにニュージーランドに帰ってくることはもとより、総選挙に出馬することなど、だれも知らされていなかったのだ。しかしその名前は六番目――ほかの出馬確実と思われていた人々の名前よりも上にあった。

労働党の候補者選考委員会がオークランドで開かれ、党全体の候補者名簿を作っていたときも、アーダーンの名前は議題のトップ項目にあった。〈ヤング・レイバー〉を長年引っ張ってきて、まもなくIUSYの総代表にもなろうとしている人間。候補者リストに加えることに、多くの委員が賛成した。（訳注：ニュージーランドの選挙制度については131ページ参照）

労働組合長のポール・トーリックは、アーダーンを強く推した。候補者リストを作る際にも、リーダーを決める際にも、労働組合は強い影響力を持っている。アーダーンは、エネルギー省のハリー・ドゥインホーフェンのオフィスで働いていたときから、トーリックの信頼を得ていた。二〇〇五年のヘレン・クラークの選挙運動のときも、アーダーンは労働党と組合の連携に大きな役割を果たしたのだ。当時から、トーリックを味方につけることが将来自分のためになると見越していたのだろうか。おそらくそうだろう。では、記憶に残る活躍をした人がいたからといって、それから二年もたってから、選挙の候補者としてその人を強くプッシュするのは、当たり前のことなのだろうか。そんなことはない。やはり異例だ。

男性がほとんどを占める労働組合が若い女性を前面に押し出すことにしたわけだ。ひとつの進歩といえる。当時の首相として委員会に参加したヘレン・クラークも、アーダーンを高く評価していて、リストの上位に名前を挙げるべきだと主張した。

労働党の候補者リストは地域別に分類されている。各地域の強力な候補をリストのトップに据えるのが無難なやりかただ。また、北島のオークランドやウェリントンには能力があり経験の豊かな候補者がたくさんいる。期待の新星がいるとしても、オークランド地域リストでは四番目に入るのがせいぜい。ところが南島であれば、リストのトップに据えられる。

女性議員の割合

アーダーンは北島のワイカト地方で育ったが、海外に出る前はウェリントンにいた。さて、どの選挙区から出馬するべきか。といっても、アーダーンの一存では決められない。決めるのはトーリックをはじめとしたアーダーンの友人やアドバイザーだ。アーダーンという駒をどこに置くのが、党にとっていちばん効果的か。アーダーンの名前がウェリントン地区、つまり首都圏の候補者リストに載っているのがリークされたとはいえ、首都圏には党にとって重要な候補者がたくさんいる。ならばアーダーンはワイカトのほうがいい。

党の会議で、トーリックはクラークやほかの参加者に、出番を袖で待っているアーダーンのために、ステージを完璧に整えてやるべきだ、と語った。トーリックの支援がものをいったのはもちろんだが、労働党には女性議員が少ないという現状も、その後押しになった。

クラークもそのことはじゅうぶんに承知していた。一九八一年、クラークが国会議員に初当選した当時、同僚たちとの夜のつきあいといえばウィスキーを飲んでトランプをすることと決まっていたし、男性しか参加できなかった。女性という不利な立場にありながら首相の座にのぼりつめたクラークは、今後の女性議員たちが性差による不利益をこうむることがないようにしたいと強く願っていた。首相在任期間中に、労働党の女性議員の数は飛躍的に増えたものの、小選挙区制での当選者数はまだ少なく、多くは比例代表制による当選だった。労働党が政権をとれば、比例代表のリストの下位にいる候補者たちも議員になれるし、そうなれば女性議員が増えて男女のバランスもとれる。しかし、二〇〇八年の総選挙は、労働党に勝ち目はないとみられていた。それまでのクラーク政権三期のうちに不満をためてきた国民が、変化を求めていたのだ。労働党の当選者数が減るということは、つまり比例区の候補者リストに載る女性たちが割りを食うことになる。

二〇〇五年のクラーク内閣だけをみても、二十人いる大臣のうち女性はたった五人。いちばん多かったのは一九九九年で、七人の女性大臣がいた。当時と比べると女性の国会議員は少しずつ増えてきていたものの、地位や在任期間の面からみれば、まだまだという状況だった。

ケイト・サットンは二〇〇六年に労働党幹部会のメンバーに選ばれ、労働党の国会議員を男女同数にすべきであるというキャンペーンをはじめた。女性の登用見込みについて軽々しく口にしない党幹部たちのやりかたを変えていこうとしたのだ。しかし、多様性を実現しようとすると、どういう種類のものであっても、反発があるものだ（そもそも女性の登用を多様性として扱うこと自体が大きな問題ではあるが、それは別の問題としておこう）。このときも、たいした能力はないのにただ女性だからといって優遇される女性がいるのではないか、という議論が起こった。

勝たなくてもいいが、戦え

そんな状況で、アーダーンの存在はまさに解毒剤のように働いた。若いアーダーンは、労働党のニューフェイスでありながら、労働組合への敬意を常に忘れない。派閥間での闘争が起こりがちな選考委員会としてはめずらしく、アーダーンに関しては全員の意見が一致した。

候補者リストが公表されたのは九月一日、選挙の二カ月前。その中身は労働党の世代交代を象徴するものだった。注目を集めた候補者としては、フィル・トワイフォード（当時四十五歳、オックスファムの前世界代表で、労働党が長年ラブコールを送っていた人物）、ケルヴィン・デイヴィス（四十一歳、マオリの教育運動家であり校長でもあった）、カーメル・セプローニ（三十一歳、トンガの血を引く人物としては初のニュージーランド国会議員候補）、ステュアート・ナッシュ（四十一歳、ウォルター・ナッシュ元首相の孫）などがいた。しかし、いちばんの目玉はジャシンダ・アーダーン。当時まだ二十八歳でロンドン在住だったアーダーンの名前が、候補者リストでは彼らより上にあった。選挙の結果が労働党の惨敗にならない限り、比例代表での当選は確実だ。

党内で、そしてＩＵＳＹで積んできた経験を考えれば、この異例の扱いも当然のことだった。キャリアも人脈もあり、党が求めてきた若さもある。ただ、アーダーンにないものがひとつだけあった。知名度だ。労働党や社会主義者の若者たちは別として、一般の国民にとっては無名の存在だった。アーダーンはロンドンにとどまり、ロンドン在住のニュージーランド国民にアピールしたいと申し出たが小選挙区にも出るべきだ、とクラークが異をとなえた。勝たなくてもいいが戦え、というわけだ。小選挙区で戦えば掲示板に写真が貼られる。戸別訪問もすることになる。それによって顔と名前を売ることができる。個々の有権者に訴えかけ、やる気を示し、信頼を得られるかどうか。アーダーンの能力も問われることになる。

候補者リストの公示から二週間後、アーダーンが故郷のワイカト地区の候補者になることが発表された。近隣の地区と合わせて作られた新設の選挙区で、地域全体としては四十年前から国民党の地盤でもある。田舎のコミュニティでは労働党の社会民主主義などお呼びではないし、地元出身の若い女性の力を持ってしてもどうにもならないだろうと思われた。クラークもそのことはよくわかっていた。クラーク自身、一九七五年、二十五歳のとき、同じ地域のピアコから出馬して惨敗した経験がある。ただ、クラークはアーダーンのように党のリストの上位に名前があったわけではないので、比例復活することができず、敗北は議員になれないことを意味していた。負けはただの負けに過ぎなかった。とはいえ、選挙運動の練習の場にはなった。だからこそ、それから三十三年後、アーダーンにも負け戦をしろといったのだ。

ワイカトで戦っても爪痕ひとつ残せないだろう――そのことはだれの目にも明らかだったしアーダーン自身にもわかっていた。しかしアーダーンは投票日の三週間前にニュージーランドに戻り、故郷での選挙活動を堂々と行った。労働党の赤で染められた掲示板の前で、満面の笑みを浮かべた。髪は褐色。ティーンエイジャーのころからずっと金髪に染めていたのを、はじめて褐色に戻したのだ。しかし、結果は伴わなかった。アーダーンは天文学的大差で負けた。ワイカトは国民党の地盤。バケツとほうきをワイカトの地面に立てておいても、それが国民党の候補者なら勝てただろう。

政治家というよりは外交家に

アーダーンがワイカト選挙区で負けただけでなく、二〇〇八年の総選挙では労働党も負けた。政治家になってから六年しかたっていない国民党のジョン・キーが首相になった。キーは新鮮なニューフェイスであり、また、冷たい印象のクラークとは対照的に、人好きのする雰囲気もあった。労働党の一時代は終わったが、野党の後方席には労働党の若手議員がずらりと並ぶことになった。比例代表で復活当選したアーダーンもそのひとりだ。当時の労働党議員には、グラント・ロバートソン、クリス・ヒプキンズ、ステュアート・ナッシュ、カーメル・セプローニ、フィル・トワイフォードなどがいた。選挙前まで海外に出ていたせいか、若さのせいか、あるいは女性だからか、マスコミはアーダーンにあまり注目せず、ナッシュとトワイフォードばかりを次世代の労働党リーダーとほめそやした。

選挙運動中に受けたインタビューではいつも、アーダーンは青少年の福祉の重要性を強調していた。そのため、選挙後は青少年問題と少年法を担当することになった。

国会議員としてなにをなしとげたいか——こう質問されたとき、アーダーンの答えは決まっていた。政治家というよりは外交家になりたい、と。「わたしは最年少の新人国会議員です。若い世代がもっと政治や政治討論に参加できるようにしていきたいと思っています」

環境と子ども、アーダーンの初演説

アーダーンは、二〇〇八年十二月十六日、最年少の国会議員としての初演説を行った。自分のお手本であるクラークに謝意を示したあと、こんなジョークをいった。「初演説は、かっとなったときに口から出た言葉に似ています。本人がどんなに忘れたいと思っていても、いつか自分に返ってきて、ずっとつきまとうのです」

そして、これまでの人生をざっと振りかえったあと、これから取り組みたいと思っていることについて熱く語った。

最年少議員であるということは、大多数の議員たちとは異なる世代的観点からものをいうことになる。ニュージーランドの政治家は、実際の年齢より年上にみえることが多い。たまたま落ち着いた雰囲気を持っているという場合もあるし、特定のテーマについて語るときはあえてそのようにみせることもあるだろう。しかしアーダーンは最初からそういう路線を選ばなかった。先輩たちと同じようにふるまう必要はないと考えたのだ。若い政治家として、若者の代弁者になるつもりなのだから、若いままでいい。

そして、気候変動に対して政府が無策であることを糾弾したとき、アーダーンは自分の若さを強調した。「ニュージーランドはクリーンでグリーンな国である——そんなわたしたちの誇りは、もはや真実を伴わない自画自賛になっているのではないでしょうか。わが国は、気候変動による環境への影響を抑えるために、世界に先んじて積極的な法規制を行ってきました。しかし残念ながら、いまそれを失おうとしています。さらに信じられないことに、気候変動についての考えかたを見直そうという特別委員会までできてしまいました。わたしたちは、気候変動についての世界のリーダーになる資質があったはずです。国民党は、ニュージーランドはこの問題に真っ先に対応すると約束していました。ところがどうでしょう。いまわたしの目に入るのは負け犬ばかり。この議事堂にいるみなさんの中には、国の将来をになう世代の人々に対する責任を感じていない人たちがいるのです。わたしは違います。次世代への責任を感じています」

アーダーンを含む新人議員はみな、与党も野党も関係なく、新しい世代の代表者だった。つねに気候変動の問題を意識している。十年前の議会ではそれほど重要視されなかった問題だ。アーダーンは、自分の考えを支える柱が二本あるといった。環境と子どもだ。この初演説には、世の中に変化を起こしていくつもりだという気概があらわれていた。そして、自らのハードルを上げるような言葉で締めくくった。その後の自分がどれだけ注目を浴びるか、このときはよくわかっていなかったのかもしれない。

「これまでみてきたこと、これまで学んだこと、そしてわたしが支えていきたいと思っているニュージーランドの人々が、わたしをこの場に連れてきてくれました。ここで働く名誉をいただいている限り、そのことをひとときも忘れないつもりです」

4 ライバル

A Rival

ジャシンダ・アーダーンは、オークランド・セントラルから出馬する労働党候補としては非の打ちどころがない――そんな前評判があった。オークランド・セントラルとは、ポンソンビー、グレイリン、ウェストミア、ハーン・ベイといった町を抱える選挙区で、裕福なベビーブーマー世代の人々や、賃貸の住宅に住む専門職の若者たちが住民の大部分を占める。一九七〇年代や八〇年代、こうした郊外の町には太平洋諸島諸国からの移民のコミュニティがあったが、その後、地価の高騰によって彼らは追いだされる形になった。移民たちが通っていた古い教会はいまも存在するものの、オークランド中心部の住宅はいまや、平均で二百万ドル（約一億六千万円）近くまで値上がりしている。

ベビーたちの政治バトル

百年近くのあいだ、オークランド・セントラルは労働党にとって確実に勝てる選挙区だった。ところが二〇〇八年、国民党の若手ホープがここで初当選を果たした。ニッキー・ケイだ。当時二十八歳、驚くほど有能で、社会問題に対してはリベラルな考えを持ち、倫理的問題に対しては遠慮のない率直な意見を述べる、与党期待の成長株だった。

ケイとアーダーンは同い年で、どちらもそれぞれの党の期待の新星だ。いつも比べられるが、本人同士が張り合っているわけではなかった。とはいえ、ふたりの対決はすぐにやってきた。

二〇〇八年にケイが当選したとき、次の選挙では労働党のホープのひとりであるフィル・トワイフォードが、ケイと同じオークランド・セントラルから出馬して議席の奪還を狙うのではないかという噂が立った。トワイフォードはその選挙区に近いキングズランドに住み、そこに選挙事務所を構えていた。そんなオークランドに、二〇〇九年、アーダーンがワイカトから越してきた。労働党内で選挙区の奪い合いが起こるのではないか、という憶測が広がる。しかしまもなく、その選挙区からはアーダーンが出ることが決まった。トワイフォードはのちに、「オークランド西部のワイタケレから出馬することになって、むしろうれしかった」と話している。

アーダーンの選挙区がオークランド・セントラルに公式に決まる前に、〈NZヘラルド〉の記者であるパトリック・ガワーが、アーダーンとケイのあいだに起こるであろう戦いのことを記事にした。その記事に使われていた言葉がふたりの頭から離れるまでには十年近くかかったのではないか。

それは「オークランド・セントラルで『ベビーたちの政治バトル』が起ころうとしている」というもの。「最年少国会議員のジャシンダ・アーダーンとニッキー・ケイが議席を争うことになりそうだ」

『ベビーたちの政治バトル』。まるでだれかの科白(せりふ)であるかのような書きかただが、そういうわけではない。しかし、だれの言葉であろうと、そんなことはどうでもよかった。とにかく言葉のインパクトが強かった。

〝若い〟〝女性〟という二重のショック

性差別的な表現であることは間違いない。二十八歳の男性の政治家たちが議席を争っていたとしたら、同じ言葉は使われないだろう。ただ、ガワーばかりを責めることはできない。デュレックス社(コンドームのメーカー)が二〇一〇年におこなった「ニュージーランドでもっとも〝ホット〟な有名人または政治家はだれか」というアンケートで、女性政治家部門の一位だったのはケイ。総選挙のあった二〇一一年には、同じアンケートの一位がアーダーン、二位がケイという結果になった。当時のアーダーンはこのアンケートについて、「好きなチョコレートを選んでくださいといいながら、実はフルーツとナッツ入りのものしか用意していないようなものですよね」とコメントした。〝フルーツとナッツ〟というのは、人をばかにするときに使う言葉だ。自虐的な冗談ではあるが、同時に、アンケート結果にランクインしなかった男性議員たちを皮肉ってもいたのだろう。同じアンケートで、ニュージーランド・ファースト党の党首、ウィンストン・ピーターズは「もっとも信用できない政治家」部門でダントツの一位になった。

政治はおじさんやおじいさんのゲームだという世間の認識のせいだろう。アーダーンとケイの戦いについては、実際のルックスがどうこうということ以上に、若い女性政治家ふたりが議席を争っているという事実そのものが注目を浴びたのだ。こんなおかしな記事が出たのは、マスコミが〝若い〟〝女性〟という二重のショックを受けたせいだと思われる。

もちろんふたりのルックスも話題になった。ベテランの政治ジャーナリストでさえ、そのことに触れずにいることが難しいようだった。ある一流の政治記者も、アーダーンのプロフィールに「見た目のよい」というひとことを入れた。国会専門の記者のひとりは、二〇一一年の選挙は接戦になるだろう、なぜならアーダーンは頭脳も容姿もケイに負けていないから、と述べた。あるベテランの雑誌編集者はこんなことを書いた。「アーダーンは目鼻だちがはっきりしている。今夜得意気に出していた耳の形さえ、人目を引くものだ」アーダーン本人に直接確かめた人はいないが、本当に自分の耳を他人にみせつけていただろうか？　いや、単に顔の両側に耳がついているというだけのことだろう。

慎み深さが美徳の国で

政治という面で比べれば、ケイのほうがポイントが高い。小選挙区で当選した議員だし、当選して以降、オークランド・セントラルの代議士としてのキャリアを積んでいる。しかもその選挙区は、再開発のおかげで、政治の要所になりつつある。勝ち目がないと思われた選挙を戦って、結局は勝ったという経験もある。そして、なんといっても与党の議員だ。アーダーンは野党議員で、比例代表からの復活当選組。どうみてもケイに分がある。それでもマスコミは、ふたりを同等のライバルとして扱うことが多かった。苦労してきたようにみえないことが、アーダーンの強みだったのかもしれない。

ニュージーランドでは、慎み深さがなによりの美徳だ。なにかひとつのことで他人より秀でた存在になりたい、そんな思いを遠回しに口にするだけで、まわりの人々にいやな顔をされる。成功しても、人前で派手に喜んではいけない。海外で有名になったり金持ちになったりした人は、もれなくひどい嫉妬の対象になる。みずから腰を低くして暮らしていないと、まわりから叩かれてぺしゃんこになる。他人の成功をねたむのは人間らしいといえなくもないが、そんな社会で暮らしていると、疲れてしまうこともある。選挙運動も大変だ。候補者はみな、自分がどんなにがんばっているかを人々にわかってもらおうとするものだが、ときにはそれが行き過ぎて鼻につく。しかし、選挙運動で必死になるのは当然のことだ。有権者たちにできる限りのアピールをして、票を集めなければならないのだから。ところがニュージーランドの人々はプライドを大切にするので、なりふりかまわずがんばる姿をみせると逆効果になってしまう。

ニッキー・ケイはなりふりかまわずがんばるタイプだった。もともとスポーツ好きで、オークランドの大会で中距離走のチャンピオンになったこともあるし、ウルトラマラソンに出たこともある。二〇〇八年のコースト・トゥ・コースト（南島横断）マラソンにも参加した。三キロのビーチラン、自転車七十キロ、マウンテンラン三十三キロ、カヤック六十七キロで構成されるレースだ。アスリートタイプの政治家は少ないので、プロフィールに書くには最高の経歴だ。しかし、このレースを完走するためにどんなに努力したかをきかされても、喜んで耳を傾ける人などひとりもいないだろう。世の中の九十九パーセントの人は、そんなレースは自分には無縁だと思っているのだから。根性物語は流行らない。

自然体の選挙運動

ただ、ケイには地元出身者という強みがあった。オークランド・セントラルの一住民として育ってきた。緑豊かで上品な住宅街に育ち、私立学校に通い、科学と法律の学位をとった。モリンズヴィルという田舎で育ったアーダーンとは対照的だ。しかしながら、育った環境は違うものの、職歴は驚くほど似ている。ふたりとも、二〇〇〇年代のはじめにそれぞれの党首のオフィスで働いた。アーダーンはヘレン・クラーク首相、ケイは国民党のビル・イングリッシュだ。ケイは二〇〇三年にヨーロッパに渡り、政策プロジェクトに関わる仕事をした。アーダーンの渡英はその二年後で、サー・ロニー・フラナガンの下で内務省関連の仕事をした。アーダーンがIUSYの総代表になろうとしていたとき、ケイはIYDU（国際青年民主同盟）の副議長を務めていた。IYDUは世界各国の保守主義政党の集まりである「IDU（国際民主同盟）」の青年組織であり、「全世界の中道右派の青少年政治組織を結ぶ同盟であり、より大きな自由とより小さな政府を求めることを共通認識とする」とうたっている組織だ。

ふたりとも、二〇〇八年の総選挙に備えてニュージーランドに戻ったが、その時期はケイのほうが早く、二〇〇七年。オークランド・セントラルの議席を狙って徹底的な準備を始め、それを成功させた。アーダーンが戻ってきたのは選挙の三週間前。ワイカトの人々に顔見せをするために過ぎなかった。

マスコミに紹介されるときは「真面目な」という形容詞がつくのも、ふたりに共通した特徴だ。共通点が多いにもかかわらずというべきか、多いからこそというべきなのか、ふたりが個人的に接することは一切なかった。選挙運動の性質を考えれば、たがいを遠ざけあうのは当然かもしれない。ふたりとも、今後の政治家人生においても比べられつづけ、ライバルとして競い合っていくことを、このときから自覚していたのかもしれない。

ケイは全力を尽くした。アーダーンも同様だ。しかし、選挙運動を行う姿が自然体にみえたのはアーダーンのほうだった。ケイはあちこちの駅や中小企業をまわって演説を重ねたが、アーダーンはさまざまなイベントに出かけては人々に話しかけるだけ。そして最後に「そうそう、労働党をよろしくね」というのだった。

もちろん、「がんばり屋」とか「努力家」とかいう言葉で評されるのは女性政治家のみ。男性政治家もいつもがんばっているが、親しみやすさをアピールしようとして失敗しても、軽く肩をすくめられておしまいだ。女性の場合はそれではすまない。ケイは有能で博識でにこやかで真面目な人物だが、アーダーンほど愛想がよくない。ただそれだけで、次は負けるだろうといわれてしまう。しかも、その選挙区で勝った現職議員だというのに。

テレビの顔、アーダーン

アーダーンの顔はすでに人々に知られていた。二〇〇八年の選挙で当選した若手議員のひとりとして、国民的人気を誇る朝の情報番組の〈次世代のスター〉というコーナーに出演を果していたのだ。同コーナーは、労働党と国民党の若い議員が、その週の出来事について話し合うというものである。

アーダーンは労働党代表、国民党からはサイモン・ブリッジズが出演した。ケイも二〇〇九年のはじめに何度か出たことがあるが、彼女がそういう番組には向いていないのは明らかだった。ブリッジズとアーダーンは――そしてのちにはジャミ・リー・ロスとアーダーンは――ふたつぴったり並んだ席ににこやかに座り、互いに冗談をいいあっていた。ケイが出たときは隣のアーダーンと座席が三十センチ離されていたし、ふたりのやりとりにはユーモアのかけらもなかった。辛辣な応酬が続いて、和やかな討論とは呼べないものだった。要するに、アーダーンとブリッジズが出演したときのほうが雰囲気がよくて、テレビ番組向きだったわけだ。

一年間、週に一度、国民のだれもがみるようなテレビ番組に出演しつづけたことは、大躍進のチャンスをもらったも同然だった。新人議員の主な仕事は、有権者に自分の名前をおぼえてもらうことなのだから。ブリッジズはケイに比べればそつなく出演をこなしたものの、〈次世代のスター〉コーナーの本当のスターはアーダーンだった。野党議員だという事実も、彼女に有利に働いたのだろう。政府の新しい決定や政策を遠慮なく批判することができる上に、そうすることで労働党の政策を擁護(ようご)することもできる。さらに、どんなに深刻なトピックであっても、アーダーンは笑顔で最後を締めくくる。ブリッジズはちょっと不満そうな顔で終わることが多かった。

自分で意識的にそうしたのかどうかはわからないが、アーダーンのプロフィールは政治家らしからぬものになっていった。政治家というよりも、テレビでよくみる有名人。現在二十代の人々は、子どものころは毎朝、テレビからきこえるアーダーンの名前を耳にしながら、学校に行く準備をしたものだ。彼女が議会でどんな仕事をしているとか、どんな政策に関心があるとかいうことは知らなくても、ジャシンダ・アーダーンという政治家がいるということは知っていた。野党の新人議員にとっては、それだけでも大きな意味がある。一政治家としてではなく一個人として有名になったことは、のちの選挙では障害になることもあったが、二〇一〇年の段階では、大きな助けになった。

アーダーンをオークランド・セントラルから出馬させるのは、いくつかの意味で、労働党にとっては火をもって火と戦うようなものだった。ケイとアーダーンは、意見が一致する点も多かった。グレート・バリア島での採鉱を国民党が提案したとき——島はオークランド・セントラル選挙区の一部だった——ケイは反対して不評を買った。国民党支持者からは裏切り者と呼ばれ、野党支持者からは、リベラルな有権者におもねるためのスタンドプレーだと批判された。

女性候補者の能力と好感度

二〇一二年、政治・文化における女性に対する差別をなくし、女性の幅広い社会進出を目ざす財団、バーバラ・リー・ファミリー財団が『一分の隙もなく（ピッチ・パーフェクト）：女性候補者の必勝戦略』というレポートを出版した。二〇一〇年に同財団がおこなった調査の結果が紹介されている。有権者は、候補者が男性の場合、能力があれば好感がもてなくてもかまわないと考えるが、候補者が女性の場合、いくら能力があっても好感度が低ければ票を投じない、とのこと。女性候補には能力も好感度も必要で、どちらかが低ければもう片方も低いとみなされてしまう。ところが男性候補に関しては能力と好感度は別物なのだ。レポートにはこう書いてある。「女性候補の場合、能力と好感度は互いに密接に関連しているので、選挙の演説に失敗すると、どちらのポイントも下がってしまう」

これは一種のジレンマだ。有能さは好感度にはつながらないが、無能なら無能で好感度は下がる。アーダーンとケイはどちらも有能で、好感度はアーダーンのほうが高い。なぜだろうか？　答えるのは難しい。アーダーンのほうがユーモアのセンスがあるからだろうか。ケイは嫌われていたわけではないし、グレート・バリア島の採鉱に反対したことは、のちには高評価を受けた。しかし当時は、〝味方の足を引っぱる女〟というレッテルをマスコミから貼られていた。

オークランド・セントラル選挙区は、リベラルな都会人が住民の圧倒的多数を占める地域だ。若い専門家や自営業者も多い。また、候補者であるアーダーンとケイも、ずば抜けて若い政治家だ。二〇一一年のオークランド・セントラルはＳＮＳを利用した選挙運動のモデルケースであり、ふたりの候補者もまた、その舞台に立つ完璧なモデルだったわけだ。

ツイッターはプライベート中心

ツイッターのアカウントを先に作ったのはアーダーン。二〇〇九年三月だった。ケイもその後まもなく、七月に作った。どちらもすぐに、それをうまく利用しはじめた。ケイのツイートは政策中心で、ときおりプライベートなつぶやきを混ぜる。その多くは自虐ネタの冗談だった。アーダーンのほうはプライベート中心。両親や自分自身についての冗談を書くことが多かった。ケイは国民党のメンバーとして、自分や党の政策を書いていたのに対し、アーダーンはあくまでも個人としてツイートしていた。党の政策にもめったに触れなかったので、知らない人が読めば、無党派の候補者だと思ったかもしれない。こうしたツイッターの使いかたから考えると、ケイへの投票は国民党への投票であり、アーダーンへの投票はそのままアーダーン本人への投票、ということになりそうだった。

二〇一一年十一月、投票日の夜。投票状況がリアルタイムでツイートされていった。かなりの接戦で、開票序盤ではケイがリードしたものの、二十二パーセントが開票された時点では、そのリードはたった七十七票になっていた。

午後十時四十分、具体的な政策を繰りかえし口にしつづけてきたニッキー・ケイは、自分の支持者たちにむけて勝利宣言をした。彼女は二位に七百十七票の差をつけて、オークランド・セントラルの議席を再獲得した。国民党は政権を維持し、アーダーンは比例代表からの当選となった。

さらに三年後、アーダーンはまたオークランド・セントラルでケイと戦うことになる。〝ベビーたちの政治バトル〟という言葉がまたも繰りかえされ、それを〝ニュージーランド政界の若いスターたち〟といいかえようとする人もいない。ふたりの戦いは、目でみて楽しむものといわれつづけたのだ。

#AskJacinda

敗北からの三年間、アーダーンは商業や芸術の分野で名を上げることに奮闘し、成果はすばらしいものだった。オークランドの音楽やコメディシーンに頻繁に登場しただけでなく、そういった業界に豊かな人脈を作った。文化的なイベントに参加したり、コーヒーショップで茶話会を開いたり、オークランドで開かれたプライド・パレード（LGBTQIA+の文化を讃えるパレード）に労働党代表として参加したり。多くの支援を集めることができたし、だれもがアーダーンに好意を持ったようにみえた。しかし、二〇一一年の時点でも、アーダーンは人気者であり、それでもケイに負けたという事実がある。コミュニケーション能力の高さだけでなく、しっかりした政策があるということも主張していかなければならないということだ。だが少なくとも党はアーダーンの能力と政策に信頼を置いたらしい。二〇一四年一月までに、アーダーンは議会で労働党の最前列に座るほどの有力議員になっていた。

残念ながら、アーダーンの知名度が上がるのとは反対に、労働党そのものは力を失っていった。二〇一四年の総選挙を前に、労働党の支持率は史上最低を記録していた。内部抗争が続いていたせいだ。比例代表で得られる議席数に期待ができないので、各議員は小選挙区で議席を確保しようと必死だった。そんな中、アーダーンも苦戦を強いられそうだった。左寄りといわれる地域であるグレイリンがオークランド・セントラル選挙区からはずされたからだ。

アーダーンの選挙運動は、党内部の亀裂を反映するものだった。屋外広告には#AskJacinda（ジャシンダにきけ）と大きく書かれていた。疑問があればそれを書いてくれ、そうしたらアーダーンが答える、というわけだ。#AskLabour（労働党にきけ）ではなく、#AskJacindaだった。二〇一四年の選挙運動の調査によると、投票日前の四週間、労働党は具体的な政策を示すことができなかったし、アーダーンの政策についてのツイートもたった三回しかなかったという。労働党は戦いらしい戦いができずに終わるだろうし、多少なりとも意地をみせられるとしたら、それはアーダーンだろう――そんなふうにいわれていた。

ケイとアーダーンの議席争いは、二〇一一年以上の接戦になった。開票が三分の二まで進んだ時点ではケイが勝っていたが、その差はわずか二百票。その後は差が広がったとはいえ、僅差であることに変わりはなかった。オークランド・セントラルにおける比例代表は国民党が大勝。選挙運動期間中の労働党の状況からして、予想通りの結果だった。結局、小選挙区ではケイがまた勝った。アーダーンとの票差は六百。

アーダーンは三回戦って三回負けたのだ。

アーダーンに小選挙区で連戦連勝したケイは、教育相として国民党内閣に入った。二〇一六年、ケイは乳ガンの診断を受けて政界をいったん離れたが、二〇一七年に復帰した。当時は、いずれ、このふたりが党のリーダーとして総選挙を戦う日が来ると思われていた。それを〝ベビーたちの政治バトル〟などと表現する人は、そのときにはいなくなっていることだろう。だが、ケイは二〇二〇年に政界を引退し、実業家に転身した。

5 上昇気流

The Rise Begins

「おれはジャシンダ・アーダーンとデートしたことがある」ニュージーランド人なら、こんなふうにいう人を必ずひとりは知っているだろう。アーダーンは、こと男女交際については私生活をオープンにしないことで知られていた。交際相手とはじめて公の場にあらわれたのは二〇一四年、彼女が三十四歳のときだった。それまでは、「とくに親しい人はいません」と答えるのがせいぜい。まわりのみんなが彼女に出会いの場をお膳立てしようと必死になっていた。

出会い

二〇一四年九月、アーダーンがクラーク・ゲイフォードと交際しているのではないかという噂が出た。世界報道写真展の初日にふたりでやってきたところや、あちこちのバーやレストランでいっしょにいるところを目撃された。しかし、公の場にはじめて登場したのは十一月。歌手のロードの「ニュージーランド音楽賞」受賞パーティーだった。

ゲイフォードはアーダーン以上とはいえないまでも、同じくらいには有名だった。テレビやラジオのアナウンサーで、その人物像はアーダーンとは正反対だ。アーダーンは仕事熱心な政治家。仕事に百パーセント尽力していて、女性向け雑誌で遠回しにきかれた質問に対して、「ここしばらく彼氏はいません」と答えていた。ゲイフォードは、人気昼ドラシリーズ『ショートランド・ストリート』に出演していた女優と別れたばかり。パーティー好きで、多くの有名人とつながりを持つといわれた。新進気鋭の政治家が交際する相手としては、あまり安全なタイプとはいえない。いかにもゴシップ雑誌が喜びそうな取り合わせだ。

ふたりの出会いは意外なものだった。ゲイフォードによると、それは二〇一三年。当時提出されていた監視法案の改定について、彼は不安を覚えた。ニュージーランド国民からプライバシーを奪うものではないかと思ったのだ。それまでは政治に無関心だったが、このときばかりは別で、地元の野党議員であるアーダーンに声をかけた。そしてふたりはコーヒーを飲みながらこの件について話し合うことになった。

会ってみて、初対面ではなかったことに気がついた。といっても一度目は短い出会いだ。二〇一二年のグルメ情報誌『メトロ』によるレストラン・オブ・ザ・イヤーの受賞パーティーの席だった。アーダーンはモデルをしている友人のコリン・マトゥラ・ジェフリーの友人としてパーティーに同行し、コリンからいろいろな人に「将来の首相だよ」と紹介されては赤面していた。そのときにゲイフォードにも紹介され、しばらくおしゃべりを楽しんだのだ。一年後、ふたりは近所のカフェでふたたび顔を合わせ、改定法案について話し合った。音楽の話もして、ふたりとも、ドラムンベースのユニット〈コンコード・ドーン〉が好きだとわかった。

釣りデートとライフスタイル

ゲイフォードとアーダーンは友だちになり、やがて、ゲイフォードがアーダーンをデートに誘った。釣りデートだ。東海岸沿いの町で育ったゲイフォードは、とにかく海が大好きだった。年を重ねるにつれてラジオの仕事の合間に時間を作っては、海に出かけるようになった。アーダーンにとっては、はじめての釣りだったが、最初から筋がよかったという。「その日は〈シャンパーニュデイ〉だった。海は完全な凪でガラスみたいだった。イルカの大きな群れがいっしょに泳いでくれたよ。そこでジャシンダは生まれてはじめて釣りをしたんだ」それから六年以上のあいだ、全国の、いや、世界のライターたちは、ふたりについての記事を書くたび、さまざまな形で釣りのエピソードに触れている。アーダーンはその日、はじめての釣りをして、はじめての釣果を得た。重さが五・四キロもある鯛が釣れたとのこと。

ふたりがいっしょにいるところはたびたび目撃されていた。アーダーンは芸術や文化の理解者であり、ゲイフォードはテレビやラジオの有名人。ふたりとも、さまざまな受賞式やライブ、出版記念イベントなどに出席した。それでも、はじめのうちは、関係が目立たないように意識していたようだ。SNSに互いの名前を出すこともめったになかった。やがてマスコミに取りあげられるようになっても、ふたりはうまくいかないだろうというのが大方のみかただった。ところが、そうでもなかったわけだ。

ゲイフォードは釣り番組〈フィッシュ・オブ・ザ・デイ〉の制作と司会を続けていた。世界のあちこちで番組ロケがある。そのライフスタイルも、アーダーンとの交際にはぴったりだった。アーダーンも移動が多い。国会会期中はウェリントンに行くし、それ以外にも政策に関わる必要があれば、国内のあちこちを飛びまわる。ゲイフォードの撮影は季節を問わずおこなわれるし、太平洋諸島や、それより遠いところまで行くこともある。そんな忙しい日々の合間に、ふたりはオークランド北部のポイント・シュヴァリエに家を買い、いっしょにリフォームをした。

女性党員のトップに

ある労働党のイベントでアーダーンは、女子学生たちに話しかけられた。今度の選挙には関心がないし投票にも行かないといっている友だちがいるんですよ、と。アーダーンは即座に答えた。「その友だちに会いにいくわ。民主主義に興味を持ってもらわなくちゃ」

二週間後、学生の部屋にアーダーンが招かれ、友人たちが十人ほどやってきて、話をききはじめた。アーダーンは、まずは労働党の政策と、新政権を作ることへの意欲を語った。しかし、政治にまったく無関心な学生でも、労働党がひどい状態にあるのを知っていた。そんな中、学生のひとりが質問した。「アーダーンさんは首相になりたいですか?」

けれどもアーダーンは〝首相にはなりたくない〟と答えた。どんな形であれ、労働党の中でリーダー的な役割をしたくはなかった。「首相になったら家庭生活を犠牲にしなきゃならない。いままでにみてきた例から、それがよくわかっているの。わたしは家庭を大切にしたい」このときはまだゲイフォードとの関係を公表してはいなかったが、交際をはじめて数カ月になっていた。

この言葉に学生たちはがっかりした。この何年か、労働党は大混乱状態だった。リーダー格の人間が何人もいるが、そうしたリーダーたちよりもアーダーンのほうが有能なはずだ――学生たちはそう思っていた。アーダーンはいままでの政治家とは違う。少なくとも、中年の白人男性ではない。

二〇〇八年の選挙のあとにヘレン・クラークが引退したことで、労働党は古くさい政党に逆戻りしてしまった。党首は中年のフィル・ゴフ、副党首は議員になって三十年にもなる大ベテランのアネット・キング。キングは女性としてふたりめの副党首ではあったが、若い世代の代表者とはとてもいえない。そして二〇一一年の選挙で大敗すると、ゴフが退陣してデイヴィッド・シアラーが後を継いだ。この時点で、アーダーンは党内十九番手から四番手に躍進した。女性党員の中ではトップだ。議会の最前列に座る労働党議員のうち、女性はアーダーンを含むふたりだけ。アーダーンにとっては大出世だったとはいえ、労働党内の主要メンバーに女性が少ないことを考えると、ある意味当然の流れだった。最前列の議員の顔ぶれをみると、女性の数より、デイヴィッドという名前の男性のほうが多いのだ。評論家たちがなにかというと引き合いに出すのが、この比較だった。

クラーク党首時代の労働党は、男女のバランスをとることを意識していた。しかし、女性議員の数は増えたものの、党内ヒエラルキーの上位までのぼれる女性はほとんどいなかった。

二〇一二年、議会の最前列に座るようになると、アーダーンの知名度は飛躍的に上がった。アーダーンこそ労働党の次期リーダーだと書きたてる記事も多かった。しかし、こうした記事のためにインタビューを受けるとき、アーダーンはいつも、リーダーになろうという野心はないという点を強調した。「政治家はみんな同じ目標を持っていると思われがちですが、じつは、政治家自身はそうでもないんです」だがこれは個人的な考えに過ぎなかったはずだ。というのも、当時の労働党はリーダー候補が乱立していたからだ。そのだれもが野心に燃えているのは明らかだった。

誠実な人間だったと記憶されたい

アーダーンのまわりではシアラーへの不満が広がりつつあった。シアラーは国内の知名度が低いのも問題だったが、アーダーンが取りくまねばならないのは別の問題だった。腰の低い態度を身につけることだ。社会開発省のスポークスパーソンという重要な任務についたのはいいが、おかげで国民党のベテラン政治家、ポーラ・ベネット大臣と顔をつきあわせる機会が増えた。国会においてもなにかとぶつかる場面が多い。アーダーンは政治に〝優しさ〟が必要だと何度も訴えていた。自分がどんな政治家として人々の記憶に残りたいかときかれたとき、アーダーンは自分が策定に関わった子どもと家族の福祉についての政策をあげつつ、「ひとことでいうなら、誠実な人間だったと記憶されたい」といった。一方のベネットは〝押しのベネット〟というニックネームもある。二〇〇九年には、政府からの福祉手当を止められたことを批判したふたりの女性への対応として、ふたりがそれまで受けていた給付金の詳細を公表した。この件についてベネットをどう糾弾するか。政治には優しさが必要と考えるアーダーンの手腕が問われていた。

十一月、ベネット大臣への質疑の場で、アーダーンを含む野党議員たちは、質問に答えるベネットの言葉を遮(さえぎ)った。対立政党同士での発言妨害はよくあることで、議題とは無関係な野次の応酬になることも多い。このときはベネットが「ちょっと黙ってて、お嬢ちゃん」と応じ、労働党の議員たちをざわつかせた。アーダーンに代わってトレヴァー・マラードが抗議したが、却下された。この言葉は〈今年のひとこと〉に選ばれるほど大きな話題になった。

ジョン・キー首相の支持率は二期目になってがくんと落ちていたが、それでも世論調査では、当時のどの労働党リーダーよりもはるかに人気が高かった。シアラーは悪くはないけどなんかちょっと違う、というのが人々の考えだったようだ。議員になってからわずか二年半で党首になるなんて早すぎたんじゃないか、ともいわれた。二〇一三年八月の国会で、鯛の漁獲割当量についての国民党からの提議に反対意見を述べていたシアラーは、いきなり——としかいいようのない光景だった——二匹の鯛を高々と掲げてみせた。派手な演出だったが、なんの意味もない。その魚をどこで手に入れたのか、それをいつからブリーフケースに入れて持ちあるいていたのか、国会で披露したあと魚をどうしたのか、シアラーからはなんの説明もなかった。そして二日後、党員からの信頼を失ったといって辞職した。

次の党首も、ファーストネームはシアラーと同じデイヴィッド。しかしデイヴィッド・カンリフは、党首就任当時から、党内の支持率が低かった。よくて五十パーセントというところだろう。カンリフは党をうまくまとめることができず、わずか一年で党首を辞任。しかしその一年間で有名になったことがひとつあった。口の悪さだ。まず、キー首相を攻撃した。政界に入る前は投資銀行で活躍していたキーのことを、贅沢三昧の暮らしをしている、オークランドにある豪邸を失うまいと必死になっている、などと批判したのだ。さらに、女性難民シンポジウムでは、「わたしは男だ、申し訳ない」といって大きな物議をかもし、この発言のせいで国民の半数を敵に回してしまった。ところが彼は二〇一四年の総選挙まで党首の座にとどまり、その結果として労働党は百年来なかったほどの惨敗を喫することになった。それでもなお、カンリフは二〇一七年の総選挙まで党首でありつづけるつもりだった。選挙惨敗の理由が自分にあるということをけっして認めようとせず、結果的には退任を余儀なくされたものの、退任当初は、自分の後継者を決めるレースに出るつもりだったという。二週間後にはスタートラインから引きずりおろされたが、二〇一七年までは労働党にとどまっていた。

新世代のリーダーが売り文句

やっとのことで、女性が党首の座を争う時代がやってきた。そうみえただけかもしれないが、少なくともジャシンダ・アーダーンとアネット・キングは、それぞれグラント・ロバートソンとアンドルー・リトルから、自分が党首になったら副党首になってほしいと要請された。ロバートソンが党首選に出るのはこれが二回目。今回はあらかじめ副党首をアーダーンに決めた上での立候補だった。その発表の席でいちばん大きな喝采を受けたアーダーンは、若い有権者たちの考えを代弁していきたいと語った。「新しい世代のリーダーとして、新しい世代ならではの困難や苦労に挑みます」新世代のリーダー。これが〝グラシンダ〟チームの売り文句になった。また、このチームには進歩的な特徴もあった。アーダーンは女性で、ロバートソンはゲイだったのだ。といっても、本人たちはそのことを前面に出したくはないと思っていた。実際にロバートソンは、インタビューなどでその話題をうまく避けている。「ラグビー好きな男」として紹介されることも多かったし、自分でもその点を強調していた。

はじめのうちはロバートソンが優勢だったが、そのうちアンドルー・リトルが追いあげてきた。リトルはもともと労働組合で活躍していた男で、国民党からは「怒れるアンドルー」と呼ばれていた。議会でのスピーチに、いつも並はずれた熱情がこもっているからだ。結局、党首選にはリトルが勝ったが、元党首のシアラーと同じで、野党議員としての能力が際立っているからといって、リーダーとしての手腕が高いわけではなかった。労働党はまたも、有権者の心をつかむリーダーを戴くことができなかった。となれば、世論調査の結果も代わりばえしない。ゴフ、シアラー、カンリフ、リトル――どのリーダーも結果を出せなかった。次はだれを選べばいいのか？

労働党内の覇権争いがどんなにごたごたしても、アーダーンは常に一歩離れたところからそれを眺めていた。上位ランクにいる国会議員としては珍しいことだ。アーダーンがロバートソンと手を組むことに同意したのは、派閥がどうこうではなく、友情のためだった。ロバートソンが党首選に敗れてからは、アーダーンは自分にとってもっとも居心地のいい立ち位置を選んだわけだ。「政治家が第一線にいるのはほんのわずかなあいだのことです。二十年かそこらたてばもう、その人の名前が出たとき、みんなが〝それってだれだっけ？〟という顔をするようになるんですよ」アーダーンは記者にそう語った。「だから、いまこのとき、たまたまここにいさせてもらっているんだという事実をいつも頭に置いて、ベストを尽くすことが大切です。でもわたしは、自分が党の一員であり議員のひとりであることや、大きな仕事をしているからって自分がえらいわけではないということとも、忘れないようにしています」アーダーンはこうして自分の仕事に対するスタンスとともに、リーダーになりたいという野心がないことを、堂々と語ったのだ。

アーダーンが気づいていなかったこと

アーダーンは国会議員というだけで日頃の言動を世間に注目されるのも、快く思っていなかったに違いない。とはいえ野党議員なのでメディアから批判をうけることは少なかったし、国民に自分の言葉で語りかけるのが好きだったこともあり、あるインタビューでこんな話をしたことがある。「議員になりたてのころ、朝のテレビ番組の短いコーナーに出演していました。自然体でいられたし、ユーモアを交えて話すこともできました。議会では最後列に座るような新人議員でしたからね。リーダーとして毎日のようにメディア対応するのとは全然違うんです」

二〇一七年、党首となり、首相となるほんの数カ月前の時点でも、アーダーンはリーダーになりたくないという考えをけっして曲げようとはしなかった。「自分のことは自分がいちばんよくわかっています。心配性で、いつもあれこれ悪いことばかり考えてしまう人間にとっては、どうしたって不向きな仕事があるんです」六月には『ＮＥＸＴ』誌にこう語った。「みなさんをがっかりさせるのがいやなんです。自分は力不足だと感じるのもつらいです。いまこの立場でもとても重い責任を感じているのに、これ以上の重圧には耐えられないと思います」

しかし、二〇一四年時点のアーダーンはおそらく気づいていなかったことがある。いかに本人がいやがっていても、労働党はいずれアーダーンに目を向けるということだ。党内で最高位にある女性であり、一般の人々にとっても、党内の人々にとっても、同世代の女性の中では知名度が飛びぬけて高い。党内には、アーダーンが同じ能力を持った男性だったとしたら、こんなに早く出世しなかっただろうという声もあった。いや、長年かけたとしても無理だったのではないか、と。女性を重用しているという世間に対するアピールが必要なとき、有能な女性がそこにいれば、当然出世は早くなる。女性がほかにいなかったわけではない。たとえば最前列にはナナイア・マフタがいた。しかし、人気と知名度の点でアーダーンに大きく水をあけられていた。

ニュージーランドの政治に関わるだれもが、いずれはアーダーンが首相になるだろうと予測していたのではないか。ただアーダーン本人は、そのことになかなか気づかなかった。

首相ジョン・キーの突然の辞任

二〇一六年のクリスマス直前、三期目が終わるまであと一年というとき、ジョン・キー首相が辞職した。なんの予告もなかったし、スキャンダルがあったわけでもない。国民党内にごたごたもなかった。ただ、もう首相でいるのがいやになって、辞めたのだ。

派手な引退劇もみられなかった。その日、いつもと違うことがあったとすれば、月曜日の定例記者会見の時間を前倒しして、ランチタイムにおこなったことくらいだろう。しかしその瞬間まで、党内党外のだれひとりとして、キーが辞任するつもりだとは夢にも思わなかった。キーはメディアに、家族との時間をもっと大切にしたくなったと語った。「ほんの数日前、首相になって八年目の記念日を迎えました。国民党党首になってちょうど十年です。十年という節目に、これまでのことを振りかえるとともに、今後のことを考えようと思いました。これまで、この大切な仕事に、そして愛するわが国に、全力を注いできました。そしてそのあいだずっと、大切な人たちにたくさんの我慢をさせてきました——家族です」これを受けてさまざまな推測が飛びかったが、スキャンダルもなく、ほかの理由も出てこなかった。

政界に入る前のキーは成功したビジネスマンだった。引退したあとは元の世界に戻るのだろうと思われた。キーの売りのひとつは、たたきあげの政治家ではなかったこと。いまだ支持率の高いうちに首相を辞めるという決断にも、その経験はみごとにあらわれていた。キーは、次の総選挙までじゅうぶんな時間があるタイミングで身を引くことで、クリーンな形で後進に道を譲ろうとした。そのことによって、後継者たちは次の選挙を有利に戦うことができるだろうという考えだ。だれが次期党首になっても支持を惜しまないが、だれかを推すとすればビル・イングリッシュだ、本人が望めばの話だが、とも語った。

希望の光

国会議事堂内の廊下の反対側に並ぶ野党のオフィスでは、アーダーンを含む労働党議員たちが会見をみてショックを受けていた。「正直、あの展開はだれひとりとして予想していませんでした」のちにアーダーンはこういった。しかし、キーの辞職は、労働党に一縷(いちる)の望みを与えてくれた。キーのニックネームは〝テフロン・ジョン〟。アンタッチャブルなカリスマ・リーダーだと思われた。実際、スキャンダルも政策の失敗もなかったし、人づきあいもそつなくこなした。そういった問題とは無縁なところが、なにもこびりつかないテフロンのフライパンに似ているというわけだ。そのキーがいなくなった。首相の交代がどんなにスムーズにおこなわれたとしても、党の支持率に多少の影響は出るものだ。新しい首相を信頼していいかどうかわからないので、有権者は一歩引いてしまう。それに、イングリッシュはキーとは別人で、持っている人脈も違う。キーの辞任は、起死回生をはかる労働党にとって、なによりのプレゼントになるかもしれない。

「希望の光がみえました」二〇一九年、アーダーンはこのときのことを振りかえってこういった。「先がみえない状況ではありましたが、明るくなったなと思ったのは確かです。なにがどう明るいのか、そのときはわかりませんでしたけど」

アーダーンの直感は正しかった。六日後、ビル・イングリッシュが国民党党首になることが正式に発表された。国民党という〝大船〟の新しい船長になったのだ。労働党はこの機に乗じて盛り返したいところだったがそれもかなわず、世論調査で示される支持率は低いまま。国民党の党首が変わっても状況が変わらないなら、自分たち労働党が変わるしかない。

言葉と行動がうらはら

二〇一一年から二〇一三年まで労働党党首だったデイヴィッド・シアラーは、キーが辞職した三日後に政界から引退した。突然の発表を受けて、マウント・アルバート選挙区の補欠選挙がおこなわれることになった。

一週間後、アーダーンがこの補欠選挙に出ると発表した。選挙区を変わることになるが、それは、選挙区の区割り変更により、オークランド・セントラルの一部がマウント・アルバート選挙区に組みいれられたからだ――アーダーンはそんなふうに説明したが、政治評論家たちは、アーダーンもそろそろ選挙区で議席を勝ち取りたくなったんだろう、とコメントせずにはいられなかった。「みなさんご存じのように、わたしはケイに続けて負けています。それはまぎれもない事実ですが、選挙区を変わるのはそのせいではありません」アーダーンはこう反論した。「労働党がオークランド・セントラルの議席を取ることは可能だと、いまでも心から信じています。次の選挙でだれが立候補するにせよ、わたしはその人をすぐそばで支えたいんです」

リーダーになりたくないといいつづけたアーダーンだが、マウント・アルバートの補欠選に勝てば、リーダーの座に一歩近づくことになる。アーダーンの口からきこえてくるのは現状に満足した議員の言葉なのに、アーダーンがすることはすべて、トップを目指そうとする人間の行動にしかみえない。伝統的に、首相候補になれるのは選挙区で当選した議員だけだ。比例代表の議員が首相候補になった例は、あるにはある。二〇一七年のビル・イングリッシュだ。しかし彼の場合は選挙区での当選を辞退したのであって、落選したわけではない。アーダーンが首相になろうとするなら(本人はなりたくないといっていたが)、選挙区の議席を取っておいたほうがいい。

アーダーンには不思議な力がある

アーダーンがマウント・アルバートの補欠選挙に出る動きをみせはじめるとすぐ、党内では副党首をどうするかという問題が出てきた。アネット・キングが、次の総選挙ではウェリントンのロンゴタイ選挙区からの出馬はしないつもりだが、副党首を辞めるつもりはないと宣言したからだ。同じ時期、国民党は、マウント・アルバートの選挙区には候補者を擁立しない方針を公表した。その選挙区はアーダーンに譲るといったも同然だ。二月の補欠選挙を間近に控えたその時期、アーダーンを副党首に抜擢すべきとの声が党首アンドルー・リトルに数多く寄せられるようになった。労働党の支持者たちは若いフレッシュな顔を求めている。アネット・キングはアーダーンの先輩かつ指導者のような存在だった（アーダーンより年上の女性議員はほかにいなかったし、キングは一九八四年から国会議員をしていた）が、二〇一四年からは、ふたりは不本意ながらライバル同士のような関係になっていた。アーダーンが副党首にならないかという提案を辞退したのは、先輩であるキングを踏み台にするような気がしたからでもあるだろう。しかし、労働党内では、ひとつ変化が起こるたびになにかしらのトラブルが起こっていたものだ（二〇一四年から二〇一六年はとりわけひどかった）。キングが副党首の座を退くべきだといっていた人たちは、キングの仕事ぶりが党にとってマイナスになると思っていたわけではない。どんな立場の政治評論家も、キングのことを有能な国会議員だと評価していた。ただ、アーダーンのほうがいいというだけだ。「キングが悪いというわけじゃなく、アーダーンには人を魅了する不思議な力があるのだ」コラムニストの言葉だ。

だれもが予想したとおり、マウント・アルバートの補欠選挙はアーダーンの大勝利だった。「こんなに退屈な補欠選挙がこれまでにあっただろうか」といわれたほどだ。

アーダーンを重用しろとの声が高まる一方で、六十九歳になったキングは、そういった意見のことを高齢者差別ではないかと批判し、二月二十六日には、自分は辞めないと公言した。しかしそれから三日後、キングは副党首を辞任しただけでなく、九月の総選挙をもって政界から引退すると発表した。アーダーンはリトルによって副党首に推薦され、キングも出席した党員集会での選挙の結果、新しい副党首になった。

キングへの思い

一週間のうちに状況ががらりと変わった。多くの人はアーダーンの潜在能力を評価し、この状況を喜んだが、評論家の中には――とくに女性に多かった――キングの引退を惜しむ者もいた。ベテランのコラムニストであるジェイン・クリフトンは、キングが党首になるべきだったと主張した。「適任間違いなしの有能な人材が身を引かなければならないというのは、わたしたちの社会に慢性的にはびこる不平等のあらわれでもあります。女性が男性と同じように社会進出し、同じだけの収入を得られるようになるには、まだまだ時間がかかるということでしょうね」

アーダーンは自分から副党首になりたいと手を挙げたわけではないし、キングも辞めたくはなかった。にもかかわらず、さまざまな思惑が交錯する中で一週間が過ぎたとき、どちらの女性も、自分が求めていたのとは違うところに立っていた。二〇一九年にオークランドのブックフェア・イベントでこのときのことを振りかえったアーダーンは、「ああいう結果になったのはとてもつらいことだった」と述べた。

キングとアーダーンは何年ものあいだ、公私ともに親しくつきあっていた。アーダーンが冗談めかして話したところによると、アーダーンがゲイフォードと出会う前、キングはアーダーンのためにお見合いデートのセッティングをしようと躍起になっていたとのこと。アーダーンはアーダーンで、キングに似合いそうな服をみつけるたびに買ってプレゼントしていたそうだ。互いの私生活に関心を持つほど親しかったふたりだからこそ、同じポストを取り合うかのような状況になったのは不本意だったのだろう。

「お互いに、とても気まずい思いをしました」アーダーンはのちに語った。「いろんな噂が飛びかっていたので、副党首を辞めるつもりだというのは知っていましたが、政界から引退するなんて思いもしませんでした。しかもそれを知らされたのは党員集会のときでした。アネットがみんなにそれを電話で知らせてきたんです。すごくショックでした。なんだか自分のせいでこうなったんじゃないかという気がして」

見せ物用のポニー

アーダーンが罪悪感をおぼえる必要があったかどうかは別として、党員たちはアーダーンが副党首になることを大喜びしていた。党首のリトルは、自身のフェイスブックに、驚くほど長文の書き込みをした。アーダーンを副党首として認めるという内容で、近年の世界のリーダーたちにアーダーンをなぞらえるくだりもあった。

「政治に無関心な人が増えている、という話をよく耳にするいま、アメリカやヨーロッパにまで目を向けてみれば、保守反動の政治が幅をきかせている。ジャシンダは、たぶんほかのどの国会議員よりも強い力で、人々の心を活気づけ、結束の大切さを呼びかけてくれる」

とはいえ、冷めた目でこの状況をみる人もいた。「アンドルー・リトルはジャシンダ・アーダーンという見せ物用のポニーを手に入れたことで、地味な党首のイメージを刷新できるだろう」ある右派寄りのベテランコラムニストはこう書いた。

めずらしくニックネームで呼ばれたと思ったら、よりにもよって〝見せ物用のポニー〟とは。その後のインタビューで何度も、アーダーンはこの言葉には本当に腹が立ったと話している。

保守系の幽霊議員？

アーダーンが副党首になってまもなく、だれに首相になってほしいかという世論調査がおこなわれ、アーダーンの得票がリトルを上回った。

アーダーンに首相になってほしい、人々はそう思っていた。左派のメディアは、アーダーンにその能力があることを期待したいところだが、仕事ぶりをみていてもそれははっきりわからない、との論調を示した。いつも一歩引いたところに立ってトラブルを避けている姿勢にも、いい面と悪い面があるだろう。国会でも、弁論は得意なはずなのに、進んで議論を引っぱろうとするタイプではない。そこで、高い評価を得たライターでありアーダーンの友人でもあるスティーヴ・ブラウニアスが、アーダーンをゲストスピーカーとして「ワイカト工科大学プレスクラブ」に招待した。

プレスクラブというのは年に三回催される集会で、ジャーナリストと政治家と〈ワイカト工科大学ジャーナリズム・スクール〉の優秀な学生たちが集まり、ランチを食べながらゲストスピーカーの話をきいて見識を深めるための場だ。ただしこれは表向きの説明。実際には、ジャーナリストたちが昼間から酔っぱらいながら、トラブルを起こしがちな政治家を呼んで笑いの種にするイベントだ。ブラウニアスはプレスクラブを運営していて、アーダーンに自己表現の場を与えたいと思ったそうだ。バランスをとるため、次の集まりでは国民党の副党首であるポーラ・ベネットを招いた。アーダーンの回は大きな注目を集め、たくさんのジャーナリストやマスコミ関係者が、オークランドから二時間かかるハミルトンまでやってきた。低迷中の労働党にどんな生気と希望が注入されたのかを確かめたかったのだろう。しかし、この会場を出るときはだれひとり――アーダーンも含めて――満足していなかった。

わざと気まずい雰囲気を作るのが好きなブラウニアスは、アーダーンを紹介するときにも、いつもどおりにクセの強いやりかたを選んだ。まずはアーダーンが登場した女性向け雑誌を年月順に紹介した。アーダーン本人はのちに、政治家が雑誌に出るのは悪いことではない、より多くの有権者に顔と名前を売るには効率のいいやりかただ、と話したが、プレスクラブに集まった人々はそうは思わなかったようだ。ブラウニアスによる紹介はさらに続いた。「要するに、ジャシンダ・アーダーンってのは何者なんだ？　わたしにはさっぱりわからないんですよ。この手の楽しい紙屑みたいな雑誌を読んでいる読者も、彼女のことをなにも知らない。だから、彼女のことを保守系の幽霊議員だと思っている人だっているわけですよ。人好きはするが中身のない、ジョン・キーみたいな政治家だと。まだこれといった実績もないんですからね」これほどいいたい放題のゲスト紹介があるだろうか。しかし最後はポジティヴな言葉で締めくくった。次期副首相になることを願っていますよ、と。

厳しい質問への苛立ち

アーダーンは用意した原稿を読む形でスピーチをしたが、とうてい聴衆の記憶に残るようなものではなかった。しかし、アーダーンの強みは昔からずっと、質疑応答のうまさにあった。このときは質問もなかなかよかった。「アンドルー・リトルのせいで自分の手腕が発揮できないと思うことはありませんか？　崖から突きおとしてやりたいと思ったことは？」アーダーンは無難に答えた。「わたしの仕事は有権者にリトルのことを知ってもらう手助けをすることです」さらに、「ニュージーランド・ファースト党との連立が政権奪還の鍵になったとしたら、労働党はウィンストン・ピータースと連立の交渉をするんでしょうか？」ときかれると、アーダーンは「当然ですよね」と答えた。

「不調続きの党の中で、自分ひとりが絶好調だと思うことはありませんか？」「自分の上に男がひとりいるのに、その男を蹴落とすつもりはないとのことですが、あなたはそういうタイプの女性だということですか？」答えにくい質問ばかりだった。しかもこれらは、アーダーンを支持する人々から出された質問なのだ。その部屋にいる人々はみな、労働党に新しい党首が生まれては、自ら無能をさらして辞めていくのをみてきた。リトルは理想的な党首とはいえないし、このままでは次の選挙にも期待できない。そのことをアーダーンに認めさせたかった。立ちあがって先陣を切り、国民党を打ち負かしてほしい、政治とは無縁の生活情報誌の表紙にはみられなかった強い決意を示してほしい、と思っていた。

しかしアーダーンは、参加者たちの思いに応えようとはしなかった。労働党員として、アンドルー・リトル党首やトレヴァー・マラード議員を擁護しつづけた。しかし、厳しい質問が続いたことで、苛立ち(いらだ)も感じはじめたらしい。しばらくすると、質問への答えに辛辣な言葉が混じるようになり、応答そのものが短くなってきた。ほかの分野から政治に転向した政治家と叩きあげの政治家とを比べる質問もあった。アメリカのトランプ大統領のように、ビジネスマンが政治家になったっていいじゃないか——この質問に、アーダーンはこう切り返した。「それがクズみたいなビジネスだったとしても?」また、ウィンストン・ピーターズのことを人種差別主義者だと思うかと問われたときは、ちょっと不自然なほど長い間をとってから答えた。「自分の言動の意味はちゃんとわかっている人だと思いますよ」のちに、この件についてこうコメントしている。「すぐに答えられなかったのには理由があります。というか、わたしこそ教えてほしいんです。彼は人種差別主義者なんですか? わたしはよく知らないんです」

そろそろ質疑応答を終わりにしようと、ブラウニアスがマイクを取ったとき、アーダーンはすでにうんざりした表情になっていた。ブラウニアスが「時間的には、あと二つか三つの質問で終わりにさせていただきます」というと、アーダーンはすかさず「もういいんじゃありませんか?」と返した。冗談だったかもしれないが、冗談のようにはきこえなかった。

終了後に談笑していたジャーナリストたちは、アーダーンがこのイベントを軽くみて、じゅうぶんに準備してこなかったんじゃないか、といっていた。だれもが納得できない気分のままで会場をあとにした。

補欠選挙出馬の意味

アーダーンはその後、数えきれないほどの記者会見をおこない、マスコミからの何千もの質問に答えることになるが、こんなふうに怒りをみせたのは、このとき一度きりだった。もしかしたら、このときに学んだのかもしれない。リーダーになれば、それが副党首という二番目の立場であっても、いつどんなときに聴衆から難しい質問をされるかわからない。単なる一議員ではないのだから、トラブルを避けて目立たないようにしているわけにはいかない。

二〇一九年のスピーチでは、この時期のことをこう振りかえっている。「ときどき思うのですが、あのときマウント・アルバート選挙区から出馬することを決めなかったら、わたしは副党首になったでしょうか？　そしてその後、党首になり、首相になっていたでしょうか？」いうまでもなく、答えはノーだ。

マウント・アルバートに選挙区を変えて補欠選挙に出たことで、アーダーンは自分の力を世間に印象づけることができた。マスコミに扱われることが増えて知名度も上がり、キングやリトルに取ってかわることのできる政治家と認識されるようになった。マスコミの推測が先行する形になったが、その三日後には、本当にキングが辞任してアーダーンが副党首に選ばれた。当時のアーダーンは、まさに〝木をみて森をみず〟という状態だったのかもしれないが、ほかの人々――リトルも含めて――には、すでにその後の全体図がみえていたに違いない。

それが実証されたのは八月。アーダーンが副党首になって五カ月後であり、プレスクラブでの失敗から三カ月後のことだった。アンドルー・リトルが党首を辞任した。

6 記者会見

The Press Conference

あとから振りかえって、あれは特別な日だった、すべてはあの日でなければ起こり得なかった、などとよくいうものだが、実際はそんなに単純なものではない。もちろん、アンドルー・リトルはいずれ党首の座から降りていただろうし、そのときはジャシンダ・アーダーンを後継者に指名していただろう。その予兆はあちこちにあった。世論調査の労働党支持率が急激に落ちていたし、党内でも噂がささやかれていた。だれに首相になってほしいかという調査では、アーダーンとの回答がとびぬけて多かった。しかし、選挙運動の真っただ中、二〇一七年七月二十六日水曜日の時点では、リトル本人には辞任の意思はまったくなかった。

史上最低の支持率

その日、リトルとアーダーンは、ウェリントンに本拠地を置くVFX（ビジュアル・エフェクツ）制作会社、ウェタ・デジタルの重役たちとの会議に出ていた。『ロード・オブ・ザ・リング』

をはじめとしたピーター・ジャクソン監督の作品をいくつも扱ったことで知られる会社だ。会議で話し合われたのは、二〇一〇年に施行された通称〝ホビット法〟について。これにより俳優が契約社員とみなされるようになり、組合を通して映画出演の契約をすることができなくなったため、悪い条件も呑まざるを得なくなった。それゆえ反対の声が大きい法律だった。リトルは総選挙の年の野党党首として、アーダーンは副党首かつ芸術・文化・伝統省のスポークスパーソンとして、この会議に出席した。この日はアーダーンの三十七歳の誕生日で、アーダーンはここに来る直前、選挙運動の一環としてタワ・ロータリークラブを訪れていた。そこでバースデーケーキをプレゼントされたのだが、ケーキにはお決まりのジョークが仕込まれていた。ナイフで切ってみると、白いアイシングの下には青いクリームの層があったのだ。青は国民党の色。アーダーンは快活に笑い、青いケーキを持った姿を撮影されないようにしてその場をあとにしたという。労働党の同僚たちと青いケーキを食べるのはかまわないが、そのような写真が出回るのは、支持率が低迷している野党としてはどうしても避けたいことだった。

ウェタ・デジタルでの会議の最中、リトルの携帯電話が振動した。リトルは無視したが、すぐにまた振動したので、今度はスクリーンに目をやった。表示されたメッセージには、労働党が独自におこなった世論調査で、支持率が史上最低になったと記されていた。その数字は二十三パーセント。リトル本人の言葉を借りれば、まさに二度見せずにはいられないような数字だった。アーダーンの携帯にも同じメッセージが送られてきた。

その後、議会に戻ってから、アーダーンはリトルに「めげずにがんばりましょう」というメールを送った。のちにアーダーンは、そのメールのことを、「ちょっとポリアンナっぽかったかも」と振りかえっている。ポリアンナとはエレナ・ポーターが書いた小説の主人公で、ポリアンナ症候群という言葉でも知られるように、どんなときにもポジティヴ過ぎるくらいポジティヴな女の子だ。

その日の午後、ふたりはリトルのオフィスで再び顔を合わせた。このときはじめて、リトルは辞任の考えを口にした。「挽回できる自信がない」アーダーンは「あきらめないでください」と答えた。リトルはいわれたとおりにした。

一度ならず三度まで

世論調査の結果が悪かったとしても、一度きりの調査なら、そのときたまたまそうなっただけとも取れる。それに、党が独自におこなった調査の結果を有権者に知らせる必要はない。ただ、調査はほかの団体もおこなう。金曜日、国営テレビ局、テレビジョン・ニュージーランド（TVNZ）が調査会社コルマー・ブラントンのおこなった調査の結果を発表した。労働党の支持率は二十四パーセント。

支持率が二十四パーセントしかなければ、比例代表で当選する議員の数が少なくなる。議員の数が少なければ資金も少なくなり、二〇二〇年の選挙がますます厳しくなる。リトルが党首を辞任してアーダーンが新党首になれば、少なくとも、労働党はこれまでとは違うんですよ、というアピールをすることができる。支持率は数パーセント上がるだろうし、野党の意地をみせることができる。二〇二〇年の選挙に向けて状況を立て直していけるだろう。世論調査の支持率が最低の数字を叩きだしてしまったいま、党首交代がもっとも現実的な作戦ではないかと思われた。

リトルにはリーダーとしての資質があるのか？　こんな声が七月二十九日土曜日にあがった。場所はアーダーンの地元であるオークランド。声をあげたのはベテランの国会議員たちだった。のちにリトルが〈Ｓｔｕｆｆ〉に語ったところによると、あなたはもう身を引くべきだというのが皆の総意だ、と議員のひとりにはっきりいわれたそうだ。それでも、リトルはすぐには思い切れなかった。総選挙まで、たった八週間しかない。リトルはこれまでに何度も、労働党の苦境をみてきた。そして最近になってようやく、党が団結してきたと思えたところだった。意見の不一致も内紛もない。支持率は落ちているとはいえ、皆でいっしょに坂を転がりおちているのだ。『トイ・ストーリー3』で、焼却炉に落ちたおもちゃたちが手をつないでいるのと似ている。

のらりくらりとしたリトルの態度をみて、人々が持つ印象は日増しに悪くなっていった。七月三十一日月曜日、ＴＶＮＺがおこなったのとは別に〈ニュースハブ〉がおこなった調査では、労働党の支持率は二十四パーセント。一度ならたまたま。二度なら不運な偶然。しかし三度続けば、そういう流れなのだと解釈するしかない。

それだけではない。首相になってほしい政治家を問う調査では、アーダーンが八・七パーセント、リトルが七・一パーセントだった。

「**終わりだ**」

三十一日の夜、リトルはオークランドに向かった。同行したのは党首首席補佐官のニール・ジョーンズ、主任報道担当官のマイク・ジャスパーズ。宿泊する〈スタンフォードプラザ・ホテル〉のロビーで、三人は今後のことをあらためて話し合い、ベテラン党員たちに電話をかけつづけた。アネット・キングや幹事長のクリス・ファーフォイ、そしてアーダーンも、その対象になった。リトルが党首でいつづけるのであれば協力するという立場をいまはとるが、今後はそれも難しくなっていきそうだ、というのが得られた答えだった。

同じころ、同じオークランドでも少し離れたところで、アーダーンは友人たちと数日遅れのバースデーディナーを楽しんでいた。チキンを食べてお茶を飲み、これからどんなことが起こりそうか、話し合った。党首にはなりたくないが、なってくれといわれればそれを受ける、アーダーンはそう話していた。

リトルが辞意を固めたのは、その夜の十時半頃だったという。しかしそれは胸の内だけのことで、その夜も、翌八月一日の朝も、だれにもそれを話さなかった。ただ、〈AMショー〉の出演はキャンセルしてくれとジャスパーズに頼んだ。党首を辞める人間が朝の生放送番組に出るのはやめたほうがいい、と考えたのだ。出演をキャンセルしたことは辞任への第一歩を意味するのだろう――それが一般の解釈だった。とはいえ、その後の展開はだれにも予測できなかった。

ウェリントンに戻るためにアーダーンが乗ったのも、リトル一行と同じ飛行機で、一同は搭乗前に出発ロビーで顔を合わせた。気まずい空気が一瞬流れたそうだ。

到着したウェリントン空港には国営ラジオ局、ラジオ・ニュージーランド（RNZ）の政治記者メイ・ハートンがいた。リトルはハートンをみて驚いたが、ハートンもリトルをみて同じくらい驚いた。空港での出待ちは政治記者がよく利用する手段で、なにかしらの話題になっている政治家が飛行機で移動するときは、到着ロビーに記者が何人も待ちかまえているのが普通だ。その日はアンドルー・リトルが辞任するかどうかが国じゅうの話題になっていた。リトルのスケジュールはマスコミも知っているから、どの飛行機で移動するかも予測できる。なのに、その日の到着ゲートにいたのはハートンひとりだった。自分だけが時間を読みちがえたんだろう、ハートンがそう思ったとき、リトルがあらわれた。リトルはリトルで、記者からの質問にどう答えるかをまったく考えていなかった。

「これから辞意を表明する予定ですか?」ハートンはリトルの横を歩きながらきいた。

「いや、それについては別個に話し合いをする必要がある」

「では、党内の信任投票はやらないんですね?」

「ああ。わたしはそういう話はきいていないし、わたしから提議するつもりもない」

ふたりが話しているそばをアーダーンが通っていった。リトルのすぐあとに飛行機を降りてきたところだった。アーダーンはハートンをみて微笑んだが、それは「わたしじゃなくて党首にきいてね」という意味の笑みだった。ハートンも笑みを返し、アーダーンを見送った。その日、アーダーンはだれにも呼びとめられることなく空港を出た。アーダーンはネタにならない、そう思われたわけだ。しかし、彼女がこれほどすんなりウェリントン空港を出られたのは、このときが最後。これから当分のあいだは、黙って見送られることなどないだろう。

アイランド・ベイにあるリトルの自宅にいったん寄り、議事堂に向かう車の中で、ジョーンズがリトルに、これからどうするつもりかときいた。朝のテレビ番組出演をキャンセルし、さっき空港で会った記者には、これからどこに行くつもりもないと話したところだ。今後の予定をはっきりさせておきたかったのだろう。リトルはすでに心を決めていた。「終わりだ」はっきりそういった。

交代劇

ジョーンズは何本か電話をかけた。一本目の相手はアーダーン。労働党党首になるときが来た、と知らせる電話だ。まず返ってきたのは諦めのため息。アーダーンはのちに、十代のシングルマザーたちとの懇談の場で、この時期のことをこう振りかえっている。「七月二十六日から八月一日までの毎日毎日、党首になるのかときかれて、絶対ならないと答えていました」

ジョーンズは次に、副補佐官に電話をかけ、午前中に会議を開く段取りをつけるよう頼んだ。その場でいくつかの契約書を作ることになるだろう、ともいった。広報チームにも電話をかけ、十時に記者会見を開いてくれ、党首の辞任を発表する、と伝えた。そして最後に幹事長のファーフォイに電話をかけて、記者会見のあとに党員集会をセッティングしてくれと頼んだ。

ジョーンズとジャスパーズがリトルのスピーチ原稿を準備するのに残された時間は一時間。しかも車で移動中だった。議事堂に到着すると、労働党の仲間たちにリトルの辞意を伝えた。こみあげる感情を抑えることができなかったという。勝ち目のない選挙運動に休む間もなく邁進してきた同志なのだ。そのリーダーが辞めることになった。アーダーンが党首になって党の状況はよくなるかもしれないというのはうれしいが、選挙戦終盤——というより土壇場といっていい時期の党首交代には混乱が予想される。しかし、幹部スタッフは党首リトルのために働いていたのであり、リトル個人のために働いていたわけではない。そこで彼らは、党首交代ができるだけスムーズに進むよう、戦略を練りはじめた。

議事堂の三階にある党員集会室で、リトルの会見が開かれた。院内幹事長カーメル・セプローニとクリス・ファーフォイも補佐役として同席した。「リーダーには責任があります。わたしにもリーダーとしての責任があり、わたしはそれを全うします」リトルはそういった。不思議なことに、これまでの会見ではめったにみられない晴れやかな顔をしていた。プレッシャーから逃れたことで気が楽になったのだろう。「わが党にも、わたしたちにとってなにより大切な国民にも、新しいリーダーが必要だと考えました。新しい顔、新しい声とともに、労働党はこの重要な選挙を戦います」

少なくとも二〇一七年以降、歴史はリトルに優しい。スタンフォードプラザ・ホテルのロビーで固めた辞意は、その後、ニュージーランドのこれまでの政治の中でももっとも勇気のいる、そしてとてもすぐれた戦略だったといわれるようになる。しかし、「これからも戦っていく」というリトルの言葉は、実のない逃げ口上のようにしか響かなかった。リトルは労働党の激震を何度もみてきた上で、ばらばらになりかけた党をひとつにまとめた人物だ。だからこそ、この交代劇もスムーズに進めることができたといえる。しかし、沈みかけた船の舵を副党首にまかせるところを目の当たりにしたマスコミからは、さまざまな意見が次々に出てくる。しかもそれは辛辣なものばかりだった。

報道記者が急いで仕上げる記事は、得られた印象だけを元にしていることが多い。総合的にじっくり考える暇などないのだ。二〇一七年八月一日の朝にアンドルー・リトルから記者たちが受けた印象は、土壇場になって逃げ出した臆病者というものだった。

会見後の党員集会で、リトルはアーダーンを次期党首に指名し、満場一致の賛成を得た。副党首にはグラント・ロバートソンがなるだろうとみられていたが、ロバートソン本人がマオリの最年長議員であるケルヴィン・デイヴィスを推し、これも全員の支持を得た。リトルの個人的な葛藤はあっただろうが、それ以外はだれが苦しむこともない、近年稀にみるスムーズな交代劇だった。

党首アーダーン、最初のスピーチ

次の記者会見は午後二時に設定された。リトルの補佐役が今度はアーダーンの補佐役となり、新党首のお披露目（ひろめ）について話し合った。スタートまで一時間。なにかとくにいいたいことがあるかときかれたアーダーンは、今朝の飛行機の中でいくつかメモしたことがある、といった。補佐役たちは顔をみあわせた。政治家はいつも、スピーチのネタを書きためておくものだし、自分の言葉選びに自信を持っている。それを別の――つまり、もっとよい――言葉に修正するのが補佐役の仕事のひとつだ。しかしこのときは、彼らにはなんの準備もなかった。アーダーンが自分のアイディアを披露するのをきいて、彼らはアーダーン本人にスピーチを任せ、会見場に椅子を並べる作業にとりかかった。

演台のうしろにはポータブルの垂れ幕。アーダーンは赤いブレザーを着て入室した。デイヴィスとセプローニがすぐあとに続き、ひと呼吸おいてから、ミーガン・ウッズ、クリス・ヒプキンズ、クリス・ファーフォイ、デイヴィッド・クラーク、フィル・トワイフォード、グラント・ロバートソン、デイヴィッド・パーカー、ステュアート・ナッシュという労働党のベテラン議員たちも入ってきた。会場は重々しい雰囲気に包まれた。労働党の議員たちは、記者会見で重苦しい表情をみせるのに慣れていた。

アーダーンが口を開いた。「みなさん、本日はお集まりいただきありがとうございます。まずは簡潔に発表をさせていただいたあと、質疑応答の時間を設けます」突然やってきた代行教師が教室ではじめての挨拶をしているかのようだった。会見場にいた人はみな、アーダーンがクラスの生徒たちをしっかりまとめることができるのかどうかを判断しようとしているわけだ。アーダーンが受け持つクラスは、これまでなかったような大ピンチに見舞われた労働党。授業参観よろしく集まった人々は、代行教師のあらを探そうと躍起になっている。型どおりのものとはいえ、最初の挨拶は自信たっぷりで、堂々としていた。うしろに控える同僚たちは無表情のままだ。

アーダーンはリトルに謝意を示したあと、労働党は頑強な政党であって、いまは不本意きわまりない状況にあるものの、まったく問題はないと説明し、最後にこう述べた。「幸運なことに、そして名誉なことに、わたしは労働党の党首になります。早速、選挙という大きな仕事にとりかかることになりますが、わたしたちの国ニュージーランドをよりよい国にするための労働党の計画について、国民のみなさんにお話しする絶好の機会と考えています。ニュージーランドをよりよい国にすること、それは労働党がこれまでずっと追求してきたことであり、これからはわたしが先頭に立って、それを実現すべく邁進していきます。ご質問がありましたら喜んでお答えします。たくさんあるでしょうね」

最後のひとことをきいて、うしろに並ぶ議員たちが笑い声をあげた。ほっとして緊張が緩んだのだろう。スピーチの内容もよかったし、話しかたもよかった。とはいえ、緊張を完全に解くことはできない。記者会見で大切なのはこれからだ。いつ雲行きがおかしくなるかわからない。

記者の名前を呼んで答える

全国の人々が――大学の講義中にラジオをきいている学生も、仕事中にパソコンのブラウザに別タブを開いてみていたビジネスマンも、すべてのジャーナリストも――息をのんで、成り行きをみまもっていた。もともと労働党に最大級の信頼を寄せていた人でも、近年の低迷状態のせいで、たいした期待はできないと思うようになってしまっていた。

会見場にいた人の目にも、全国のほかの場所にいた人の目にも、リトルの党首辞任は、労働党がなんとか生き抜くための苦肉の策と映っていた。だれが党首を引き継いだとしても、選挙までに国民の支持率を挽回するにはもう遅すぎる。しかし、アーダーンのように若くてパワフルでフレッシュな人材であれば、とりあえず体面を保つ程度には盛りかえすことができるかもしれない。まさに背水の陣。失敗すればアーダーンの政治生命にも傷をつけることになる。党首になって選挙を戦い、負けに甘んじる――政治家として理想的な道を歩んでいるとはいいがたい。

それでもアーダーンは堂々と、記者からの質問責めに我が身をさらした。

二十年以上のキャリアを持つベテラン記者のバリー・ソウパーが先陣を切った。「ご自身には、首相を務める能力があると思いますか？」

アーダーンはためらうことなく答えた。「はい。バリー、わたしにはその能力があると思います。ここにいる仲間たちもそう信じています。そうでなければわたしを党首に選んではいません」ごくふつうの口調、ごくふつうの言葉だったが、答えの中で記者の名前を口にしたのは予想外だった。

続く二十分間、アーダーンは同じような姿勢をとりつづけた。授業中、生徒たちにディスカッションをさせる教師のようだった。「オードリー、それはどういうことですか？」「アンドリア」「アレックス」「クリス」「それはこういうことです、パディ」「ケイティ」「選挙が終わったときの労働党の支持率は二十四パーセントではありませんよ、コリン」といった具合だ。これが首相なら、こうするのが普通だ。週に一度の閣議後に開かれる記者会見では、こんなふうに記者の名前を呼んで質問に答える。しかし、野党の党首になって二時間しかたっていない人間がこういうパフォーマンスをするとは、だれも予想していなかった。いわば突然の無茶振りによる党首就任ではあったが、アーダーンはこのときのために周到な準備をしていたのだ——この会見は、周囲にそう思わせる最初の出来事だった。

シンプルに、堂々と

会見が進み、ある記者がケルヴィン・デイヴィスに質問を投げかけた。副党首になったばかりのデイヴィスが前に進みでて、アーダーンがうしろにさがる。しかしほんのわずかしかさがらなかった。意識的にそうしたのかどうかはわからないが、アーダーンは前に、そして中心にいることが、けっしていやではなかったのだろう。

記者のひとりがマオリ語で質問し、デイヴィスがマオリ語で答えた。ニュージーランドの政治関連でこのような場面はめったにみられない。労働党はマオリを大切にしているんだという印象を与えた。ヘレン・クラークが党首だった頃の労働党はマオリに対して厳しい政策をとっていたこともあり、これは彼らにとって願ってもない一幕だった。

アーダーンは、労働党内に派閥があるのではという質問をきっぱり否定し、逆に、自分がずっと党首になりたくないといっていたことは潔く認めた。「この難局に立ちむかう力が欲しいといわれたので、引き受けました」シンプルな答えだった。

このところの支持率が労働党に迫ってきている緑の党との合意文書についての質問もあった。労働党が政権をとるには緑の党と手を組むかどうかが鍵になるのではないか、という問いだ。アーダーンはきっぱり答えた。「もしもその機会に恵まれたときにどの党と手を組んで政権をとるか、それについては国民に対する透明性を維持していくことが大切だと感じています。が、これははっきりいわせてください。いま大切なのは、労働党が選挙をどう戦うかということです。自分たちの政策と考えに集中していたいので、ほかの党の政策やら対話やらについては脇に置いておかせてください」

発言には押しの強さが感じられた。右往左往しながら連立の相手を探すのに必死だった労働党は、過去のものになったのだ。ニュージーランド第二の政党の名に恥じない、堂々たる姿勢がそこにはあった。その時点でなんらかの疑念を感じる人がいたとしても、この言葉をきけば、アーダーンが状況をしっかり把握してコントロールしているのがはっきりわかっただろう。

大規模な記者会見をうまくやりとげる力を持つ国会議員はそうそういない。じゅうぶんな準備もなく臨機応変に対応するのは、なおさら難しいことだ。大勢の記者を前に生放送の会見を開いたとき、その政治家の本当の力量が知れるということはしばしば起こる。記者ひとりひとり、あるいは少人数の記者が相手なら問題なく話ができても、ずらりと並んだ記者やマスコミ関係者が相手になると、まったく勝手が違ってくる。多くの政治家がそのような場面で失敗してきた。

アーダーンのはじめての大きな記者会見は、他の政治家がよくやる失敗会見とはまったく違うものになった。同席した補佐役は見た目にわかるほどリラックスして、アーダーンが冷静に応答するのをみていた。労働党の議員がこれほど落ち着いた会見をしたことが、ここ五年間であっただろうか――彼らはそんなふうに思ったことだろう。アーダーンはどこまでも前向きで、自信に満ちていた。それがみているすべての人に伝わっていた。

マオリ党と組む可能性はあるかときかれたとき、デイヴィスは、自分たちが選挙に勝つのは当然、とでもいうような顔で答えた。「マオリ党が労働党と手を組みたいなら、もう少し力をつけてもらう必要がありますね」念のためにいっておくが、このときの労働党の支持率は二十三パーセントだった。

マオリの最年長議員であるデイヴィスを副党首に据えたのは、明らかに戦略上の人選だったが、労働党の支持者の反応はよかった。労働党は社会問題に対してリベラルな政党であり、ニュージーランド国民の生活水準を引き上げることを政策目標のひとつにしているが、マオリの生活水準は全国民平均より低かったし、労働党によるマオリの扱いに問題があるのでは、という声も上がっていた。長年抑圧されていたマオリの権利をさらに奪うことになる前浜（海岸の、満潮時の水位線と干潮時の水位線の間の土地）と海底（陸地沿いの海底部分）の所有権を定める法律、前浜・海底法（151ページ参照）が制定された二〇〇四年当時、首相だったのは労働党のヘレン・クラークだ。

二〇〇四年以降、労働党はマオリの支持を得ようとがんばってきたが、成果は出ていなかった。そこで、デイヴィスを副党首にした。労働党誕生以来はじめて、マオリの議員を副党首にすることで、マオリの味方ですよというイメージを加えたわけだ。デイヴィスは選挙区も、マオリの住む地域。国会での勢力を挽回するためには、マオリの支持が絶対に必要だった。

ひと晩で身につけたリーダーシップと存在感

決定的な瞬間は、会見の最終盤にやってきた。ひとりの記者がステュアート・ナッシュを名指しして質問した。ナッシュはあえて、アーダーンのうしろに並んだ党員たちのいちばん端に立っていた。「選挙を間近に控えたこのタイミングでの党首交代はありえないと、きのうおっしゃっていましたが……」この質問をきいて、セプローニがナッシュに視線を送り、含み笑いをした。デイヴィスに至ってはあからさまに笑っていた。ナッシュは、党首交代に強硬に反対していた唯一の人間だったのだ。ナッシュは前に出て答えようとしたが、アーダーンに先を越された。アーダーンは記者からの質問が終わる前に答えはじめた。「ステュアートからは、前言を撤回しますとのコメントをもらっています」会見場全体に笑い声が響いた。ナッシュは元の位置に戻った。

アーダーンは副党首から党首になったが、「副」の字が取れただけではない。リーダーシップと存在感をひと晩で身につけたかのようで、その変化には目をみはるものがあった。六カ月前、アーダーンとナッシュの党内での立ち位置はほぼ同じようなものだった。しかしここに来て突然、ふたりのあいだにはだれもが納得するような新しい力関係が生まれた。そこからは明確なメッセージを読みとれた。労働党は内輪もめや出すぎた発言を許さない、というものだ。求心力の低下を対外的にもあらわにしてしまった五年間を経て、労働党はようやく、統率力のあるリーダーを持つことができた。

表でこうした大きな変化が起こっているとき、裏ではリトルが党首室の私物を片づけていた。リトルはアーダーンの選挙運動に協力すると約束していたが、夢が破れた悲しみを癒すには、数日間の休息が必要だった。アーダーンが会見場から戻ったときには、副党首のオフィスの向かいにある党首室は空になっていた。リトルは私物を持って家に帰ったのだ。

最後の質問に答えたあと、アーダーンは礼をいって一同に微笑み、党員たちを引きつれて会見場を出た。スイッチが入ったままのマイクが、スポークスパーソンを務めるデイヴィッド・クラークの小さなつぶやきを拾っていた。「完璧だ」まさにそのとおりの会見だった。

7 七十二時間以内に

The First 72 Hours

〝ジャシンダ効果〟はすぐにあらわれた。どんなに皮肉好きなジャーナリストも、アーダーンが党首になるというニュースを伝えるときは冷静ではいられないようだった。ニュージーランドの政界にアーダーンのようなカリスマ性のあるリーダーがあらわれるのは、ここ数十年なかったことなのだ。ジョン・キーはいかにもニュージーランドの男というイメージで国民に好印象を与えていたが、アーダーンはそれとはまた違うタイプだ。労働党に関する好意的なニュースがこれほど世間をにぎわせるのは久しぶりで、右派のコメンテーターでさえ、いっしょになって明るく騒ぎたてた。

史上最高額の寄付金、千人のボランティア

午後六時のニュースはビーハイヴ（内閣執務棟）前からのライブ中継一色になった。翌朝、国内すべての大手一般紙の一面にはこんな見出しが躍った。「労働党のゴールデンガール、いよいよトップの座に」「労働党、核爆弾級の隠し玉を披露」新聞はアーダーン一色という状況がさらに二日続いた。

それまでの九年間は、国民党が政権をとり、労働党がオウンゴールに次ぐオウンゴールによって自分の首を絞めるようすを眺めてきた。しかし、新しいリーダーを得た労働党は、低迷状態を脱するようにみえた。いや、それ以上の希望さえ得たようでもある。だれにとっても驚きだったこの流れを、国民党の議員たちは苦々しい思いでみつめていた。国防大臣のジェリー・ブラウンリーもこれに過剰な反応をして、かつて〝ベビーたちの政治バトル〟という言葉を使ったジャーナリスト、パトリック・ガワーに、チアリーディング用のポンポンを送った。メモにはこう書いてあった。「きのうの生中継ではずいぶん興奮していたね。次からはこれを使うといいんじゃないか?」

国民の興奮は、もっと目にみえる形でもあらわれた。アーダーンの最初の記者会見から二十四時間以内に、労働党へのオンラインの寄付が二十五万ドル(約二千万円)以上集まった。一件の寄付額は平均三十三ドル(約二千六百円)。一分間あたりの額が七百ドル(約五万六千円)にのぼる瞬間もあった。ニュージーランドの政治の歴史で一度もなかったことだ。寄付が増えただけではなく、一日で千人ものボランティア登録があった。

人手が増えたのは、労働党にとって本当にありがたいことだった。全国に何千カ所とある選挙看板には、リトルとアーダーンの写真に〝新しい労働党〟というスローガンが添えられているが、それはもう新しくもなんともなくなってしまった。SNSには、この問題の解決方法が次々に書きこまれた。リトルとデイヴィスの体格が似ているから、顔の部分だけを貼りかえればいいじゃないか、という意見もあったし、実際にデイヴィスの顔写真を切りとって、リトルの顔の上に貼りつける人もあらわれた。また、フォトショップを使ってリトルの顔の上に大きな×印をつけ、文字を書きくわえて「より新しい労働党」とした人もいた。リトルの顔の部分だけを切りぬいて、有権者が顔をはめて写真を撮れるようにしておけばいいじゃないか、という人もいた。観光地によくあるやつだ。アーダーンといっしょにニュージーランドをよくしていきましょう、というツーショットが撮れる。まあ、悪くないアイディアかもしれない。労働党そのものが、選挙運動のやりかたを根底から見直したいと思っているのだから。求めているのは本当に新しいアプローチであって、新しいというスローガンではない。

緑の党のテュレイ問題

アーダーンは七十二時間以内に新しい戦略を考えると約束し、実際にそれをやってみせた。その三日間のうちに、新しい選挙看板が次々に立てられた。リトルが辞任を発表してから四十八時間後、木曜日の朝には、新しい運動方針を発表する記者会見が設定された。しかし、ボランティアたちが全国に新しいポスターを貼っているあいだ、アーダーンは党首として最初の大きな苦難に直面していた。リーダーとして鋼(はがね)の心を持ち、非情な決断ができるか。それとも、辛口の評論家たちがいうように、一流の政治家に必要な冷酷さを持ち合わせていないことを露呈してしまうのか。つまり、メティリア・テュレイを切れるかどうかという問題だ。

テュレイは緑の党の共同代表のひとり。緑の党は一九九〇年に結成された左派政党で、環境問題や社会経済政策に重きを置いている。ニュージーランドでは第三の政党ではあるが、国民党や労働党と比べると、勢力はかなり小さい。二十一世紀になった頃からずっと、総選挙における得票率は六から十二パーセントのあいだを行き来している。ニュージーランドは小選挙区比例代表併用の選挙制度を採用しているので、第三党である緑の党の存在は、与党にとっても野党にとっても重要だ。また、多くの案件において、労働党と緑の党の考えは共通している。

二〇一六年五月、労働党は連立する政党を求め、緑の党とのあいだで連立の了解覚書を交わした。二〇一七年の総選挙で政府を変えるべく協力する、という趣旨だ。歴史的な動きではあったが、同時に、労働党は自力では国民党に歯が立たないというわけか、と世間からは解釈された。

ところが二〇一七年の七月、労働党の支持率が低迷している状況を、緑の党が利用しようとした。思想的には左派だが、どの党に投票したらいいかわからない——そんな人々の票を取りこもうとして、一種の賭けに出たのだ。リスクも承知の上だったはずだが、左右を問わずどの評論家も、このときの緑の党はリスクの大きさをじゅうぶんに理解していなかったのではないか、とのちに評している。党の年次総会で、党の共同代表であるメティリア・テュレイとジェイムズ・ショーは選挙対策の概要を話したが、その席で、若いシングルマザーであるテュレイは、自分が給付金詐欺をしたことがあると明かした。口を滑らせたわけでもないし、マスコミに注目されたかったわけでもない。福祉の問題、さらには、ニュージーランドでは公の給付金（シングルマザーや低所得者に給付される公的生活補助金）だけで暮らしていけるかどうかを討論したくて、あえてそれを話題にしたのだ。その場の討論はうまくいったが、別の討論を生んでしまった。法律に違反した政治家が政府の要職につくのはいかがなものか。

テュレイがその話題を出すべきかどうかは、総会の前に、緑の党と労働党の幹部同士であらかじめ話し合われていた。連立の了解覚書を交わした二党としては、それが通常の流れだった。そのとき、労働党は「やめておいたほうがいい」といった。有権者全員が共感することがひとつでもあるとすれば、それは、社会規約を破った人間に対する非難の感情だ。税金逃れも、給付金を不当に多くもらうことも、国民からみれば同じこと。どんなに強欲な人間も、ルールには従わなければならない。給付金を余計にもらうのは詐欺で、税金を逃れるのは脱税だが、金額や呼びかたがどうであれ、どちらも犯罪だ。

九〇年代、法律を勉強していた二十三歳のシングルマザーのテュレイは、ルームメイトから受け取っていた家賃を申告しなかった。申告すれば収入の上限を超えてしまい、給付金が受けられなくなるからだ。

テュレイの告白はそれからしばらくニュースをにぎわせ、選挙に向けて緑の党が久しぶりに注目されることになった。社会開発省がテュレイの受給記録を調べはじめた日、世論調査の結果が出た。その日はアーダーンの誕生日。労働党の支持率は一九九五年以来最悪の数字になった一方で、緑の党は十五パーセント。驚くべき結果だった。

労働党が瓦解すると感じてニュージーランド・ファースト党に鞍替えした人もいれば、労働党の信念がブレてばかりだと感じて緑の党を選ぶ人もいた。国民の多くは、自分の過去を正直に告白したテュレイを犯罪者とは考えず、共感をおぼえたようだ。労働党の人気は下降続き。このままでは選挙で国民党に勝てないだけでなく、テュレイの率いる緑の党に多くの票を奪われてしまう。

給付金詐欺に加えて選挙不正

あとから振りかえってみると、メティリア・テュレイの告白は、ジャシンダ・アーダーンが首相になるための触媒として働いた、というみかたもできる。テュレイがリスクを冒す選択をせず、あの告白をしていなかったら、労働党は支持率を落とすことはなく、リトルが選挙の直前に党首の座を降りることはなかっただろう。テュレイの発言の結果として労働党の支持率は急落し、リトルは辞任するしかなくなった。そしてアーダーンが党首になったわけだ。

リトルが辞任した日の朝、緑の党は党史上最高の選挙結果を予測していた。テュレイの告白については非難の声もあがっていたが、世論調査の数字をみれば、国民が彼女を支持していることは明らかだった。そこへリトルの辞任。総選挙のたった七週間前に党首が辞任となれば、労働党はますます人気をなくす。そして緑の党はますます時流に乗ることができるだろうという期待が膨らんだのだ。ところが、アーダーンが最初の記者会見を締めくくる頃には、有権者の心は労働党に戻っていた。

本来ならウィン・ウィンの状況になるはずだった。緑の党はひとり立ちできるだけの体力をつけ、メディアの関心を集め、これから目指す政策についても堂々と語りはじめていた。そして労働党は新しい希望の星をリーダーに据えた。アーダーンははじめての記者会見で、だれもが期待していた以上のパフォーマンスをみせた。計算外だったのは、マスコミがテュレイをそのまま見逃しはしなかったということだ。

八月三日、何十万ドルもの寄付金が労働党に集まる一方で、〈ニューズハブ〉はテュレイに関するニュースを流した。テュレイはかつて、自分の住んでいない選挙区で投票をした、というものだ。実際の住所とは違うところで投票をするというのは、それほど珍しいことではない。引っ越しをしても住所変更の手続きをしないことがあるからだ。しかし、その件について尋ねられたテュレイは、自分が住所を変更しなかったのは、その選挙区からジョークで立候補した友だちに投票したかったからだ、と述べた。これがテュレイにとって終わりのはじまりになった。この発言だけをとってみれば、なにも問題はない。しかし、テュレイには前の一件がある。ふたついっしょに考えれば完全なるアウトというわけだ。給付金詐欺をしたのはよくないと思う人もたくさんいたとはいえ、テュレイに同情する人も多かったし、欲のためではなく生活のためにやったことなのだという理解もあった。ところが、友だちに投票したかったから選挙でも不正をおこなったとなれば、話は違う。軽い気持ちで、自分の楽しみのために法律を破る人間にみえてくる。信用していい政治家なのか？　という疑問が生まれてくる。給付金詐欺、選挙での不正、次はどんな不正が出てくるのか。結果的にはなにも出てこなかったが、すべてはあとの祭りだった。

連立野党の共同代表を切る

予想できたことだが、年次総会でのテュレイの発言のあと、国民党の議員たちは彼女の不正を厳しく責めた。右派寄りの解説者たちは彼女を訴追するべきだと主張した。しかしリトルは、罪を自ら認めたテュレイの潔さを讃え、これからも連立の了解覚書を尊重していくつもりだといった。

しかし、〈ニューズハブ〉によって選挙に関する不正が明らかになったのは、リトルが党首を辞任したあとだった。新党首のアーダーンは、テュレイや緑の党との関係を維持するつもりなのか、それとも悪い細菌に感染した手足を切断するように、関係を絶つつもりなのか。

〈ニューズハブ〉による報道の翌朝、〈AMショー〉に出演した副党首デイヴィスは、テュレイと緑の党を突きはなした。「自分たちが蒔いた種だろう。わたしたちは、この件による影響がこちらまで及ぶことがないよう、党内でよく話し合うつもりだ。わたしたちは、この手の不正を大目にみるような政党だと思われたくないのでね」

労働党は、八月四日木曜日の十二時十五分に記者会見を開くことを決めた。アーダーンが党首になった三日後だ。会見の目的は、労働党の新しいスローガンを発表し、選挙の展望を語ること。テュレイに関する質問も出るものと予想された。党首になったばかりのアーダーンに、邪魔な人間をばさばさ斬りすてるような印象を植えつけるのは上策ではない。とはいえ、ここぞというときは思いきった決断もできる人間だというところを世間にみせる必要もあった。

その日の朝、アーダーンはチームのメンバーのうちふたりに、緑の党の共同代表のひとりであるジェイムイズ・ショーへのメッセージを託した。使者のひとりはグラント・ロバートソン、もうひとりは党首首席補佐官のニール・ジョーンズだったといわれている。ふたりが伝えた内容は、仮に労働党が政権を得たとしても、アーダーンはテュレイを少なくとも内閣には入れないし、省庁のトップの座も与えないだろう、というものだった。これは重大な意味を持つメッセージだ。連立の覚書を交わした二党だというのに、アーダーンはその相手の党首を要職につけないという。縁切りを宣言したようなものだ。それだけではない。国会議員の中でももっとも情に厚く、〝優しすぎる〟と批判されるほどのアーダーンが、その決断を自分から直接知らせようともしなかったのだ。

テュレイにも体面がある。正午に会見を開くことで、アーダーンの会見の開始を午後一時まで遅らせた。会見の場でテュレイがいったことはこうだ。もし労働党が政権をとっても、自分は大臣にはならないが、少なくとも選挙が終わるまでは党の共同代表の座を降りるつもりはない。辞任しろとの圧力を労働党からは受けていない、とも述べた。つまり自分の意志で「入閣しない」と決めたというのだ。しかし、野党議員として十年を過ごした人間が、大臣になるチャンスを自ら辞退するなどということがあるだろうか？　ただでさえ信じがたい会見内容だったが、その一時間後に開かれたアーダーンの会見によって、その信憑性はますます下がってしまった。

アーダーンは、労働党と緑の党が連立政権を樹立したとしてもテュレイを要職につけることはない、という自分たちの考えをその日の午前中にテュレイに伝えたと話した。これで「入閣しない」のはテュレイの意志ではないことが明らかになった。驚くほど急速に力をつけ、支持を集めつつある労働党にとって、緑の党との連立は現実味が薄れてきていた。

選挙運動も終盤にさしかかった頃には、苦労の多かった過去と、その苦難を乗りこえるためにおこなった不正行為とを自ら告白したテュレイは勇気ある人間だ、という考えが世間に定着していた。しかし政治の世界は世間とは違う。正直さと戦略は別物だ。もし緑の党がテュレイの告白をもっと厳しい姿勢で受け止めていたら（たとえば、九〇年代に不当に多く受け取った給付金を、国会議員として高給を得ているいま、しっかり払い戻してからあの告白をしていたら）、違う結果になっていただろう。現実には、テュレイはあの告白によって最終的には失脚することになり、その一方でアーダーンの地位が飛躍的に上がった。アーダーンがテュレイを切ったことは高く賞賛された。十年間〝優しすぎる〟といわれつづけた政治家が、味方のひとりをあっさり切りすてた。これなら安心してみていられる、とアーダーンの支持者たちは思ったことだろう。

大局をみて冷静に戦う政治力

テュレイや緑の党の支持者たちの感想は違っていた。優しい優しいといわれていたアーダーンが、ここぞというときに、その優しさを発揮してくれなかった。テュレイと手を組み、彼らの行動(カウ)指針(パパ)をいっしょに守っていくことで、アーダーンは新しい政治のありかたを実践することができたのに。本当に情の厚いリーダーなら、そうしてくれたはずだ――彼らはそんなふうに思っていた。しかし、二〇一七年の八月の状況では、情が厚いだけでは選挙に勝てなかったのだ。優しさとか共感とかいうものは脇に置いて、大局をみて冷静に戦う必要があった。アーダーンはそのあと何度も、政治家という仕事のいやなところはなにかときかれるたびにこう答えている。「いつでも駆け引きをしなきゃならないところです」

　辞めるつもりはないと宣言した五日後、テュレイは緑の党の共同代表の座を降りただけでなく、政界から引退した。後悔はなにひとつしていない、もし同じ状況になったら再び同じ選択をするだろう、と話していたテュレイだが、もしもあのときあんな告白をしなかったら、余波を受けたリトルが辞任することはなく党首でいつづけただろうし、労働党と緑の党は手を組んだまま野党でありつづけただろう。しかし、辞める時期を自分で選ぶ権利がリトルにもあったはずだというならば、テュレイにも、リスキーな発言をして、その結果政界を去るという選択をする権利があったはずではないか。テュレイはその後ひっそりと暮らし、八月のあの時期の出来事についてけっして語ろうとしないという。いまは刺繍やデジタル・メディアのアーティストとして活動しているそうだ。

要するにこういうことだ。アーダーンは自分の属する党のリーダーになり、それから一週間とたたないうちに、手を組むはずの党のリーダーを切りすてた。その結果、支持率は急上昇。笑顔の暗殺者を、いまやチアリーダーたちが応援している。

猛スピードの新しい車

強い政治力をみせつけたあと、アーダーンは素早く話題を変え、会見を開いた本当の理由を話しはじめた。選挙に向けて、労働党のイメージを一新する作戦だ。リトルのやりかたはうまくいかなかった。車がうまく進まないから運転手を代えるというのはよくある対応だが、アーダーンは車そのものを新しくすることにした。事実上ひと晩のうちに、リトルの痕跡はきれいに消しさられた。労働党はそれまで、リトルとアーダーンを二人一組のチームにして有権者に売りこんでいた。国民党がビル・イングリッシュひとりの顔を押しだしていたのとは対照的だ。ところが、労働党の新しい宣伝看板に、副党首デイヴィスの顔はなかった。アーダーンとイングリッシュの一騎討ちになったわけだ。

徹底的なイメージ刷新戦略だった。労働党といえばイメージカラーは赤だったのに、それがクリーンな白になった。まるで天使を思わせるような、汚れのない白。アーダーン自身も白い服を着て微笑んでいる。はっと目を引く新鮮さがあった。看板という古くさい宣伝方法なのに、モダンな雰囲気さえ感じさせる。ボランティアに配られたTシャツも白。胸のところには、バーバラ・クルーガーの作品や、のちに流行したSupremeのブランドロゴにも似た赤地に白抜きのデザインで、スローガンが書かれている。「Let's Do This（さあ、がんばろう／これをやろう）」だ。

アーダーンが党首になってはじめてフェイスブックに書きこみをしたのは、記者会見のライブストリーミングを除くと、八月二日。記者会見場を出るときの自分の写真を貼った。「きのうはいろいろ想定外！　素敵なメッセージも、いろんな可能性も、まるで山のよう。さあ、がんばろう。#changethegovt（政府を変えよう）」

翌日、あるジャーナリストがアーダーンに「さあ、がんばろう」は新しいスローガンなのかと尋ねた。アーダーンは、そういうわけではないが、それもアリかもしれないと答えた。労働党の議員たちはすでに、党首交代についての自分のSNS投稿にこの言葉を使いはじめていたし、党が作って公開した公式ビデオの最後は、赤地に白抜きの「さあ、がんばろう」という画面で終わっていた。三日たったときには、「さあ、がんばろう」がアーダーン率いる労働党の別称のようになっていた。

党首交代から多額の寄付、戦略変更に至るまで、なにもかもが加速度をつけて進んでいった。普通なら何週間もかかることが、ほんの数日で達成された。新しい車はどんどん進む。労働党のだれもが、そのスピードについていくのに必死だった。

選挙まであと五十日しかなかった。

選挙戦

The Campaign

事実上の選挙運動は、その年の一月一日から始まっている。投票日まで七週間を切ると、そこから先は超過密スケジュールだ。イベント参加、スピーチ、各種式典のテープカット——さまざまな予定がぎっしり詰まっている。リトルとアーダーンは、自分たちの体力や戦略に基づいてスケジュールを作っていたが、アーダーンが党首になったいま、そのスケジュールは無意味なものになってしまった。

フェイスブックのライブ配信で政策について説明

まず、アーダーンは党のスタッフと古い友人たちを労働党本部のある〈フレイザー・ハウス〉に集め、政策の枠組み作りをした。基本的にはリトルが作ったものを踏襲したが、強調する項目を変更したかった。なによりも環境問題と気候変動を政策の中心にしたかったのだ。

また、有権者とのコミュニケーションについても、新しい方法を取りいれたいと思っていた。ニユージーランドの政治家の中で、アーダーンほどうまくＳＮＳを使える人はおそらくいないだろう。素の自分をみせつつ、人々の心をつかむことができる。とても自然で、必死にがんばっているという感じがしない。議員としてはかなり若いということもあり、日頃から使いなれていたのだろう。選挙運動の序盤で、アーダーンは、労働党の得票数を上げるだけでなく、投票率そのものを上げることを約束した。そのためには、一般の人々にとって政治をもっと身近なものにする必要がある。そこで、選挙運動期間中、週に一度はフェイスブックのライブ配信をおこなうことを決めた。知りたいことがあれば気軽に質問してほしいと呼びかけ、寄せられた質問にはすぐに答える。「国民ひとりひとりが手を伸ばせば届く存在でいたいんです」と語った。

　政策について発表をするたび、その日じゅうにフェイスブックのライブ配信をおこなった。会見場などよりカジュアルな場所（自宅を使うことが多かった）で、政策についてより詳しく説明し、配信中に寄せられたコメントや質問に対応する。マスコミを通すことなく、国民全体を相手に会見をするようなものだ。ニュージーランド国民の多くは、水資源や燃料税についての労働党の政策にはあまり関心がないが、ジャシンダ・アーダーンには興味がある。こうしたライブ配信によって、普段は政治なんかどうでもいいと思っている人々に対しても、民主主義や党の政策を訴えかけることができた。どんなことでも、自分が好意を持っている人が説明してくれたほうが、多少なりとも理解しやすくなるものだ。

自然で巧みなＳＮＳ

ライブ配信は国民の人気を得たが、文章と写真による投稿はそれ以上に注目を集めた。なにかを投稿すれば何千もの「いいね」やコメントがついたし、シェアやリツイートもされた。党首という立場にありながらも、アーダーンのSNSは、労働党の政策ではなくアーダーン個人の行動や意見をあらわすものだった。あえてそのようにしていたのだろう。またそのことによって、ニュージーランドの政治はアメリカの政治と共通点を持つようになった。選挙運動において、党ではなく政治家個人が注目されるという点だ。

リトル対イングリッシュのとき、労働党の戦術は古くさいものだった。そもそも、リトルもイングリッシュも面白みのない人間だとだれもが思っていた。どちらも、仕事で必要なとき以外はSNSを楽しんだりしない。しかしアーダーンは十代の頃からインターネットに慣れしたしんでいて、選挙運動にもインターネットを利用する。SNSの使いかたも自然で、しかも、政治家のSNSなんてこんなもの、と人々が予測できるようなお決まりの投稿ではないところもよかった。

選挙運動序盤にマスコミを通して述べた意見の中で、アーダーンは第二十九代首相のノーマン・カークの政治哲学に触れ、彼の言葉を引用した。「ニュージーランド人に必要なのは、愛する人、住むところ、働くところ、そして希望です」

アーダーンこそ希望だった。アーダーンが党首になるとわかったときから急増した寄付金やボランティアの数からも、それがわかる。しかし、それが票数に結びつくかどうかはまだわからない。アーダーン本人は、七週間でどこまでできるかという到達目標を少し低くした。自分を傷つけないためにはそうするのが自然なことだったのだろう。のちにこのことを振りかえって、こういった。

「頭の奥のほうから、自分の声がきこえたんです。『おまえは労働党の体面を守ることさえできればじゅうぶんなんだ』って」

笑顔の子どもたちに囲まれた人気の政治家

党首になってはじめての政策発表が、日曜日、オークランド中心部でおこなわれた。とりあげられたテーマは公共交通機関。とりたてて目新しいものではなかった。それでも、そこには何百人もの支持者が集まった。どこにどんな路面電車路線を作るとか、そんなことをききにきたわけではない。大人気の政治家を応援するために集まったのだ。とても大きな会場だった。〈ザ・クラウド〉と呼ばれる巨大な、そして不格好な建物で、二〇一一年のラグビーワールドカップの際、イベント会場として、オークランドのウォーターフロントエリアに造られたものだ。そんな大きな会場なのに、中は人でいっぱいだった。それを見て、アーダーンはふと思ったそうだ。もしかしたらもしかして、労働党にも勝ち目があるのではないか、と。

人は集まりつづけた。それから六週間、アーダーンはどこに行っても、たくさんの人に囲まれた。労働党のTシャツを着たボランティアが来ることもあったし、だいたいいつも子どもたちがいた。

日々忙しく働きつつ、まともに準備する間もない状態でイベントを次々に計画してはこなしていく。そんな状況のなかで、アーダーンが訪れることの多い場所がひとつあった。学校だ。まず、世間に与える印象がいい。未来の社会をになう子どもたちに好かれるリーダーは、メディアにも好かれる。それに、学校は人がたくさんいる場所だ。選挙運動中の政治家は、ひとりきりでいるところを撮影されるのを避けるべきだ。しかしイングリッシュは、寂しい倉庫街にひとりで立っている姿を、自分の選挙スタッフに何度も撮影され、公開されている。これでは人気のない政治家のようにみえてしまう。対照的に、アーダーンは学校訪問の写真を一日おきくらいに公開した。何十人もの笑顔の子どもたちに囲まれた、いかにも人気者という感じの写真ばかりだ。

大臣にはなりたかったけれど

アーダーンが党首になって十日後、〈ニューズハブ・リード・リサーチ〉がまた世論調査をおこなった。予測どおり、党首交代と、アーダーンの全国的な人気のおかげで、労働党の支持率は大幅にアップした。九パーセント上がって、三十三・一パーセント。なかなかの数字だ。その一方で、緑の党は五パーセント近く数字を落とし、八・三パーセントになった。

世論調査など当てにはならない。アメリカではドナルド・トランプがヒラリー・クリントンに勝ち、イギリスはEU脱退が決まった。労働党は今回の調査結果をみても、どこまで喜んでいいのかわからなかった。とはいえ、喜ばずにはいられない。首相になってほしい政治家ランキングでは、イングリッシュが数字をわずかに伸ばして二十七・七パーセント、アーダーンは前回の八・六パーセントから大躍進の二十六・三パーセント。同じ調査で労働党の党首が一位にここまで近づいたのは、ヘレン・クラーク以来だ。二〇〇八年の選挙戦序盤、当時はクラークが現役の首相だった。

労働党はあと七週間で支持率を逆転しなければならない。とりあえず、ここ二週間の勢いにはすばらしいものがあった。

ただ、人気者になったことや、党首の座にすんなりおさまったことはよかったが、アーダーンにはなかなか人々にわかってもらえずに困っていることがあった。党首になどなりたくなかった、ということだ。フェイスブックのライブ配信で、首相になりたいと思っていますかときかれたとき、アーダーンはこう答えた。「わたしの昔からの目標は、議員になって、大臣になることでした。大臣になるためには、党が政権を得なければなりません。だから、そのためにわたしの力が必要だといわれて、党首になることを決めました。党首になりたいとか首相になりたいとかいう野心があったから党首になったわけではないんです。偉くなりたいとか、トップに立ちたいとか、そういう気持ちはありません。ニュージーランドをよりよい国にしたいと真剣に考えている人たちの力になりたかった。そうしたら党首に選ばれた、それだけなんです」

〈ニューズハブ〉の調査結果が出た翌日、アーダーンの先輩であり前副党首でもあったアネット・キングが、三十三年の議員キャリアに終止符を打った。アーダーンの尊敬する政治家のひとり、ノーマン・カークが首相だった一九七〇年代から、二回の労働党政権を経て、キングは党のために力を注いできた。引退のスピーチには、後輩であるアーダーンへの励ましの言葉も含まれていた。「あなたなら、この労働党をこれから何年も引っぱっていけるでしょう。そして、もっとも国民に愛される、もっとも有能な首相のひとりになれるでしょう」半生を国会議員として過ごし、全議員に尊敬される女性からの言葉だ。力があった。言葉だけではない。キングは、選挙運動が終わるまで、非公式のアドバイザーとしてアーダーンを熱心にバックアップした。

心が躍り、希望がふくらむ政治イベント

アーダーンの人気沸騰をだれもが実感したのは八月二十日、公式な選挙戦が始まった日だ。アーダーンが党首になって三週間後、投票日までは五週間足らず。イベント会場はオークランド市役所。国民党が選んだ屋内アリーナと比べれば、地味なタイプの場所だ。しかし、リトルが党首のときに予約していた場所なので、変更しようがない。オークランド中心部のクイーン・ストリートには、参加希望者の列が早くからできていた。座席に限りがあって、並ばなければ座れない。あっというまに満員になってしまったので、会場に入れなかった人はとなりの劇場に入ってスクリーンでイベントをみるしかなかったし、そこにさえ入ることができず、帰る人もたくさんいた。

ニュージーランドの政治イベントとしてはめずらしく、活気に満ちたイベントになった。街の一角が赤一色になった。赤い旗、看板や飾りリボンがあたりを埋めつくす。支持者たちが声を合わせ、「さあ、がんばろう!」と繰りかえし叫ぶ。心が躍り、希望がふくらむ。ベテランの政治解説者でありライターでもあり、それまでに十五回もの選挙をみてきたコリン・ジェイムズは、このときにおぼえた感覚をこう記している。「重くて黒いカーテンが開いて、真夏の昼間みたいな光が労働党を包みこんだ」

気候変動問題への取り組みを宣言

イベントでのスピーチで、アーダーンは今後の試金石ともなる政策のひとつに触れた。リトルが

あまり重視してこなかった問題、気候変動だ。それはニュージーランドにとって緊急の課題だと述べた。「前の世代がニュージーランドの非核を実現したように、わたしたちの世代は気候変動に取り組まなければなりません。わたしたちはこの問題に正面から立ちむかっていきます」

いうまでもなく、このスピーチは緑の党への打撃となった。環境問題やサステナビリティは、緑の党が常にトップに掲げる政策テーマだ。労働党の支持者層が中道左派とするなら、緑の党は典型的な左派で、気候変動問題を政策の前面に押しだしている。アーダーンが気候変動問題を口にしたことで、マスコミや支持者がその言葉を繰りかえし、緑の党の支持者たちをも引きつけるようになった。

イベントは、これ以上ないほどの大成功だった。アーダーンは、国民党政府を揺るがす存在感を確かなものにしただけでなく、党として気候変動に取り組むことを宣言したことにより、若者に寄り添う姿勢を明らかにした。これからの地球の問題は若者にとって大問題だ。わたしはそのことをきちんと理解していますよとアピールしたのだ。

クライストチャーチの高校を訪れたとき、アーダーンはふたたび、気候変動に対して行動を起こすことがいかに大切かという話をした。「この問題についてこんなによく話すようになったのは、いま行動を起こさないと、将来あなたたちがリーダーになる時代が来たとき、大きなツケを払うことになるからです」

選挙運動の中で気候変動の深刻さを大きく取りあげたのは、国を正しい方向に進めるための第一歩だった。ただ、アーダーンのそれまでのキャリアや考えかたを知っている人にとっては、この姿勢は想定内だったはずだ。そしてこれは、ニュージーランドはほかの西洋諸国とは違うんだ、という誇りを国民にもたらしてくれるものでもあった。オーストラリアやイギリスやアメリカの政治家たちが相変わらず、地球の温暖化なんて本当に起きているのか、などと話し合っているときに、ニュージーランドの政治家は、その問題にどう取りくんでいくべきかを考えていたのだ。

支持率とキャピタルゲイン課税

アーダーンはどんどん力をつけていった。ＴＶＮＺの報道局〈ワン・ニューズ〉と市場調査会社〈コルマー・ブラントン〉が八月の最終日――選挙まであと三週間――におこなった世論調査の結果をみて、国じゅうが息をのんだ。この十二年間ではじめて、労働党の支持率が国民党のそれを上回ったのだ。労働党四十三パーセント、国民党四十一パーセント。左派のだれが予想していたよりも、労働党の数字は高かった。

つい最近までまったく振るわない状態だった労働党が、突然息を吹きかえし、生き生きと活動しはじめた。アーダーンもその仲間たちも、六週間あれば選挙に勝てるのではないかと考えはじめた。しかし逆に、六週間あれば、どんな不利なことが起こってもおかしくない。

「キャピタルゲイン課税を持ちだすのは自殺行為だといわれてきましたが、わたしの考えかたは違います」二〇一一年、ジャシンダ・アーダーンは〈ＮＺヘラルド〉紙にこう書いた。

二〇一一年の総選挙のとき、キャピタルゲイン課税は労働党の税金政策の中でももっとも重要なものだった。株式や会社や土地を売って得られた利益には十五パーセントの税金をかけるが、住宅の取引は除外する、というものだ。当時伸び悩んでいた支持率を上昇させるためのゲームチェンジャーになると期待されたが、結局、数字は低迷したまま。キャピタルゲイン課税の考えかたはよいとする回答は半数近くを占めたものの、だからといって投票する政党を変えるという行動には結びつかなかったようだ。

二〇一四年の選挙でデイヴィッド・カンリフがふたたびキャピタルゲイン課税の導入を持ちだしたが、それはまるで臭いおならのような存在になってしまった。長々とした政策説明などききたい有権者はいない。その政策によって自分たちがどうなるか、苦労して稼いだお金がどうなるか、とにかくそれが知りたいだけなのだ。おそらくアメリカの人気ドラマシリーズ『ザ・ホワイトハウス』の初期の放送回をみたあとだったのか、国民党のジョン・キーがキャピタルゲイン課税のことを〝死の税金〟と呼んだことがある。カンリフはそれを否定しようとしてむきになり、ほかの政策を二の次にして、キャピタルゲイン課税が中流階級の国民にどのような影響をおよぼすか、あるいはおよぼさないか、という説明に躍起になった。結局はそれがうまくいかず、二〇一四年の選挙は惨敗。九十二年ぶりの大差をつけられることになってしまった。

キャピタルゲイン課税導入宣言

最初に提起されてから六年後、アーダーンはふたたびキャピタルゲイン課税を政策のひとつにあげた。二〇一一年に書いたコラムで、アーダーンはこういっている。「このまま黙ってみているだけでは、国の経済は住宅市場にのっとられてしまいます。いまより少しでも不動産価格が高騰すれば、国民はローンの海にぶくぶく沈み、失業率も上がる一方でしょう。そのような恐ろしい状況だ

け は避けなければなりません」全国規模の住宅難が起きていた。オークランドの平均的な住宅の価格が、平均年収の九倍。このような状況では、キャピタルゲイン課税を導入するのがもっともだと思われた。少なくとも理屈の上では効果がありそうだ。

ところが、リトルが税制改正の枠組みを決めたとき、キャピタルゲイン課税は含まれていなかった。アーダーンが党首になったことで、いったんはずされたメニューがテーブルに戻ってきたわけだ。ニュージーランドは、世界の先進国の中でも、資産売却に伴う利益に税を課さない数少ない国のひとつだった。オーストラリアにはキャピタルゲイン課税がある。カナダにもある。イギリス、デンマーク、スウェーデン、フランス――ニュージーランドが自らと似ていると考えている国のすべてに、それはある。それを導入したからといって、ものすごく大きな変化が生まれたとはだれも思わないだろう、と労働党の支持者たちは考えた。なぜなら、とっくの昔に導入されていてもおかしくなかったものだからだ。

カンリフの失敗から何年もたった。キャピタルゲイン課税をふたたび持ちだすなら、みなに愛される新しいリーダーこそ適任だ。アーダーンは、自分が首相になったら税制改革の作業部会を作り、もし作業部会がそれをよしとするなら、二〇二〇年の総選挙までに、キャピタルゲイン課税を導入すると宣言した。

税への恐怖を利用した国民党の攻撃

労働党という船の船長として、自分の判断でおこなった宣言だ、とアーダーンはいった。自分が首相になったとして、その第一期にキャピタルゲイン課税を法改正に含める。そのことを政綱として選挙運動を進めるつもりはないが、二〇二〇年までに施行する可能性を残したかった、とのこと。有権者はそれを喜ばなかった。有権者の耳に入ったのは、もし労働党が政権をとったら、いきなり新しい税が課されるだろう、ということだ。国民の不安に乗じて、国民党が攻撃してきた。ジャシンダという名前をもじって〝税シンダ（Taxinda）〟といったり、労働党の新しいスローガンを〝さあ、税金をかけよう〟といったりした。過去二回の選挙と同じように、キャピタルゲイン課税はアーダーンを苦しめた。リーダーとして思いきった発言をしたら、しっぺ返しをくらった格好だ。税制は世界を支配し、税への恐怖は有権者の心を支配する。

労働党はキャピタルゲイン課税を前面に押しださないように気をつけていたが（緑の党だけは押しだしていた）、その導入の可能性を否定しないことの理由を説明するために、マスコミを使って党をアピールする貴重な時間を大幅に削られていた。税制改革については、労働党の手札はあまり多くなかった。しかも、やるともやらないともいわない曖昧な姿勢をとっていることが、国民党の攻撃のターゲットになった。労働党が政権をとったら、新しい税制が次々に作られるかもしれないぞと、遠まわしな言葉を使って国民を脅しにかかったのだ。

ほかの民主主義国家と違って、ニュージーランドではこうしたネガティヴキャンペーンは好まれない。礼儀の問題だという人もいるし、ニュージーランド人は繊細だからという人もいる。いずれにしても、あまり意地の悪いことはやめておこうよ、という空気がニュージーランドの選挙戦にはあるのだ。そしてアーダーンもイングリッシュも、議員としてのそれぞれのキャリアの中で、平均以上にスポーツマンシップを大切にする姿勢を確立していた。

そんなわけで、国民党が労働党の税制政策を攻撃するのをみて、国民は驚いた。ああ、国民党は本気で焦っているんだな、この九年間ではじめて、政権を失うかもしれないと心配しているんだな、と思った。しかし同時に、この攻撃には効き目があった。労働党が政権をとったら新しい税制が次々に導入されることになるぞ（労働党はそんなことは考えていなかったが、それを国民に対して言明していなかったのも事実だ）、という国民党の脅しによって、アーダーンの支持者は元気をなくしはじめた。

架空の穴

九月の第一週、労働党の財務スポークスパーソン（当時）であるグラント・ロバートソンが労働党の考える国家予算案を示した。驚くような数字はなにもなかったが、財務大臣のスティーヴン・ジョイスが、そこには百十七億ドルの穴があると指摘した。労働党はあわてた。そんな計算違いがどこでどうして生じたのか、わけがわからなかった。ロバートソンの経済アドバイザーに数字を何度も確認させた結果、財務大臣がでたらめをいっているという結論に達した。そんな大きな穴などあるはずがない。では、小さな穴は？　いや、小さな穴もない。

労働党が正しかった。計算違いも穴もなかったのだ。

そのニュースが出たとき、アーダーンはピンク・バッツ（断熱材）製造工場にいた。選挙期間中ずっとついてまわっていたマスコミ集団から少し離れてスタッフたちと小休止をとった。すぐそばではギロチンのような切断機が断熱材を切っている。その後アーダーンはマスコミのところに戻ってきて断熱材の話をしたが、マスコミは数字の穴のことしか質問しない。穴などありません、とアーダーンはいった。

しかしジョイスは指摘を取りさげなかった。国民党全体が同じ姿勢だった。どういうわけか、この架空の穴は、その後の討論会や囲み取材でもたびたび登場する。ロバートソンにできることといえば、穴などないといいつづけることだけ。問題はやがて、あの人がこういった、この人がこういった、というふうにこじれていき、国民党の声ばかりが大きくなった。週末の調査では、労働党の支持率は三十パーセント台に落ちこんだ。

すべての人に、自分のことを自分で決める権利を

しかしアーダーンの対応は落ち着いていた。イングリッシュとのテレビ討論会でも強いパフォーマンスをみせ、八月三十一日（最初の討論会は、労働党の支持率が十年以上ぶりに国民党をしのいだ世論調査結果が発表された一時間後におこなわれた）から九月二十日までの四回にわたる討論会すべてにおいて、両者は互角だった。どちらもとりたてて大きな得点をあげることはなかったし、大きな失点もなかった。選挙直前の討論会にしては、きわめて礼儀正しく穏やかな討論会でもあった。ただ、記憶に残る瞬間はいくつかあった。

二度目の討論会の終盤、ふたりは中絶について尋ねられた。司会者のパトリック・ガワーがいう。「現時点では違法ですね。刑法で、人工中絶をしてはならないと定められています。人工中絶

するためには、子どもを持つことが精神的に深刻な負担となる、と主張するケースが多いわけですが、このために多くの女性は嘘をつかなければなりません。この法律を変える必要はあると思いますか？」

ガワーがこれをいいおわらないうちに、アーダーンが答えた。「はい」

「首相になったらそれをやる、と？」

ふたたびガワーの言葉にかぶせて答える。「はい。刑法からその項目をはずすべきです」

アーダーンが強くきっぱりと答えるのをきいて、生放送のスタジオにいた人々から拍手があがった。さらに詳しくきかれたときも、アーダーンの答えに迷いはなかった。

「選択の権利が必要です。人工中絶に反対する人がたくさんいるのはわかっていますし、反対する権利も尊重したいと思っています。しかし、女性が選択権を求める権利も尊重すべきです。すべての人に、自分のことを自分で決める権利を持ってほしいんです」

明言を巧みに避けるのが得意な政治家たちの討論会シリーズの中で、これは特筆すべき瞬間だった。二〇〇八年からそれまでの選挙は、中年の男性が入れ代わり立ち代わり戦うといった構図で、人工中絶について熱く語られなかったのは自然なことだったかもしれない。しかし、ガワーの言葉は真実をついていた。現実的には、ニュージーランドの女性は人工中絶手術を受けることが可能であって、妊娠を終わらせることが犯罪になるというのはショッキングにきこえるが、法律で人工中絶が禁止されていることは事実だったのだ。

税の政策や税制作業部会のガイドラインといった話題は、これぞ政策論争といった感じがする。

ジャーナリストやツイッターの政治オタクたちは、こうしたことばかりを延々と論じているものだ。一方、人工中絶は倫理的な問題であると同時に、個人的な価値観の問題だ。アーダーンの強みはそこにある。

討論会のあと、アーダーンはガワーにメールを送った。「いい質問をありがとう」

笑顔の裏の苦しみ

討論会とは別に、アーダーンは並の政治家にはできないようなやりかたで選挙運動を進めていた。国民の身になってものを考える政治家だ、という印象を与えると同時に、ユーモアのセンスをみせつける。政治に関心がないという意味では真っ白な存在の子どもたちが、訪ねる先々でアーダーンのまわりに集まってくる。全国各地の公会堂では女性たちが、アーダーンの成功が自分たちや自分の娘たちにとってどんなにすばらしいお手本になってくれているか、と話し合っていた。

とはいえ、笑顔の自撮り写真をＳＮＳに大量にアップしていたのとはうらはらに、アーダーンは苦しみも味わっていた。ネルソンでおこなわれたイベントで、医療サービスにもっと大きな投資をする必要があると述べ、自分の祖父の経験を引き合いに出した。ワイカト病院に入院していた祖父は、最近、真夜中に退院させられた。これこそニュージーランドの医療システムの欠点を象徴する出来事ではないか、と話したのだが、数日後、ウエストコースト地区を遊説中のアーダーンは、またもや国民党の攻撃を受けることになった。今度は、労働党は医療サービスのために国民の税負担を増やすつもりだぞ、といいだしたのだ。また、マスコミがアーダーンの祖父を探して真実を確かめようとしていることもわかった。アーダーンは、自分の手法が正しいんだろうかと思うようになった。「あのときは本当にがっくりきました。『祖父の話を出したのはまちがいだったの？　わたしはどうやって家族を守ったらいいの？』と自問したものです」と、後に述べている。「祖父はあの騒ぎの中で脳卒中を起こしてまた入院しました。その容態は、選挙運動のあいだにじわじわと悪化していきました」

アーダーンがこのことを〝選挙で味わった最悪の経験〟として語っているのは無理もないことだろう。

アーダーンから記者への電話

そんなとき、小さな町のカフェでソーセージロールを食べている最中に、アーダーンは税制改革についての発言を取り消そうと決心した。労働党は出血している。どの傷をふさぐべきなのかは、はっきりわかっていた。そこでアーダーンはロバートソンに電話をかけ、軌道修正することを決めた。九月十五日、ロバートソンは記者会見を開き、労働党は新しい税制を導入しない、仮に作業部会から導入を勧められたとしても、二〇二〇年の選挙まではそれを見送る、と発表した。選挙まであと一週間。労働党は、ピーク時の支持率があれほど高くなるとは思っていなかったし、あれほど早い時期にピークが来るとも思っていなかった。しかし、あと八日だ。八日間だけ持ちこたえれば、なんとかなるかもしれない。

九月十九日の朝、アーダーンの母方の祖母で、二〇〇八年の選挙のときにアーダーンを応援してくれたマーガレット・ボトムリーが、テ・アロハ地域病院で亡くなった。八十一歳だった。

最後の党首討論会を翌日に控えていたアーダーンは、祖母が亡くなったことに簡単に触れたものの、スケジュールは変更しなかった。討論会には出席したが、解説者たちはみな口をそろえて、この四回目の討論会がいちばんつまらなかったといった。両者は引き分け。有権者の気持ちを最後の最後にひっくりかえすような言葉はなにも出てこなかった。ニュージーランドの公式な選挙戦は七週間で、比較的短いほうではあるが、最終週くらいになると、だれもがもう疲れてきて、早く終わってほしいと願うものだ。候補者たちにとってもそれは同じだと思われる。

祖母の葬儀は、九月二十二日、ワイカト地方のテ・アロハでおこなわれた。小さな葬儀で、大部分のマスコミは触れないことにしたようだ。そんな中、会社命令で現場に行かざるを得なかったある記者が、その日のことを記憶していた。オークランドに着いたとき、ゲイフォードにばったり会ってしまったので、記者は先に謝った。ゲイフォードは記者を一瞥したが、なにもいわなかった。それからまもなく、アーダーンからありがたい電話がかかってきた。葬儀に向かう途中のアーダーンは、ゲイフォードは怒っていたわけじゃないから気にしないでほしい、これもマスコミの仕事だと理解していますよ、といってくれたそうだ。

葬式が終わるとすぐ、アーダーンはオークランドに戻り、残りのイベントをこなした。そしてとうとう、選挙法で定められた選挙運動期間が終わった。

投票日まで、あと一日。

9 投票日の夜

Election Night

勝者はいなかった。

ニュージーランドの小選挙区比例代表併用制（ＭＭＰ）選挙システムの悪いところだ。投票日の夜には勝者が決まらないことがあり得る。実際、二〇一七年がそうだった。

ニュージーランドはかつて、単純小選挙区制をとっていた。有権者がひとり一票、選挙区のいずれかの候補者に投票する。もっとも多い議席数を獲得した政党が政権を得るので、当日中に勝者が決まる。一九九三年に導入された小選挙区比例代表併用制では、有権者が持つのはひとり二票。一票は小選挙区の好きな候補者に投じ、当選した候補者が小選挙区を代表する国会議員になる。もう一票は好きな政党に投じる。これらはよく、選挙区票と政党票と呼ばれる。

ニュージーランド国会の議席数は百二十。二〇一四年と二〇一七年の選挙では、そのうち七十一議席を小選挙区選出の議員が占め、残りの議席を比例代表選出の議員が埋めた。

政界のドン、ピーターズ

小選挙区の議席を得るには、その選挙区で最大数の票を獲得しなければならない。たとえば、二〇一四年の選挙では、ニッキー・ケイがオークランド・セントラル小選挙区でアーダーンを退け、議席を手に入れた。小選挙区で負けて比例代表の議席につくためには、政党がどれだけの票を獲得するかが重要になる。

ある政党が政党票を五パーセント獲得すれば、全議席のうち五パーセントの議席がその政党のものになる。労働党は二〇一四年の選挙で惨敗したが、そのときの政党票は二十五パーセント（三十二議席）だった。小選挙区で議席を確保した候補者が二十七人いたので、比例代表で議員になれたのはたった五人。そのうちのひとりがアーダーンだった。同じ選挙で、緑の党は小選挙区をひとつもとれなかったものの、政党票が十一パーセント近くあった。よって、緑の党の十四議員はすべて比例代表で議席を得たことになる。

ニュージーランドがMMPシステムを導入したのは一九九六年。それ以来、単独政権は一度も実現しなかった。二〇一四年、国民党はあと一歩というところまで行った。獲得議席数は六十。あと一議席で過半数だった。そこで国民党はACT党（一議席）、統一未来党（一議席）、マオリ党（二議席）と手を組み、連立政権を樹立した。

二〇一七年の投票日直前の世論調査では、二大政党の支持率はいずれも三十パーセント台後半から四十パーセント台前半で、単独政権は誕生しないとみられていた。どちらの政党が政権をとるにしても、少なくともひとつの政党の手助けが必要だ。鍵を握るのはウィンストン・レイモンド・ピーターズ。

ピーターズはベテラン国会議員で、一九七八年の選挙で初当選、国民党の議員になった。一九九三年、ピーターズはポピュリズムの政党ニュージーランド・ファースト党を設立した。政治家個人としては人気があったので、一九九六年にMMP選挙システムが導入され、小規模政党が多くの議席を得る可能性が生まれると、ピーターズ率いるニュージーランド・ファースト党は、だれもが驚く十七議席を獲得した。国民党や労働党が単独政権を立てられないとき、ニュージーランド・ファースト党がパワーバランスの要となる。ピーターズはそのときはじめて——しかも最後ではなかった——政界のドンというべき立ち位置を手に入れた。ピーターズが選んだ政党が与党となり、その党首が首相になる。

その後も、国民党と手を結んだり、労働党と連立したり、自身が選挙で落選したりを繰り返したのち、二〇一一年に議会に返り咲いたピーターズは、野党の席で二期を過ごした。そして迎えたのが二〇一七年の総選挙。どこをどうみても、ピーターズはまた政界のドンになりそうだった。

投票率の上昇

投票日、アーダーンは家族とともに自宅にいた。

選挙運動は本当に大変だった。三年の任期を七週間で争うのだ。労働党の支持率は上がって下がり、また上がった。最後の世論調査では、国民党が四十六パーセントを少し切るぐらい、労働党は三十七パーセント。労働党にとってはこれでも大幅な躍進だが、驚くべきことに、国民党は三年前の数字を完璧に維持している。

有権者は、投票日の三週間前から投票することができる。期日前投票の数は史上最多の百二十四万票。全投票数の四十パーセントを占めた。若者の投票率も上がった。選挙の結果がどうなろうと、アーダーンは昔から目指していた目標を実現したことになる。若者が民主主義に関心を持ち、投票所に行くということだ。

投票率が上がったのはまぎれもなく喜ばしいことだが、投票日の夜がつまらないものになるというマイナス面もある。期日前投票の数が多かったので、開票作業がいつもより早く進み、午後七時半には比例代表票の十パーセントが開票されていた。よほどのことが起こらなければ、この時点の開票結果がそのまま最終結果になると考えられる。二〇一七年九月二十三日、開票途中の得票数は、投票日直前の世論調査の結果を反映するものだった。国民党は四十六・四パーセントでトップを走り、労働党は三十六・五パーセント、ニュージーランド・ファースト党は七・一パーセント、緑の党は五・九パーセント。

ピーターズの力

午後八時になっても状況は変わらない。アーダーンはまだ自宅にいて、ソーセージを焼いていた。ゲイフォードはそれを、フェンスの外に陣取っているマスコミ関係者たちに配った。

夜が更けるにつれて、どの党とどの党が連立政権を組むのか、という話題が熱を帯びてきた。国民党は得票数は二位以下にそれなりの差をつけてトップではあったが、過半数には届かない。ただ、最終結果がほんの数パーセント違ってくれば、勢力図はがらりと変わる。結果がどうあれ確かなのは、ピーターズの持つ力の大きさだ。

ピーターズ自身は選挙に負けていた。もしニュージーランド・ファースト党が比例代表で五パーセントの票をとれなければ、議員になることはできない。結果的には七パーセントを超える票を集めたので、ピーターズはキーパーソンとしての地位を確保することができた。選挙には負けたが、政治家としての勝負には勝ったのだ。

簡単にいうと、野党すべて（労働党、緑の党、ニュージーランド・ファースト党）の票を集めると、国民党の票数を超える。緑の党の党首ジェイムズ・ショーは、自分はこの結果に満足していると支持者に述べた。そしてこうもいった。「ニュージーランド国民が変化を求めているということがはっきりした」

あきらめと疑問の中間

アーダーンが自宅を出て労働党のイベント会場に向かっているとき、結果についての感想を求められ、こう答えた。「当然、もっといい数字が欲しかったです」

二十分後、アーダーンが〈アオテア・センター〉に到着すると、労働党の支持者たちが「ジャシンダ、ジャシンダ」と唱和していた。リーダーの到着で興奮がよみがえってきた、という雰囲気が会場には漂っていた。しかし、アーダーンのスピーチは勝者のスピーチではなかった。スタッフとボランティアに礼をいって、それでおしまい。じつは三種類のスピーチを用意していた。これで妥協しましょう、というスピーチと、結果がはっきりしないときのためのスピーチと、勝利のスピーチ（あとで本人が認めたところによると、勝利のスピーチの準備にはほとんど時間をかけなかったとのこと）。実際のスピーチは、あきらめと疑問の中間のようなものだった。多様な層の国民に支持されたことはありがたいが、少々残念な結果に終わったことを残念に思う、と述べた。「もう少しがんばれると思ったのですが」

そのとき、客席の中からひとりの女性が叫んだ。「がんばったよ！」どっと歓声があがる。その後アーダーンが少ししゃべるたび、客席から応援の声があがった。ほとんどは熱烈な女性支持者からの声だった。

ステージの外にいたスタッフはみな、肩を落としていた。夜の早い時間に途中集計をみていたのだ。いい数字ではない。負けたんだ、と思っていた。それでも、結果は最後までわからないと思いこもうとしていた。少なくとも、アーダーンが来たときに暗い顔をみせたくはなかった。最後までわからないというのは事実だし、もっと明るく盛りあがっていてもいいはずだ。しかし、やはりそういう気分にはなれなかった。

アーダーンがスピーチをしてから三十分もたたない頃、国民党のイベント会場ではイングリッシュがステージに立ち、喜びを前面に押しだした勝利のスピーチをしていた。それまで会場には〝本当に喜んでいいんだろうか〟という微妙な雰囲気が流れていたが、イングリッシュが堂々と勝利を宣言したので、空気がぱっと明るくなった。イングリッシュは、できるだけ早くピーターズと交渉に入り、連立によって政権を維持するつもりだ、と述べた。宙に漂っていた〝本当の勝者はだれなんだろう〟という疑問を、イングリッシュは全力でかき消した。

アーダーンがスピーチを終えると、選挙スタッフが緊急の会議をはじめた。用意していた喜びのコメントをそのまま公開していいものか。喜ぶ理由はじゅうぶんにある。労働党は、二カ月前にはだれも予想しなかったような、ものすごい得票率を記録したのだ。そのうえ、政権につく可能性もある。しかし、労働党が政権につくことができなかったら？　ぬか喜びのコメントを垂れながしたら、アーダーンはこの先もずっとそれに苦しめられることになる。残念なイメージはなかなか消えてくれないものだ。

コメントは発表しないまま、ウィンストン・ピーターズの動きを待つことにした。

はぐらかすピーターズ

九月二十三日から十月十二日までの三週間、ニュージーランド国民は親の帰りを待つ子どもたちのような状態だった。あらゆる点で、政府の任期は総選挙の前日に終わる。イングリッシュは肩書的には首相だが、首相らしいことはなにもできない。できるのはピーターズとの交渉だけだ。だがこれからの交渉で彼がどちらの党に手を伸ばすのか、まったく予想できなかった。

ピーターズは大きな決断を迫られていた。いちニュージーランド国民が下すものとして、これほど大きな意味のある決断はないだろう。だれを首相にするか。どちらの党に政権を与えるのか。しかしピーターズ自身は――ピーターズだけが――同じような決断を前にもしたことがあった。しかも、二度も。

いずれの場合も——国民党を選んだときも、労働党を選んだときも——問題はあった。ピーターズは連立政権の中でおとなしくしていることができなかった。どこへ行ってもなにかしらの問題を起こす。それでも彼は国でいちばんのベテラン政治家だ。四十二年も前から国会議員をやっているのだ。

二〇一七年、ピーターズはまたも国民党と労働党のどちらかを選ぶことになった。しかしそれは、単純な二者択一ではない。ＭＭＰ（小選挙区比例代表併用制）システムのせいで、ニュージーランドの政府は複数政党の連立政権になりやすい。ときには左右まったく逆の端に位置する政党と手を組まないと、政権をとれないこともある。今回の選挙では、いくつかのオプションがあった。相手とどこまで深くつきあうかのオプションだ。

第一のオプションは〝結婚〟。国民党は五十六議席を獲得し、あと五議席あれば過半数になる。ニュージーランド・ファースト党が持つのは九議席なので、ピーターズが国民党を選べば、それだけで政権がとれる。もっとも実現可能性が高いと思われるこのオプションにおいては、二党が実直な関係を結ぶことになる。両党とも政治に関与し、両党の議員で連立内閣を組み、共同の政策を掲げて活動する。

第二のオプションは〝セックスフレンド〟。信任と予算の関係だ。つまり、信任（政権につくことを認め、支持すること）と予算（政府予算案）に関する項目については協力するが、手をつないでひとつの政府を作るわけではない。ときどきベッドを共にすることはあるが、恋人というわけではない――そんな関係に似ている。国民党は過半数ではないが多くの議席を獲得したので、ニュージーランド・ファースト党の閣外協力が得られれば、単独で政治をおこなうことができる。見返りに、ニュージーランド・ファースト党は自分たちの政策への協力を国民党に求めることができるし、そうなればピーターズも快適な椅子に座っていられるだろう。

一方労働党は、ニュージーランド・ファースト党と連立するだけでは政権がとれない。どのような形で手を組むとしても、緑の党も関係に加える必要がある。

ここで出てくるのが第三のオプション、〝重婚〟だ。三党による連立内閣。労働党とニュージーランド・ファースト党と緑の党が三つ巴を組んで政府を運営する。ただ、このオプションは実現性が薄いと思われた。ピーターズは緑の党を見下していることが周知の事実だったからだ。それに、根本的に考えかたの違う党と党が手を組んでも、政治は迷走するのではないか。

最後のオプションは〝結婚して愛人を作る〟こと。労働党とニュージーランド・ファースト党が結婚（連立）し、足りない議席を埋めるために、緑の党を愛人にする（閣外協力）。ピーターズを含むニュージーランド・ファースト党の議員は入閣するが、緑の党は信任や予算の点で閣外から協力するだけ。結婚相手と愛人が仲良くならないのと同じで、ニュージーランド・ファースト党と緑の党はたがいに干渉しない。

厳密にいうと、ピーターズには九通りのオプションがあったが、現実的なのは右記の四通りだった。

どちらの党とも友好的

十月七日、海外投票分などの特殊票がすべて開票され、正式な最終結果が発表された。特殊票が歴史的に例をみないほど左寄りだったことから、労働党と緑の党が議席をひとつずつ追加で獲得し、国民党は二議席を失った。海千山千のピーターズはこの結果を予測していたが、特殊票が勢力図を変えた。投票日の夜に出された数字を元にすれば、労働党、ニュージーランド・ファースト党、緑の党の三党の合計議席は六十一。半数を一議席だけ超える計算だった。これでは、ひやひやものの三年間を過ごすことになる。なにか不測の事態が起こって議員がひとりでも欠けたら、すべては水の泡になってしまう。

ところが最終結果によると、三党の合計議席は六十三。安心感はぐんとアップする。国民党との差はあるが（国民党とニュージーランド・ファースト党が連立すれば六十五議席）、もともと考えられていたよりも数字は近い。

ビーハイヴ（閣僚執務棟）と野党オフィスのちょうど中間に設けられた会議室で、交渉が始まった。労働党幹部とピーターズのチームはほとんど毎日、ときには一日二回もそこで顔を合わせた。話し合いの議題はいつも同じ。二党のリーダーたちが互いの政策に関する長いリストを持ちより、どの部分では合意できてどの部分ではできないかを確認するのだ。女性はアーダーンひとりだけということが多かったが、政策のすみずみまで精通しているアーダーンにとっては、まさに本領発揮の場だった。ピーターズが国民党と話し合っているときは、アーダーンは緑の党と話し合った。

アーダーンは大きな課題を抱えていた。二位以下の政党が手を組んで政権をとることになるかどうかは、まだわからない。しかしそれを実現させたければ、ニュージーランド・ファースト党と緑の党の関係を取り持つ必要がある。

ピーターズは緑の党が嫌いだ。緑の党とは会いたがらないし、共同討議もしたがらない。ニュージーランド・ファースト党と労働党との交渉の場に緑の党が入ってくるのもいやがるだろう。ピーターズの交渉相手は労働党であり、緑の党をどう扱うかは労働党が考えるべきことなのだ。

繰りかえされる交渉の席で、ピーターズは友好的な態度を崩さなかった。しかしピーターズは国民党との会談でも同じように友好的な態度をとっていて、気持ちがどちらに傾いているのかは推しはかりようがなかった。

キャンパスでいちばん人気の女子が、いいよる男子を手玉にとっているようなものだった。

政界のドンの結論

そのあいだ、政府不在のニュージーランド国民の生活に、これといった変化はなかった。マスコミは連日国会のまわりをうろついて、交渉成立の兆しをみつけようと躍起になっていた。

投票日から三週間、交渉開始から一週間たった。マスコミもいい加減やきもきしていたが、それは各党のスタッフも同じだった。与党になるか野党になるかで、来年の給料がまったく違ってくるというのに、その決定を黙って待っていることしかできないのだ。

十月十九日、投票日から二十六日後、ピーターズが決定を知らせる記者会見を開くとアナウンスした。開催時刻は午後六時二十分。六時の全国ニュースにかぶせてくるとは、ピーターズらしい。ピーターズがビーハイヴの小さな劇場ともいうべき会見場に入っていく頃、アーダーンと労働党の交渉チーム、そして何人かの議員とゲイフォードは、労働党党首オフィスに集まってテレビの画面をみつめていた。だれひとりとして、ピーターズがどんな決断を下したのかを予想することはできなかった。

「まずは、これまでの交渉に応じてくれて、多くの労力を割いてくれた国民党および労働党の両党にお礼を申しあげます」ピーターズが話しはじめた。簡単に結論を口にするつもりはないのだろう。選挙や特殊票について話したあと、ちょうど同時期に連立政権樹立をめざして交渉中のドイツの状況に言及し、それと比べれば自分たちの交渉が迅速に進んだと述べた。また、今回の決断は党首である自分だけでなく、ニュージーランド・ファースト党全体の意思であることも明言したが、ピーターズのキャリアの長さや党員の存在感の薄さからすると、この言葉には説得力がない。そもそも、ニュージーランド・ファースト党全体をキャスティングボードと考える人などいない。〝政界のドン〟とはあくまでもピーターズ個人に与えられた称号だ。さらにピーターズは、結論とは関係ないことを六分間も話しつづけた。ローリングストーンズの『無情の世界(You Can't Always Get What You Want)』という曲まで引きあいに出す始末だ。そのあと、話が経済面に移ると、アーダーンのチームからうなり声が漏れた(労働党の経済政策は人気がない)。

ところが、ピーターズは原稿をめくってこう続けた。「資本主義は自分たちの味方ではなく敵である――こう考える国民がいかに多いことでしょうか。ただ、彼らの考えが全面的に間違っているわけではありません」

アーダーンのオフィスが歓喜にわき、すぐに静まりかえった。勝ちは確信したものの、ピーターズはあくまでもピーターズだ。まだまだマスコミをじらすつもりだろう。

「ふたつの選択肢がありました。現状維持か、変化か。そしてわたしたちは最終的に、こう決断しました。ニュージーランド・ファースト党はニュージーランド労働党と手を組みます」

アーダーンは立ちあがり、目に涙をためてロバートソンと抱きあった。

会見場では質疑応答が始まり、ピーターズはいつもよりにこやかな顔でマスコミに対応していた。しかし、アーダーンのオフィスでは、それをきいている人などひとりもいなかった。アーダーンは首相になるのだ。労働党が政権をとる。三カ月前には夢にも思わなかったことだ。

アーダーンはピザを注文し、高級なウィスキーの栓をあけた。明日は忙しくなる。オフィスの引っ越しもあるし、権力移行のためのさまざまな手続きを始めなければならない。しかし、それは明日のこと。今夜はお祝いだ。

10 外交

The Diplomat

その夜は上機嫌な人がたくさんいた。ニュージーランド国民は変化を求めて投票し、それを手に入れようとしている。与野党どちら側の評論家も、アーダーンが首相になることを喜んでいた。その夜遅く、緑の党の党首ジェイムズ・ショーがマスコミに話したところによると、緑の党の党内投票の結果、圧倒的多数が労働党への閣外協力に賛成したとのこと。翌朝、党員集会にあらわれたアーダーンは、スタンディングオベーションで迎えられた。「変化を起こす政府を作りましょう」アーダーンは党員たちにいった。「だれにでも自慢できるような政府を作りましょう。いまこの瞬間をあとで振りかえったとき、誇らしさで胸がはちきれそうになる、そんな政府を作りましょう」

連立の条件として、アーダーンはピーターズに副首相の座を提示し、ピーターズはそれを受けた。加えて、外務大臣と競馬担当大臣も兼任することになった（ピーターズは競馬の大ファンだった）。また、ニュージーランド・ファースト党からは四人が入閣。議員が九人しかいないことを考えると、クーデターでも起こしたのかというほどの割合だ。緑の党は、入閣こそしないが大臣職を与えられた議員が三人（訳注：ニュージーランドには、内閣の構成員とならない〝閣外大臣〟が存在する）。閣外協力という約束のとおりだ。

百日計画で実現させた政策の数々

仕事が始まった。アーダーンは百日計画を立てて、それを発表した。政府として最優先で取り組む政策がリストアップされている。一年間の無償の高等教育を二〇一八年から始めること。国民党が公約していた税額控除をとりやめて、そのかわり、年金生活者と、その扶養者たちに冬季燃料手当てを支給すること。産休手当てを増額すること。子どもが生まれた家庭には、赤ちゃん手当て週六十ドルを一年間支給すること。外国人による投資目的の住宅購入を禁止し、住宅価格の高騰を食いとめること。

しかしなにより重要なのは――言葉には出さなくても、だれもが考えていることだった――連立政権を無事に運営していくことだ。獲得議席数が最多ではない政党による連立政権ができたのは、ニュージーランドがMMPシステムを採用してからはじめてだ。しかも、労働党と手を組んだ二党はたがいに対立関係にある。アーダーンと労働党が最初の百日間になにをどこまで成しとげるつもりだったにせよ、周囲には、いまにも連立が瓦解するのではないかと、息をつめて見守っている人がたくさんいた。危険をはらんだ政権のトップに立っている以上、アーダーンには少しのミスも許されない。彼女はいつもおなかをさすりながら、頭をこつこつ叩いていた。ひとつへマをするだけで、すべてがひっくりかえる。そうならないとしても、この三党の連立がどこまでうまく変化を起こせるのか、という疑問の声もあちこちで起こっていた。ある解説者は「負け犬連立政権」とまでいっていたほどだ。

アーダーンは周囲からのこうしたコメントを公然と一蹴し、百日計画のリストに集中して取り組んでいくつもりだといった。実際、それをやりとげたといってもいいだろう。産休と育児休暇期間が延長され、燃料手当てと子ども手当てが導入され、二〇一八年一月からは高等教育初年度の無償化がはじまった。海外の投資家による中古住宅の売買を禁止する法律もできた。公営住宅の売却計画も中止された。労働党は水道税の導入を進めようとしたが、ニュージーランド・ファースト党との交渉中に頓挫した。低所得家庭の学生に与えられる教育手当てと生活費ローンは週五十ドル増額された。この学生向けの手当て増額は、家賃を払いながら勉強する学生たちが経済的負担に苦しんでいるのを理解してくれたとして、当初は喝采を得たものだが、その後の調査により、学生の収入が増えたことを知った大家や地主がすぐに賃料を上げたことがわかった。

はじめの百日間に政府が取り組んだ政策のうち、もっとも大きな、しかしその成果が目にみえないものがふたつあった。税制改革の作業部会を作ることと、〈キウイ・ビルド〉の設立にとりかかったことだ。税制作業部会の仕事は、今後導入できそうな新しい税制にはどんなものがあるか、調べること。中でもとくに差し迫っているものは、キャピタルゲイン課税だ。調査には何カ月もかかるが、いい結果が出るであろうと予測することはできた。若い有権者たちはとくに、自分の生まれ育った街で将来家を買うのは無理だと諦めているほどの状況だからだ。では、〈キウイ・ビルド〉とはなにか。労働党は、十年以内に安価な住宅を十万戸建てると約束した。十万戸といえばかなりの数だ。その政策を支持した人々でさえ、本当に実現できるのかと半信半疑だった。しかし労働党は、絶対にできるという自信を持っていた。そして、この政権の旗じるしのような主要政策の第一歩として作ったのが〈キウイ・ビルド〉というわけだ。

オーストラリアとの日帰り外交

アーダーンにとってははじめての経験もいろいろあった。首相に任命されてから二週間もたたないうちに、外交の手腕を問われる場面に出くわした。オーストラリア首相のマルコム・ターンブルとの会談の席だ。ナウル島（ナウル共和国）とマヌス島（パプアニューギニア独立国）には、オーストラリアに受け入れを拒否されたさまざまな国・地域からの難民六百人が留めおかれ、劣悪な環境での暮らしを強いられている。隣国のことではあるが、ニュージーランドの人々は彼らを助けたいと考えていた。国民の過半数が難民を受け入れてもいいと考えていることが二〇一七年の世論調査でわかっていた。二〇一三年、当時の首相ジョン・キーは、オーストラリアのジュリア・ギラード首相に対して、ニュージーランドは百五十人の難民を受け入れる用意があると提案したが、結論が出ないままになっていたので、アーダーンがふたたび申しでた格好だ。リスクがあることはわかっていた。オーストラリアの移民政策にケチをつけたと思われるかもしれない。しかもこれは、アーダーンにとって、首相になってはじめての外交の場だ。それでもあえてこういった。「オーストラリアが抱えている問題に手をお貸しすることもできますよ。同じ人間として」結局、この日帰り外交はうまくいった。ターンブルはアーダーンの申し出を受けなかったが、アーダーンは、重要な問題に対する態度を明確にしつつ、貿易パートナーであるオーストラリアとのあいだに壁を作ることなく帰国することができた。

ＡＰＥＣとつわり

そのあとは、首相としてははじめて国際サミットに参加した。ベトナムで開かれたＡＰＥＣ（エイペック）（アジア太平洋経済協力）だ。その年のはじめ頃には、ひとりでマウント・アルバート選挙区の戸別訪問をしていたアーダーンにとっては、警護が六人もついてきたことが驚きだった。食べ物は毒見済みのものしか出されないし、現地の人々が歓迎の即席のハカ（訳注：マオリの伝統的な舞踊）をはじめると、警護チームがアーダーンの前に出て壁を作ろうとした。悪気はないとわかっていても、アーダーンにはショッキングなことばかりだった。サミットでは、他国のリーダーと簡単な情報交換をするチャンスがある。その縁をもとに、将来なにかの分野で協力関係を作ることができるかもしれない。そこで、アーダーンは招かれた会合にはなるべくすべて出席するようにした。ただ、困ったことに、予想外な形で首相になったことや、世界でもっとも若い女性の国家元首だということから、アーダーンと話をしたがる人がたくさんいた。人脈作りは昔から大得意だったが、連日の朝食ミーティングには胃がやられてしまう。つわりも始まっていた。

ウィンストン・ピーターズが決断を公表した夜、ウィスキー好きで知られるアーダーンが、一世一代の瞬間を祝うウィスキーをひと口も飲まなかったことに、だれも気づいていなかった。気づいたとしても、なんとも思わなかったのだろう。アーダーンはもともとたくさん飲むタイプではない。あの日飲まなかったのは、ピーターズとの交渉をしている時期に妊娠がわかったからだ。アーダーンはだれにも——いちばん親しい同僚にも——そのことを話さず、普段どおりに仕事を続けた。このときも、各国の元首たちと話しているあいだ、こみあげてくる吐き気を必死にこらえていた。

ベトナム滞在中、アーダーンは非公式の場でトランプ大統領にはじめて会った。さまざまな論争のもとになるアメリカ大統領の印象をのちにきかれて、アーダーンは如才なく、しかし手厳しく答えた。「裏表がないですね。マスコミがそばにいないときも、マスコミの前にいるときとまったく同じ人です」

外交は慎重かつ無難にこなしたものの、最初の百日が過ぎる頃には、アーダーン率いる連立政権の歩みはやけにのろのろしているようにみえた。アーダーンを支える人材の力不足だ。財務大臣のロバートソンはその役目を有能にこなしているものの、ほかの多くの大臣は、はじめての仕事にすぐには慣れることができなかったらしい。そんな中で政権が瓦解しなかったのは、それだけでも立派なものだ。

ワイタンギの日とその意味

アーダーン政権の最初の百日間を解説者たちが振りかえっているとき、アーダーンはノースランド（北島の北端地域）のワイタンギを訪れていた。一八四〇年二月六日にワイタンギ条約が結ばれた場所だ。

ニュージーランドの人々は毎年二月六日を〈ワイタンギ・デー〉として祝う。だが、〝祝う〟という言葉を使うのは間違っているかもしれない。ワイタンギ・デーは、イギリスの入植者たちが君主に代わってマオリの首長たちと条約を交わしたことを記念する日だ。ニュージーランドの主権について取り決める文書だったが、署名をしない部族も多数いた。

条約に署名した首長たちは、土地の所有権や統治権はほとんど変わらないと考えていた。マオリ語のカワナタンガ（統治）という言葉が〝主権〟という意味の英語に訳されたことから（もちろん理由はそれだけではないが）、入植者がマオリの土地を奪うことが正当化されてしまった。条約締結から百七十八年間、数多くの権利侵害が起こった。マオリの人々は不当に投獄され、貧困や病気に苦しみ、教育を受けられず、土地を奪われた。マオリの人々にとっては、ワイタンギ・デーは不平等の歴史を象徴するものであり、抗議活動が起こることもある。

政界のリーダーたちにとって、ワイタンギ・デーは厄介な日だ。一九九八年、当時は野党の党首だったヘレン・クラークは、条約の署名がおこなわれたテ・ティイ・マラエでのスピーチを妨害された。マオリの社会では、どんな状況であれ、女性がマラエ（集会場）の前に出てスピーチするのは許されないからだ。クラークは不満をあらわにしたが、同様にスピーチを許されなかったのはクラークだけではない。スピーチの可否を決めるのはマラエの役員たちで、二〇一六年にはジョン・キーがテ・ティイ・マラエでのスピーチを禁じられ、二〇一七年にはビル・イングリッシュも同じ扱いを受けた。役員たちはこれらの件を単なる誤解によるものだと説明したが、政治家たちはこれを冷遇だと解釈した。だったらもういいとばかりに、彼らは別の場所でワイタンギ・デーを過ごすことにした。

マオリ党の結成

一般的なニュージーランドの選挙区（たとえばオークランド・セントラルやワイカトなど）のほかに、マオリの地域にも選挙区が七つある。投票するのはマオリの人々のみ。これまで、これらの議席はほとんど労働党が獲得してきた。一九九九年と二〇〇二年は七議席すべてが労働党。しかし二〇〇四年には、クラーク政権が定めた前浜・海底法（99ページ参照）により、労働党とマオリの関係に亀裂が入った。一九八九年からは、ワイタンギ条約を判断基準として、盗まれた土地や財産をマオリに返還する動きがある。条約によると、前浜や海底の土地はマオリが先祖代々受け継いできたものであることを否定する理由はないのだが、この前浜・海底法は、マオリの人々にはそうした土地の所有権はないと定めている。個人所有されている海岸の土地をのぞいて、それらの土地は英国君主に所有権がある。例外とされた海岸の土地というのは、いうまでもなく、裕福な非マオリの人々のものである。人種間の不平等を助長する法律で、マオリの労働党議員であるタリアナ・トゥリアは、自分の所属する党が制定しようとしている法律であるにもかかわらず、反対票を投じた。その後彼女はマオリ党を結成。それまで労働党に入っていた多くのマオリ票をさらっていった。二〇〇四年のワイタンギは緊張に満ちていた。

二〇〇五年、労働党は七議席持っていたマオリ選挙区の議席を五つ失い、それを取り戻すのには苦労した。一回の選挙ごとにひとつかふたつずつ取り戻し、二〇一四年の選挙でようやく六議席になった。

二〇一七年の選挙では、アーダーンがデイヴィス（デイヴィスはマオリ選挙区の議席を持っていた）と組んだのがよかった。七議席すべてを取りもどし、マオリ党は議席ゼロ。しかも政党票が五パーセントを切ったので、二〇〇四年の結党以来はじめて、議会に議員をひとりも送りこめなかった。労働党が作った法律がきっかけで生まれたマオリ党が、労働党によって姿を消したわけだ。

ワイタンギで異例の五日間

二〇一七年の終盤、何年にも及ぶ敵対と衝突の歴史を経て、二〇一八年以降のワイタンギ・デーの行事は、ワイタンギ・トリーティー・グラウンド（博物館）にあるテ・ワレ・ラナンガという建物に場所を移しておこなうことが決められた。ここは柱に彫刻を施した集会所で、一九四〇年、条約締結後百年を記念して建てられた。前の場所よりもニュートラルな性質の場所といっていいだろう。アーダーンにとっては都合がよかった。このときにはすでに妊娠を公表していたので、何事もなくこの訪問を終えたかった。

前例のないことだが、アーダーンは二月六日までの五日間をワイタンギで過ごした。国会議員がワイタンギに行くとしたら、たいていは日帰りだ。午前中にちょっと訪ねて、すぐに街に戻ってしまう。ノースランドは国の中でも経済状態がもっとも悪い地域だ。多くの人が、この年のアーダーンの行動を、ただ政治やビジネスの要人とだけ会えればいいのではなく、マオリのすべての人々としっかり向きあいたいという気持ちを表現するためのものだろうと解釈した。

変わったのはアーダーンのやりかただけではなかった。場所が変わったことで対応もこれまでとは変わった。アーダーンは、集会所テ・ワレ・ラナンガのポーチでスピーチをすることを許された。ここでスピーチを許された女性の首相はアーダーンがはじめてだし、妊娠中の首相がワイタンギを訪れるのもはじめてだった。

一九九八年にクラークのスピーチを妨害した女性ティティテファイ・ハラウィラが、アーダーンの手をとって伝統的なポフィリ（歓迎式）にエスコートした。

毎年のワイタンギ・デーでは、夜明けの礼拝のあと、首相を含む政府要人たちが、ワイタンギ近くのコプソーン・ホテルでマオリの首長たちといっしょに朝食をとる。アーダーンはほぼ一週間をかけてさまざまな部族の首長たちと会うことができたので、今度は一般のマオリの人々と朝食会がしたいと考えた。ワイタンギ・デー実行委員会を動かしてホテルでの朝食会をとりやめ、地域の人々のためのバーベキュー大会を企画した。アーダーンとほかの大臣たちが肉を焼き、参加者たちにふるまった。

そんなわけで、二〇一八年のワイタンギ・デーでは、アーダーンと大臣たちは、おそらく四百人くらいの人々が訪れることを想定して、八百人ぶんのバーベキューの準備にとりかかった。アーダーンは人々に簡単な挨拶をした。「今日は地域のみなさまとの触れ合いの日にしたいと思い、ホテルのかしこまった朝食をとりやめました。わたし、ベーコンのサンドイッチのほうが好きなんです」デイヴィス、リトル、その他の閣僚たちと同じエプロンをつけて、地域の人々のためにベーコンやタマネギを焼いた。国民に尽くすのが政府の役割、という考えかたをわかりやすい形で実演したのだ。前日のテ・ワレ・ラナンガでの歴史に残るスピーチでも、同じ思いを口にしていた。「ノースランドの美しい景色をみたり、丁重なおもてなしをされたりするためだけに、ここに来たのではありません。ここでやるべきことがあるのです。たくさんのマヒ（仕事）をしにきました。それは、みんなでともにやらなければできないことばかりです。この五日間、わたしたちは教育、健康、雇用、道路、住宅について話し合いました。これからは、話し合ったことを行動に移さねばなりません」

首相としてはじめてのワイタンギ訪問だった。アーダーン政権が生まれてからわずか三カ月。手応えを感じたアーダーンは、翌年以降も同じことをさせてほしいといった。「三年の任期中、毎年ここに戻ってきます。そのとき、どうかわたしたちに尋ねてください。わたしたちの仕事がどこまで進んだか。あなたたちファナウ（家族）の威厳をどこまでとりもどすことができたか。タマリキ（子どもたち）の貧困をどこまで解決したか。ランガタヒ（若者たち）の雇用が改善したか。わたしたちに尋ね、わたしたちに責任を問うてください。わたしはいつか、自分の子どもにいいたいのです。わたしは、自分がここに立つ権利を、自分の努力によって手に入れたのだと。そのためには、みなさんにわたしの仕事ぶりをみてもらい、認めていただかなければなりません」

アーダーンのワイタンギ訪問は、あらゆる面で成功だったと評された。到着したときよりも帰るときのほうが人気者だった首相は、アーダーンがはじめてだっただろう。あるマオリの解説者はこう述べた。「ワイタンギに新しい風が吹きました。黙って耳を傾け、悲しい過去に敬意をもって向きあってくれただけで、人々の心は落ち着きました。ものを投げつけようとする人もいません。こんな日が来ることを、いったいだれが予想できたでしょうか？」

女王の晩餐会で、カフ・フルフルを着け乾杯の挨拶

政府に責任をとらせてほしいといったアーダーンは、それを実践することになった。
ワイタンギ・デーから二カ月後、アーダーンはイギリス連邦女王エリザベス2世に会った。予定がびっしりの〝関係構築〟ツアーを企画してヨーロッパ全土をまわり、各国のリーダーたちと面会した。ロンドンでは、カナダの首相ジャスティン・トルドーとともにステージに立ち、ロンドン市長サディク・カーンの司会により、ティーンエイジャー相手のQ＆Aセッションをおこなった。「人はみな平等であるべきと思う人は手を挙げてください」というと、客席の若者全員が手を挙げた。「みなさんはフェミニストということですね」フランスのエマニュエル・マクロンやドイツのアンゲラ・メルケルとは、公式の個別会談をおこない、貿易協定や地球温暖化や教育について話し合った。イギリス女王の晩餐会にも招かれ、イギリス連邦各国のリーダーたちと会食や会議をした。

この晩餐会の前に、ロンドンを拠点とするマオリ文化グループ、ヌガティ・ラナナ・ロンドン・マオリ・クラブから、マオリの伝統的衣装を借りることができた。鳥の羽根で飾ったマントのようなもので、カフ・フルフルと呼ばれる。カフ・フルフルとコロワイ（別のタイプのマント）は、特別な人物や特別な場面のためのものだ。たとえば一九五四年にエリザベス女王のために作られたものもあるし、その年、ニュージーランドでもっとも活躍した人に与えられるニュージーランダー・

オブ・ザ・イヤーのためにデザインされ、作られたものもある。それを着る人が持つ〝マナ〟と呼ばれる価値（「徳」や「品格」のようなもの）をあらわすための衣装だという。

バッキンガム宮殿の廊下を、ゲイフォードはタキシード姿で、おなかの目立ってきたアーダーンはドレスにカフ・フルフルという姿で、歩きはじめた。その姿はすばらしく印象的で、辛口の文化解説者でさえ感動せずにはいられなかった。その衣装を選んだことはいろいろな意味で大胆な選択ではあったが、二世紀前にアオテアロア（マオリ語でニュージーランドのこと）に入植・統治をした君主の宮殿を訪ねるときにマオリの衣装を着たというところに、アーダーンがこめた強い思いがあったのだろう。若くて、未婚で、妊娠した女性が、世界のリーダーたちの集まるイギリス女王の晩餐会に、釣り番組の司会者であるパートナーを同伴して出席した。ドラマ『ダウントン・アビー』に出てきそうな、反逆的行為にもみえる。

アーダーンは乾杯の挨拶をする名誉を受けた。カフ・フルフルを着たアーダーンが立つ。イギリス君主の巨大な肖像画を背景に、マオリのことわざを紹介した。「ヘ・アハ・テ・メア・ヌイ・オ・テ・アオ？（世界でいちばん大切なものはなんでしょう？）ヘ・タンガタ・ヘ・タンガタ・ヘ・タンガタ（それは人です。それは人です。それは人です）」女王の晩餐会がテレビで放送されることはほとんどないが、アーダーンのおかげで、二〇一八年の晩餐会は例外となった。アーダーンとゲイフォードの写真はSNSで何千回もシェアされた。ニュージーランド国民は、悪いことではなくいいことで〝バズる〟ことのできる首相を誇りに思った。アメリカやイギリスやオーストラリアの人々は、その写真をシェアしつつ、自分たちのリーダーはなにをやっているんだと批判した。アーダーンと労働党は受け入れられないと頑なにいいはっていた人々も、小さな国が世界の舞台でここまでのことをなしとげたのだ、と認めざるをえなかった。政治のあれこれは別として、すばらしい写真だった。

ニュージーランドの歴史を必修科目に

同じ月、政府は長年検討してきた問題について決定したことを発表した。ニュージーランドの歴史を教育要綱に加え、二〇二二年までに必修科目とすること。すべての学生は、この国にはマオリが先に住んでいて、あとからイギリス人がやってきたことや、マオリ戦争のこと、そしてこの国がどのように形作られたかを学ぶことになる。この発表は広く歓迎された。もっとも、年配の人々は、自分たちが昔学んだことが必ずしも正しくなかったという事実を受け入れがたく感じているようだ。アーダーン自身はファウンテン先生からもっと詳しいニュージーランドの歴史を学んでいたが、そういう人は決して多くない。

11 ワーキングマザー

Working Motherhood

ジャシンダ・アーダーンは、子どもがほしいということを前からよく口にしていたし、クラーク・ゲイフォードと真剣に交際していることも知られていた。しかし、ふたりは結婚するつもりがあるのだろうか？　二〇一七年の選挙運動中のインタビューでは、アーダーンもゲイフォードも、そのことをきかれても冗談をいうだけではっきりとは答えなかった。インタビューのあと、ゲイフォードは記者にこういった。「正直、いまのぼくには、ジャシンダ・アーダーンなしの人生は考えられない。いずれは結婚すると思っているけど、それを言葉にするのはなんだか変な感じなんだ。言葉にせずにこの気持ちをしまっておきたいっていうか」

もう一人の家族、保護猫パドルズ

しかし、ふたりにはすでにいっしょに暮らす家族がいた。ふたりとも家をあけることが多いので、犬を飼うのは難しい。そこで猫をペットに選んだ。猫の名前はパドルズ。動物虐待防止協会に保護されていた猫で、色は白と茶。体は小さく、多指症だった。アーダーンのSNS投稿にしょっちゅう登場していたし、フェイスブックのライブ配信では、政策を説明するアーダーンの声といっしょに、パドルズの鳴き声がきこえることもあった。

トランプ大統領が選挙のあとに祝福の電話をかけてきたとき、ゲイフォードはパドルズを部屋から出しておかねばならなかった。鳴き声が電話の相手にもきこえるほどだったからだ。パドルズはみんなに愛される有名猫になり、アーダーンとゲイフォードは二人家族というより三人家族のようだった。

二〇一七年十一月七日、アーダーンが首相としてはじめて国会を開いたとき、パドルズは命を落とした。アーダーンの隣人が運転していた車になにかがぶつかった。薄茶色の物体がフェンスのむこうに消え、追っていった隣人がみつけたときには、猫はもう死んでいた。隣人の娘がアーダーンとゲイフォードに悔やみのカードを書き、お父さんを刑務所に入れないで、と頼んだそうだ。アーダーンは隣人に電話をかけてカードのお礼をいい、苦しい思いをさせてすまなかったと謝った。数カ月後、ビーチでアーダーンにたまたま会った隣人は、自分が猫を死なせてしまったのだと謝った。アーダーンも男性にあらためて謝った。

国じゅうの人々が、ニュージーランドでもっとも有名なカップルであるアーダーンとゲイフォードとともに悲しんだ。首相の家は少し静かで寂しくなってしまったという。

首相＋ママ、釣りの専門家＋家にいるパパ

しかし、それから約二カ月。一月十九日に、アーダーンはインスタグラムに、三本の釣針の写真を投稿した。大きいのがふたつと小さいのがひとつだ。「クラークとふたり、わくわくしています。六月にはわたしたちは三人家族になります。わたしたちも親になって、仕事と子育てをがんばる予定。わたしは首相＋ママ。クラークは釣りの専門家＋家にいるパパ」

突然の、そしてシンプルな発表だった。これに続いてマスコミあてにも短い発表があった。当時のアーダーンのスタッフによると、妊娠をどのような形で公表するかは、アーダーンが自分で決めたのだという。出産前後の時期の仕事をどうするかを考えるチームも編成されなかったし、マスコミの大騒ぎや野党からの反発があったらああしろとかこうしろとか、だれかが助言することもなかった。妊娠を発表してからずっと、アーダーンは、生まれた子どもはマスコミには触れさせない、仕事場でもプライベートでもそれだけは守る、といいつづけた。

じつはアーダーンは、出産前後の仕事についてずいぶん前から考えていたが、それをほんの数名の同僚やスタッフにしか明かしていなかった。妊娠したからといって首相の座を追われることはありえないが、だからといって、ニュージーランド国民すべてがこのことを大喜びしてくれるとは限らない。二〇一四年のインタビューで「子どもがほしいし、それもあって首相にはなりたくない」と話したせいで、労働党党首になったときは、それから二十四時間以内に、家族計画についてはどう考えているんだ、という声があちこちからあがった経緯がある。

アーダーン個人としてはおめでたいことだが、政治家としては話が違う。野党からは、子育てと仕事をどう両立するのか、という質問があった。そして、多くの人が眉をひそめたのは、アーダーンが産休をとる六週間にわたって、ウィンストン・ピーターズが首相代理を務めるということだった。マスコミの人々も、それ以外の人々も、首相の妊娠と出産という事態は経験していなかった。在任中に妊娠した首相はそれまでひとりもいなかったからだ。

世界各国のリーダーが在任中に出産をした例は、これまでにひとつしかない。パキスタンのベナズィール・ブットー。一九九〇年のことだ。偶然にも、アーダーンはブットーの誕生日である六月二十一日に出産をすることになるのだが、物理的にも年月的にもかけはなれたブットーとアーダーンの妊娠と出産は、まったく違ったものになった。ブットーは妊娠をひた隠しにして仕事を続けようとした。帝王切開で出産し、産休もとらず、出産の翌日から仕事に復帰した。

ニュージーランドの人々は、アーダーンの第一子の誕生を興奮いっぱいに待ちうけている。そのこと自体、大きな進歩なのかもしれない。アーダーンは出産し、それでも国のトップに立ちつづける。ほぼ三十年ぶりの、めったにないことが起ころうとしていた。

自分たちが選んだ首相が赤ちゃんを産もうとしている!

進歩は進歩でよいとして、出産をいまかいまかと待ちつづけるのはつらいものだ。出産そのものはすばらしいことだし、ひとつの奇跡でもあるが、待つことはそうでもない。しかし、二〇一八年六月のとても寒い日、ニュージーランド全国民が、まるで病院の待合室に座っているような気分になっていた。首相が赤ちゃんを産もうとしている。

ニュージーランドのマスコミにとって、これまでに経験したことのないニュースだった。これをどうやって伝えればいいのか？　もっとも似たケースとしては、イギリス王室メンバーの出産のニュースがある。どういうわけか、あれは毎回もれなく世界中の注目を浴びる。

ニュージーランド国民の、アーダーンの妊娠・出産に対する関心は絶大だった。多くの人は、そのことを誇らしく感じていた。自分たちが選んだ首相が赤ちゃんを産もうとしている！　という感覚だ。アーダーンはだれにでも親しみを感じさせるキャラクターということもあり、だれもが無事の出産を願っていた。野党の政治家たちも、政治的信条は別にして、安産を願った。マスコミに文句をつける人たちもいた。マスコミが政府にさまざまな説明責任を求めるのは当然だが、首相の出産は仕事とは関係ないではないか、と。とはいえ、気づいていない人も多かったが、マスコミは人々がいうほどアーダーンの妊娠や出産について騒ぎたててはいなかった。そのせいでアーダーンの出産についての情報が乏しく、人々は、生まれてくる子どもの星座が蟹座になるらしいとか、冬至（北半球の夏至）に生まれるのはいいことなのか悪いことなのか、といった話ばかりしていた（冬至に生まれるのはいいことらしい）。

#stillwaiting

出産予定日は六月十七日。その日が来ると、マスコミはいつでも出産を発表できるよう、スタンバイ状態になった。しかし現状のアップデートは単調そのもの。おまけに、アーダーンはまだ分娩準備にも入っていないことがわかった。〈The Spinoff〉という地元オークランドのウェブ・マガジンは、十七日から生中継ブログをはじめた。赤ちゃんの誕生までの時間をジョークで楽しもうという趣旨のブログだ。四十八時間後の六月十九日には、とうとう人間の存在意義まで問いはじめた。

「2:13pm　まだ誕生せず」
「3:19pm　赤ちゃんとはなにか？　愛と痛みの集合体だ。宇宙を凝縮したものだ」
「3:44pm　まだ誕生せず」
「4:01pm　まだ誕生せず」

三日後、アーダーンはまだ自宅にいて（国会は閉会中）、書類を読んでいた。公式に産休がはじまるのは、出産のために入院した日からだ。そこから六週間、ウィンストン・ピーターズが首相代理を務める。

ジャーナリストたちはこぞって助産師に取材をはじめた。予定日を過ぎたらどれくらいで生まれるものかという問いに、どの助産師も同じように答えた。「なんともいえませんね」

ゲイフォードが#stillwaiting（まだ）というハッシュタグのツイートをすると、それもニュースになった。歴史が作られようとしているのだから、記者はなにひとつ見逃すわけにはいかない。ある放送局は赤ちゃんをテーマにした歌を次々に流しはじめた。

二十一日の朝になってようやく、ゲイフォードがアーダーンをオークランド・シティ病院に連れていった。サンドリンガムの自宅から病院までは、車で十二分。そのようすを再現させられた〈NZヘラルド〉の不運な記者は、自信を持って十二分といいきった。

放送各局はすぐに現場リポーターを病院に送りこんだ。首相のオフィスからは、マスコミに対する厳しい取材規制がかけられていた。許可を与えられた者だけが、病院内の指定された部屋に入ることができる。撮影機材を置いておくための部屋だ。そうしておけば、いつでもアーダーンの広報チームの発表に応じることができる。ただし、病院の中では撮影はできない。多くの記者は道路をはさんだ病院の向かい側に中継基地を作った。だが話すことが何もなく、赤ちゃんが生まれてくるのを待つことがどんなに手持ち無沙汰なものかを、全国民にあらためて知らしめることになった。

アーダーンが病院に到着したあとは、待合室に集まった記者たちに状況が逐一報告されたが、その内容は笑ってしまうほど単調なものだった。世界各国のリーダーたちからとどけられた花束やメッセージのことが伝えられるばかりで、実際の分娩についてはなにもわからないままだった。

インスタグラムで出産報告

しかし、午後六時をまわったとき、アーダーンとゲイフォードは出産の報告をした。その手段は、何千人ものニュージーランド国民と同じ。インスタグラムだ。スマホで撮った写真には、病院のベッドで赤ちゃんを抱くアーダーンが写っていた。かたわらにはゲイフォードが膝をついて寄りそっている。「赤ちゃんワールドへようこそ。おかげさまで、健康な女の子を出産しました。時刻は午後四時四十五分、体重は三千三百十グラム。温かい応援の声をありがとうございました。オークランド・シティ病院のみなさんのおかげで、母子ともに元気です」

マスコミはあわてた。それまで、ニュースは政府からマスコミに入ってきて、マスコミから人々に向けて発せられるものだった。参加者制限つきの記者会見がおこなわれたり、記者発表の際に〝外部への公表は保留してください〟などと注釈がつけられたりすることもあり、マスコミは一般の人々より常に多くの情報を持っているものだった。それに、できるだけ好ましく、また、わかりやすい形でニュースを提供するのがマスコミの役目でもあった。なのに、現職の首相が出産をするという歴史的出来事を報じるのに、アーダーンはマスコミを関わらせなかったのだ。病院で待機していた記者たちは、一般の国民とまったく同じタイミングで、まったく同じ手段、つまりSNSによって、赤ちゃん誕生を知ることになった。

まもなく記者会見が開かれたものの、提供されたニュースは、アーダーンのインスタグラムに書いてあったのと同じことだった。SNSでは未公表の情報がひとつだけあったが、それは出産後にアーダーンがとった食事の内容だった。愛国心の塊のようなマーマイト（訳注：イギリスのものと製造会社も味も異なる）をぬったトーストと、熱いミロを一杯。もちろんそれは報道された。

この興奮は海外にも広がった。赤ちゃん誕生の瞬間を待ちかねて現状報告のニュースアップデートが何度もあったことだけでなく、分娩室の中はみえないのにそれをブログで生中継するばかばかしさもいっしょに伝えられた。「ジャシンダ・アーダーンの出産をめぐって、ニュージーランドのマスコミが大騒ぎ」との記事が英〈ガーディアン〉紙に出た。この雨の木曜日に広まった#babywatch（赤ちゃん誕生を待ち受ける）というハッシュタグも紹介された。

政治関係の質問がない記者会見

ずらりと並んでいたカメラの三脚が夜になって撤収されたが、そのときはまだ赤ちゃんに名前はないままだった。翌日の朝に記者会見をおこなうとのこと。このときはまだ知らされていなかったが、これがアーダーンが赤ちゃんについて複数の質問に答える唯一の場になった。会見を控え、記者たちが待合室に集まる。医師や看護師、たまたまやってきたほかの患者たちもいっしょに、そのときを待った。

アーダーンとゲイフォードが出てきた。赤ちゃんはアーダーンの腕の中。ゲイフォードはいかにもお父さんといったカーディガンを着て、アーダーンはコンバースのスニーカーを履いていた。いつもなら冷徹な政治記者たちも、政界や国民の注目の的であるアーダーンの赤ちゃんが泣かないよう、優しく接することに決めたようだった。アーダーンは状況を簡単に説明し、赤ちゃんを世界に向けて披露した。赤ちゃんの名前はニーヴ・テ・アロハ・アーダーン・ゲイフォード。アーダーンはミドルネームであって苗字ではないとのこと。また、マオリの人々からさまざまな名前を贈られはしたが、それは使わないことに決めたという。贈られた名前のうちどれかを選んでどれかを選ばないというのはなんだか気まずいし、かといってすべてを使うと、出生証明書に書きこむ文字数が制限を超えてしまうから、とのこと。テ・アロハはマオリ語で「愛」を意味する。贈られたすべての名前に通じる言葉だし、ニュージーランドという国を象徴する言葉でもある。また、アーダーンの故郷であるモリンズヴィルからみえる山の名前でもある。一国の首相によるものとは思えないような、ある意味不思議な会見だった。政治関係の質問はひとつも出なかったし、語られるのはさほど重要とは思われないようなことばかり。しかし、それまでの数日間と同じで、マスコミにとっては、その場にいることが重要だった。与えられる情報が些末なことばかりでも、それを社会に伝えることが大切な仕事なのだと思えた。

アーダーンの広報チームは、三人になった家族は裏口から病院を出る予定だと伝えた。マスコミは一家が車で出ていくところを道路から撮影することができる。というわけで、日頃からスクープのために政治家を追いかけたり野営したりするのに慣れた撮影クルーは、ふたたび雨風の中に立ち、赤ん坊が出てくるのを待つことになった。病院の向かいにある商店で売られている新聞は、一面がピンクを基調にしたデザインになっていた。首相の赤ちゃんが女の子だったからピンクとは、古くさいジェンダー意識が丸出しだ。

だいぶ時間がたってから、アーダーンの警護特務部隊の車があらわれ、そのあとに一家の乗った車が続いた。カメラの前を通るアーダーンが手を振る。ロイヤルファミリーを思わせる光景だった。車はあっというまに消え去った。歓声をあげる人はいないし、あとをついていく人もいない。みんな、どこか冷めていた。それも当然だ。生まれる前はばかげた報道をしていたし、生まれたあとは新聞がピンクになったり、ＳＮＳも大騒ぎになったものの、アーダーンの第一子出産は、とりたてて特別なことのない普通の出来事だったからだ。まさにアーダーンの望むとおりだった。

リーダーの男性配偶者

それまでのニュージーランドには、これほど若い首相はいなかったし、これほど若いカップルがニュージーランドの代表者として世界の舞台に立つこともなかった。ゲイフォードに与えられた役どころはある意味型破りなものだったが、本人はそれを心から楽しみ、力を注いでいる。いくつかのインタビューでアーダーンの言葉を否定し、自分の役割は全然大変じゃないし、アーダーンを支えるためにできることをしているだけだ、と話した。この年のはじめ、インタビュー後に筆者にメールをくれたときも、こういっていた。「アーダーンにとってもぼくにとっても、いまははじめての経験ばかりなんだ。ぼくはできるだけいいパートナーになりたいと思ってる。アーダーンをうしろからそっと押して、彼女の持っているすばらしい能力を最大限に出させてやるような、そんな存在でいたい」

国際的なイベントでは、ゲイフォードは他国のリーダーの配偶者たちのグループといっしょに過ごしているが、多くの場合、男性は彼ひとりだ。アーダーンがリーダーたちの集合写真の中で目立っているように、ゲイフォードも配偶者の集合写真の中で目立っていた。娘のニーヴがまだ赤ちゃんで、とくにアーダーンがまだ母乳を与えていたときは、イベントのたびにゲイフォードが同行した。国連総会に出たときは、ニーヴを抱っこして歩くゲイフォードの姿をみて、たくさんの人が振りかえったものだ。とはいえ、ゲイフォードがアーダーンとふたりで出席したイベントとしてもっとも有名なのは、前章に書いた、ニーヴが生まれる前の、バッキンガム宮殿での晩餐会だろう。マオリの伝統衣装を着たおなかの大きなアーダーンとともにそこを歩く姿を、あるカメラマンがこっそり撮影した。強い決意を秘めた顔で廊下の中心を歩くアーダーンのかたわらを、ゲイフォードはほんの少しだけ後れて歩いていた。

国内外からの温かい反応

産休の六週間を、アーダーンはサンドリンガムの自宅でゲイフォードとともに過ごしたが、ずっと家にとじこもっていたわけではない。ベビーカーを押して散歩するふたりの姿をたまたまみかけた近所の人々が、そのエピソードを興奮たっぷりにSNSに投稿している。ただ、短期間ではあるが首相の仕事から解放されていたあいだにアーダーンが出席したイベントは、近所で開かれた育児本の出版パーティーなど、ごくわずかだった。

ニーヴの誕生には全世界から大きな反応があった。各国のリーダーや有名人から祝辞が届いた。イギリス女王からもメッセージが来たほどだ。出産の翌日、グーグルのホームページの検索バーの下に、小さなイラストが添えられた。ウェリントン在住のアーティスト、スティーヴン・テンプラーの作品で、アーダーンが妊娠報告に使った三本の釣針が描かれている。世界有数の大企業であるグーグルが、アーダーンへの祝意をこめてそれを表示したのだ。何気なくみすごしてしまってもおかしくないようなもので、アーダーンもすぐには気づかなかった。オフィスのだれかが教えてくれたそうだ。

応援しているよ、という声やメッセージがあちこちから届く。アーダーンにとっては意外なことだった。妊娠や出産そのものだけでなく、それに対して世間がどんな反応をするかが心配だった、とアーダーンはのちに述べている。「あれほど温かく祝ってもらえるとは思いませんでした。首相のわたしが妊娠したことが、あんなにポジティヴに受け入れられるなんて」〈The Australian Women's Weekly〉に寄せた言葉だ。「発表するときは、ものすごく不安でした。だからこそその反応に驚いたものですが、それだけではありませんでした。娘が生まれたあとも、世の中が『いつでもわたしたちを頼ってね』っていってくれているみたいで」

産休制度の期間延長法案

産休が明けると、前と同じ首相としての生活が戻ってきた。復帰初日、アーダーンはいくつものインタビューをこなした。母親になって戻ってきたことに質問の重点を置く記者もいれば、シンプルに六週間前の続きを聞こうとする記者もいた。労働党政権になってから景況感に陰りが出ているのはなぜか？　といった具合だ。

首相が議事堂に出勤しなければならない日（月曜は内閣会議、火曜日は党内会議、水曜日は内閣委員会会議）は、オークランド、サンドリンガムの自宅から、議事堂のあるウェリントンまで飛行機に乗る。ウェリントンには首相官邸があり、アーダーンとゲイフォードとニーヴの三人で、ときにはアーダーンの母親やゲイフォードの母親もいっしょに、そこに滞在することもあった。

ビーハイヴの九階にあるアーダーンのオフィスに保育室が作られたので、アーダーンの仕事中、ニーヴが眠ったり遊んだりできるようになった。これまで赤ちゃんがビーハイヴの九階に来たことはなかったが、スペースに余裕があって人手もある場所といえば、首相のオフィスが最適だ。

マスコミは、ニーヴのプライバシーを守りたいというアーダーンの気持ちを尊重した。小さな子を持つ首相はこれまでにもいた（生まれたてというわけではなかったが）ので、取材ではどこに一線を引くべきか、わかっていた。

議会には、議員在任中に母親になった先輩がふたりいた。その先例だけでなく、国会で議長を務めるトレヴァー・マラードが、家族、とりわけ母親に優しい議会を作る活動をしていることも、アーダーンにとっては大きな助けになった。二〇一七年の総選挙の少し前、労働党のウィロウ・ジーン・プライム議員が娘のヒーニを産み、前の選挙で初当選したばかりのキリタプ・アラン議員の妻も娘を出産した。選挙運動中、マラードはプライムの出産と育児にきわめて協力的で、そうする必要があるときは赤ちゃんを連れて議会に来てもかまわないと声をかけた。プライムは実際に赤ちゃんを連れてきて、国会開催中の本会議場で母乳を与えた。議員に書類をとどけることを主な任務とする伝達係が、現在は、授乳が必要な赤ちゃんを、会議場にいる母親議員のところに連れてくるようになった。

二〇一七年十一月には、プライム議員が産休制度の期間延長についての討論をしているあいだ、マラード議長が生後三カ月のヒーニを抱っこしていた。数週間後にその法案が成立して、有給の産休が十八週間から二十二週間に延びた（さらに二〇二〇年には二十六週間になった）とき、アランもプライムも会議場にいた。それぞれの赤ちゃんもいた。

この法案成立を宣言したとき、アーダーンは喜びを抑えきれないほどだった。野党議員時代からずっと、これを目指していた。首相になってはじめてそれを提議し、とうとうそれが実現したのだ。

国会議員は投票で選ばれた公務員であり、企業の従業員ではないから、有給産休取得の権利はない。アーダーンは六週間産休をとったが、その間は無給だった。もちろん、国会議員、とくに首相の給与は、ニュージーランド国民の平均給与よりもだいぶ高いので、産休のあいだ無給であってもそれほど大きな問題にはならないだろう。

お手本のように見られたくないんです

ニュージーランド国会における母親たちについては、ちょっとした歴史がある。一九七〇年、労働党のウェトゥ・ティリカテネ・サリヴァンが、国会議員在任中に出産をした最初の女性になった。産後二週間で仕事に復帰し、自分のオフィスで赤ちゃんの世話をした。議会に赤ちゃんを連れてきたことはない。それから十三年後、ルース・リチャードソンが仕事中に授乳をしたが、そのために用意された部屋でのことだった。二〇一七年、プライムとアランがそれぞれの赤ちゃんを議会に連れてくるようになり、二週間たつと、それが当たり前のようになった。二〇一八年の八月にアーダーンがニーヴを連れてきたときには、それは別に新しいことでもなんでもなかった。

スタッフのひとりが当時を思いかえしていうには、アーダーンが授乳をしながら会議にあらわれることは珍しくなかったし、搾乳のために席をはずすこともあったという。ニーヴは議事堂周辺のあちこちでマスコミや一般人によって目撃されているが、本会議場に入ることはなかった。

アーダーンは復帰初日に、ニーヴを本会議場に連れてくるつもりはないといった。首相であるアーダーンは、国会の本会議場に続けて何時間も在席する必要がないし、そうすることを求められてもいない。たいてい、はじめだけ在席して野党の質問に答え、それが終わると退席してほかの仕事に向かう。ほかの議員、とくにアランとかプライムのような党内序列の低い議員は長時間にわたって本会議場にいることが多く、だからこそアーダーンは、彼女たちが赤ちゃんを連れてくるのを支持していた。

首相でありながら赤ちゃんを育てるなんてすばらしい、というほめ言葉をかけられるたび、それを否定しようとした。「わたしはお手本のようにみられたくないんです。女性はなんでもできる、なんて思われたくない。だって、そうしたら女性はなんでもやらなきゃならなくなってしまいます。ただでさえあれをやってほしい、これもやってほしい、と期待ばかりかけられているのに」イギリスの〈サンデー・タイムズ〉にこう語った。「わたしがいろんなことをできるのは、まわりの助けがあるからです。つまり、クラークの」

野党からの厳しい質問をうまくさばきながら授乳をするアーダーン——そんな光景を期待するのは無理があったかもしれない。もしニーヴを国会開催中の本会議場に連れてきたとしたら、ただでさえ国家運営そのものよりもマスコミを使ったイメージ戦略にばかり力を注いでいると批判されているのだから、それがさらに激しいものになるだろう。実際には、ニーヴはある意味〝顔のない〟存在でありつづけた。ときおりフェイスブックのライブ配信にかわいい声が入ったり、首相のオフィスを写した写真の中に赤ちゃん用の毛布が置いてあることから、そこにいることはわかるが顔はみえない、そんな存在だった。

国連総会のファーストベビー

例外は、二〇一八年九月にアーダーンとゲイフォードが国連総会に出席したときだった。国連総会は毎年ニューヨークで開かれる。すべての国の代表者が集まり、国の大小や影響力の有無にかかわらず、一国が一票を投じることのできる、一年でもっとも重要な国際会議だ。

会期は九月の終わりの一週間。百九十三カ国の代表者――多くは大統領や首相――すべてに発言の機会が与えられる。二〇一八年のテーマは「国連をすべての人のためのものに」。平和で公正でサステイナブルな社会を作るためにグローバルなリーダーシップを発揮し、みなで責任を果たしていこう、というものだ。

生後三カ月のニーヴにも国連の公式IDカードが発行された。一人前に顔写真付きのものだ。「ニーヴ・テ・アロハ・アーダーン・ゲイフォード様――ファーストベビー」と書いてある。二重の意味でファーストベビーだ。首相の家族だから〝ファースト〟なだけでなく、国連総会に参加するはじめての（ファースト）赤ちゃんでもある。

国のリーダーの子どもや配偶者が国連総会のようなイベントに同行することはそれほどよくあることではないが、アーダーンはニーヴを母乳で育てていたので、連れていくしかなかった。

国連ビルの前で、世界から集まった記者たちに囲まれたとき、アーダーンはニーヴの顔を慎重に毛布で隠して写真を撮られないようにした。カメラの列の前を歩くアーダーンにひとりが「おめでとう！」と叫ぶ。アーダーンは微笑み、ありがとうといってから中に入った。ニーヴが大きくなって自分で決められるようになるまでは、ニーヴの私生活をマスコミには公開しない——アーダーンはあらかじめそう宣言していた。その約束を破るのはまだ早い。たとえ歴史を作る瞬間であっても。

国際会議の開始を前にして、アーダーンは〈ネルソン・マンデラ平和サミット〉でスピーチをした。その直前、アーダーンのまわりにはニュージーランドの使節団メンバーがいたが、ニーヴとゲイフォードも同じ室内にいた。ゲイフォードは世界の使節団たちに進んで話しかけ、出会いを楽しんでいた。「日本の使節団のびっくりした顔を写真に撮りたかったよ。彼らが会議室に入ってきたとき、ぼくはちょうど娘のオムツを替えていたんだ」ゲイフォードのツイートだ。「娘が二十一歳になるお祝いの日（訳注：ニュージーランドやオーストラリアでは二十一歳の誕生日を盛大に祝う）に披露するのにぴったりのエピソードだよ」

アーダーンがスピーチをしているあいだに、ゲイフォードはニーヴを連れてアーダーンの席に移動していた。スピーチを終えて席に戻ってきたアーダーンは、ふたりをみて仰天した。家族にそこまでのことが許されるとは思っていなかったらしい。

閲覧回数はのべ一億九千五百万回以上

ニューヨーク滞在中、変わったことはとくになかった。アーダーンのそばに来た人がニーヴに顔を近づけて声をかけるだけ。ただ、アーダーンが予期していなかったのは、そういった人々の中にカメラマンがいたことだ。

アーダーン（とマラード）がニュージーランドのマスコミ関係者たちにニーヴの写真は撮るなと

命じることはできても、ニューヨークにはニューヨークのやりかたがある。世界のさまざまな国から記者やカメラマンがやってきて仕事をする。国連は重要な国際機関ではあるが、その総会に、撮影しておもしろいシーンがそれほどたくさんあるわけではない。

ロイターのカメラマン、カルロ・アレグリが、アーダーンとゲイフォードとニーヴの写真を何枚も撮った。明らかにだいぶ離れたところから撮ったらしく、アーダーンもゲイフォードも、撮られていることに気づいていなかった。

世界中から注目されるということなどなにもわかっていない、きょとんとした顔のニーヴと、まったく無防備なアーダーンとゲイフォード。この写真はすぐにインターネット上に流れた。ニーヴの顔が出たのははじめてで、しかもこれは国際政治の大舞台だ。貴重なショットとして、世界中の人々の話題になった。その閲覧回数はのべ一億九千五百万回以上。

ニーヴの顔が公開されないよう、アーダーンが細心の注意を払ってきたことを考えると、はじめて世間に出たニーヴの顔が遠くからのズーム画像のせいで画質が粗く、ベストショットとはいいがたいものだったのは、なんとも皮肉なものだ。しかも、顔をみせないように気をつけてきたからこそ、世界中の人々の興味をひいてしまったともいえる。ときには高圧的にマスコミをコントロールする必要のあるポジションの政治家にとって、とても残念な結果になってしまった。

しかし、アーダーンはみせたくなかったとしても、子ども、とくに赤ちゃんの写真には誰もが好感をもつ。アーダーン本人もそのことをよくわかっていた。国連総会でパパラッチに狙われるなんて――アーダーンには苦々しい思いが残ったものの、人々の反応はよかった。写真は世界中の人々にシェアされ、アーダーンは働く母親として賞賛された。国連のスポークスパーソンまでがアーダーンを褒めたたえ、もっと多くの女性があとに続くことを願うと述べた。「アーダーン首相は、働く母親こそニュージーランドを率いるのにふさわしいということを、自分の姿をもって世界に訴えているのです。世界の中で、トップを女性が務める国は、わずか五パーセントしかありません。ですからわたしたちは、彼女たちをできるだけ厚遇したいと考えています」

働く女性のニューノーマル

アーダーンはそのときまで、ニーヴの写真を撮ることをマスコミに許していなかった。自ら公開した写真にも、ニーヴははっきりとは写っていない。しかし、首相官邸の新しい住人を人々の目から――人々の耳からはとくに――遠ざけておくことは難しかったようだ。

たとえば自宅のリビングでフェイスブックのライブ配信をするとき。政策や政府の発表についてアーダーンが説明していると、画面には写らないが、ニーヴがそばにいるのが声でわかる。

首相であるアーダーンの周辺にいつもニーヴの存在がちらついていることについては、有権者の賛否が分かれた。女性が仕事と育児を堂々と両立させる姿を支持する声は多い。姿はみえないもののニーヴがそばにいることに、マスコミはいつも触れていたし、そういった記事には人気があった。しかし、ニーヴがそばにいることを匂わせてから政治の話をするというやりかたは、人々の目を核心からそらす目的があるのではないか、という意見もあった。あからさまにそうしているわけではない。アーダーンも、彼女を支えるチームも、たとえば〈ニーヴちゃんニュース〉などというものを作って、政府にとってよくないニュースといっしょに流すような姑息なことはしていない。ただ、たまたま声がきこえたにしてはやけにタイミングがいいな、と思えることもしばしばだった。アーダーンのわきを支える大臣たちの仕事ぶりがあまり芳しくない状況だからこそ、そんなみかたもできてしまうのだ。

有能な助言者なら、首相が赤ちゃんを産んだばかりであるという事実は政府にとって重要な手札になる、と気づくだろう。アーダーンのようにもともと人気のある首相ならなおさらだ。とはいえ、ニュージーランドの政治は、アメリカやイギリスの政治ほどダークなものではない。では、アーダーンには、ニーヴを政治活動上の小道具として使う意図が多少なりともあったのだろうか。それとも単に、赤ちゃんの世話をしながら首相としての仕事をしていただけなのだろうか。答えは、アーダーンのほかの多くの言動と同様、両者のあいだのどこかにありそうだ。

いずれにしても、首相の仕事と新生児の母親を同時にこなすことで、アーダーンが世界に大きなインパクトを与えたことは間違いない。たしかに、アーダーンは世界で最初の働く母親だったわけではなく、ただの象徴に過ぎないかもしれない。しかし、象徴には象徴としての意味がある。働く母親の中には、アーダーンだけがこれほど注目され、褒めたたえられていることに反感をおぼえる人もいるだろう。しかし同時に、世界中の若い女性たちが、彼女の姿をニューノーマルとしてみているのも事実だ。一国のリーダーである女性が、その仕事をしながら乳児の世話をすることができるなら、ほかのだれだって、ほかのどんな仕事をしていたって、同時に子育てをしてもいいはずだ。他人に眉をひそめられる理由はどこにもない。

12 ヘレンとジャシンダ

Helen and Jacinda

妊娠をした女性が一国の首相を務めていること——さらには、母乳で育児中の母親が首相を務めていること——が社会の進歩であると感じるのには、もうひとつ理由がある。ニュージーランドの前の女性首相ヘレン・クラークのケースときわめて対照的だからだ。

殺すか殺されるかの戦いの場

ヘレン・クラークの首相在任期間は一九九九年から二〇〇八年まで。アーダーンと共通する点がたくさんあった。ワイカト生まれで、農業中心の田舎の町で育った。保守的なコミュニティで育ったにもかかわらず、考えかたは断固としてリベラル。十代の頃に労働党のメンバーになり、若いうちに国会議員になった（クラークは三十歳、アーダーンは二十八歳のときだった）、たたきあげの政治家。ニュージーランドで首相になった女性はクラークとアーダーンのふたりだけ（一九九七年の国民党内クーデターによりジム・ボルジャー首相が辞任したあと、ジェニー・シプリーが一九九九年まで後任についた例はあるが、選挙による首相就任ではない)。また、ふたりとも労働党の首相として、議会でも、対マスコミでも、ジェンダー問題に積極的にかかわった。このように共通点は多いが、ニュージーランドの政治について詳しくない人はたいてい、ふたりは別のタイプの政治家だと思っている。外見も声も違うし、性格も違ってみえるからだろう。ジェンダー問題に対する姿勢も異なる。

クラークの政治への取り組みの基本は、男性社会に乗りこんでいって、男性に打ち勝つこと。クラークにいわせると、議会は〝闘技場〟。殺すか殺されるかの戦いの場だ。敵の頭皮を剥いではじめて、成功したと認められる。本会議場で相手をいいまかすだけでなく、マスコミへのリークという形で相手を陥れる戦法もある。無慈悲で冷酷で、大義のためなら同僚も犠牲にする。政治の基本といえばそれまでだが、女性がそれをやるとなると印象は強烈だ。

男性の政治家と同じように扱われることで――といっても程度はあるが――クラークは力を発揮することができた。世界で活躍したほかの女性政治家たちも、クラークと同じタイプだ。アンゲラ・メルケル、ヒラリー・クリントン、テリーザ・メイ、〝鉄の女〟マーガレット・サッチャー。厳しく、ユーモアを理解しないほど真面目で（少なくともまわりからはそう思われていた）、強くて、恐れるものがあるとすれば、髪が肩より長く伸びることだけ。男性に支配された、男性のための政治社会で成功するには、そうでなければならなかったのだ。

クラークの首相としての一期目には『Portrait of a Prime Minister』という伝記が出版されている。その中で、労働党のスタッフだったジョーン・コールフィールドは、クラークのことをフェミニストのリーダーではないと述べている。「たまたま女性だっただけで、どんな男性よりも優秀で有能だった」とのこと。クラーク本人も〝フェミニスト政治家〟とみられたくなかったにもかかわらず、男性議員たちの輪に入って親しくつきあうことがなかなかできずに苦労したようだ。

雑音を抑えるための結婚という選択

クラークの低くてよく響く声は政治家としての武器になった。声の小さな政治家は、国会でしゃべっていても野次に邪魔されたり声をかぶせられたりしてしまう。クラークのバリトンボイスは野次に負けることがないし、人が耳を傾けようという気持ちになる。また、他人に迎合することや〝人柄頼りの政治〟を嫌う性格がクラークらしいといわれたが、悪い意味ではなくいい意味でそういわれることのほうが多かった。もしビーチでばったり会った隣人に「あなたの猫を死なせました」といわれたのがアーダーンではなくクラークだったら、その隣人も猫と同じ運命をたどっただろう――そんなジョークをいわれることもあったが、もちろん悪意のあるジョークではない。

ただ、低くてよく響く声も、断固とした態度も、好感を持たれるのは議会の中だけであって、一般の人々には不評だった。

一九八一年、マウント・アルバート選挙区から立候補して初当選したとき、クラークは未婚だった。独身であること、〝女らしくない〟ファッションセンス、家庭を持つことに関心がなさそうな言動――これらをみて、全国のラジオのパーソナリティや政治好きの人々は、クラークの性的指向についてあれこれ推測しはじめた。二〇〇八年に議員になったアーダーンもやはり独身で、クラーク同様、自分の性的指向についてとくに言及したことはなかったのに、レズビアンだといわれることはなかった。もちろん、アーダーンがどんな男性とどんな恋愛をしているのかを知りたがるのは性差別的だが（男性の政治家に対して、どんな恋人がいるのか、などという話題は出ないのだから）、それも純粋な好奇心によるものだったと思われる。恋人はどんな人？　モトカレはだれ？程度の好奇心。しかしクラークの恋愛について知りたがる理由は、好奇心ではない。疑惑だ。

クラークの交友関係は進歩的で、ゲイの友だちが何人もいたし、人工中絶を禁じる法律の改正をしたいと訴えてもいた。あらゆる点で、クラークは古い保守派層にとって脅威的な存在だった。それに、アーダーンのときとは時代も違う。一九八〇年代の議会において、クラークは進歩的すぎたのだろう。伝記によると、労働党の同僚たちでさえ、クラークをレズビアンだと思っていたようだ。クラークが学者のピーター・デイヴィス（男性）と交際をはじめてからもその噂は消えず、ふたりの関係は政治のためのものなんじゃないか、とまでいわれたものだ。

たいていの場合、クラークはそういった個人攻撃を受け流していた。政治家としての合理的な考えかたがあってのことだ。一九八一年、それまでの一貫した独身主義から一転、クラークが結婚した。本当はしたくなかったらしい。考えるだけでもいやだった、というくらいだ。しかし、結婚さえすれば、周囲の雑音を少しは抑えることができる。役所に結婚の届けを出すとき、クラークは涙を流したそうだ。何年もあとにそのことをきかれて、妹のサンドラはこう答えた。「あれがうれし涙だったのかって？　涙は涙ですよ」あれから二十年たっても、クラークは自分の結婚のことを〝必要悪〟だったと表現している。

子どもを産んでも産まなくても批判される

クラークが政治的理由で結婚してから三十年後、アーダーンがゲイフォードとともに足を踏み入れた世界は、景色が明らかに違っていた。その関係がゴシップ的に扱われることも多かったが、アーダーンが妊娠したという知らせは驚くほど好意的に受けいれられた。ふたりが同棲カップルであって結婚していないことをとやかくいう人はほとんどいなかったし、モルモン教徒であるアーダーンの両親でさえ、ただただうれしいとしかいわなかった。

クラークには子どもがいなかった。その件について本人が何度もコメントしているが、それをきく限り、子どもを作るつもりがなかったようだ。そして、そのことは政治家としてのクラークには不利に働いた。野党議員がクラークの家族政策には説得力がないと批判したことがある。クラーク自身に子どもがいないから、という理由だ。ちゃんとした家族を作るつもりがないのは冷酷な人間性のあらわれだろう、などと難癖をつける人もいた。子どもを持たないと決めたのは母性がないからではないか、生き馬の目を抜く政治の世界では、母性こそなにより大切なものなのに、と。

ナンセンスな批判は、アーダーンにも投げかけられた。首相在任中に子どもを産むなんて、仕事を全力でやる気がないんじゃないのか、というのだ。日々重要な決定を下さなければならない女性が子どもを産んだりしたら判断力が鈍るじゃないか、というわけだ。いまさら驚くことでもないが、結局、女性議員は子どもを産んでも産まなくても文句をいわれる。

アーダーンも性差別的な言葉を浴びせられたが、八〇年代や九〇年代にクラークが経験した差別はもっとひどかった。女だからというだけで、判断が甘いとか感情に流されやすいとかいわれたし、逆に、女らしさがないとか、ほかの女性に冷たいとかいう非難を受けることもあった。外見についての揶揄もあり、美人ではないといわれることがしょっちゅうだった。それがあまりにもひどかったので、伝記の著者のブライアン・エドワーズは、男性議員たちがクラークのことをとても魅力的な女性だとたたえる言葉を、本の中でいくつも引用した。一方のアーダーンは、一般的に美人といわれる外見だったが、だからこそ議員にふさわしくないといわれたものだ。「見せ物用のポニー」「みた目だけ」「政界の美人」といった言葉が実際に使われた。首相になってからも、オンラインニュースにつけられるコメントの中には、「ルックスがいいから成功したんだ」といった悪口が必ずあった。

鈍感力をアピールしつつ、釘を刺す

性差別という点で、アーダーンはクラークほど苦労していたわけではないが、それはクラークという先例をみて学んだことがあるからだった。クラークはたいていの不当な非難を無視していたし、なんらかの反応をしようとすれば、弱々しい守りの姿勢になりがちだった。しかしアーダーンは、性差別的なものも含めた個人攻撃をうまくかわすことができた。いろいろいわれていることはわかっているけれど全然気にしていません、といった反応をすることで〝鈍感力〟（どんな職業であっても女性はそれが弱いといわれている）をアピールしつつ、いい加減にしてくださいねと釘を刺すやりかただ。

パトリック・ガワーがオークランド・セントラル選挙区のことを〝ベビーたちの政治バトル〟と表現したとき、アーダーンもケイもいやな気分を味わった。しかしどちらも深追いはせず、黙ってやりすごした。だがその言葉は、無視するだけでは消えず、その後も生きのこってしまった。のちにアーダーンは、あのとききちんと抗議しておけばよかったと、当時の対応を悔いる気持ちを明かしている。

たとえば二〇一五年。元ラグビー選手で朝のテレビ番組のパネリストを務めるグレアム・ロウは、アーダーンの政治家としての実力についていきかれ、こう答えた。「そりゃもう、〝かわいい女の子〟の政治家は最高ですよ」この言葉が怒りを呼んだ。番組司会者のひとり、ヒラリー・バリーがすぐにツイートした。「ジャシンダ・アーダーンのことを〝かわいい女の子〟ですって！　みなさん安心して。あのパネリストに蹴りを入れてやるから」これにアーダーンがリプライをつけた。「ヒラリー、ありがとう。靴の爪先がとがってるといいわね」

さらりとしたやりとりだったが、クラークの時代と違って、世界的なメディアを使っての抗議だった。ロウの弁明はこうだ。「ほめ言葉のつもりでいったんだ。〝かわいい〟っていうのが最高のほめ言葉だった時代の人間なのでね。ジャシンダが気を悪くしてないといいんだが。そうだとしたら心から謝るよ」

ヒラリーのツイートにリプライをつけたあと、アーダーンは沈黙を守った。多くの人々がアーダーンの立場を支持してくれた。ロバートソンがフェイスブックに不満をぶちまけた。「無知な性差別にはいい加減うんざりだ。友人であり同僚であるジャシンダ・アーダーンはこの数週間、どんなにいやな思いをしていることか」

SNSという味方

論争はその後も続き、ロウの発言が失礼なものだったかどうかということから、実際のところはどうなのか、という話になっていった。野党議員としてのアーダーンの実績は？　仕事より美容に気をつかっているんじゃないか？　最終的に、アーダーンは公の場でこの件に触れ、自分は気にしていないと繰りかえした。しかし、右派寄りの解説者が、新聞のコラムの最後にこう書いた。「三十五歳の女性をかわいい女の子と思うかどうかは、好みによるだろう。彼女はかわいい女の子ではなく、ただのおばかさんだ」アーダーンはここでキレた。性差別を受けた者がどう対応しても叩かれるとはどういうことか、という内容のコラムを書いた。「抗議しても叩かれるし、抗議しなくても叩かれる」という書き出しだった。アーダーンはそれまでにも、性差別的発言にどう対応すべきかについて、何度も論じていた。「ほめ言葉と受け取って笑いとばすという方法はあるけれど、それでは問題を放置するだけ。根絶しなきゃならないことなのに。とはいえ、抗議の声をあげたらあげたで、『冗談もわからないヒステリックなやつだ』といわれてしまう」

たしかに、アーダーンがどちらを選んでもいい結果にはならない。当時よくいわれていたのは、アーダーンの外見についてのコメントは、政治的なものではなくて個人的なものじゃないか、ということだ。年寄りの失言をきいて気を悪くしただのなんだのという記事を書いて騒ぎたてれば、火に油を注ぐだけだ、というのだ。そしてアーダーンは、これとまったく同じことを二年後に再び経験することになる。

一九八〇年代の世論はクラークに批判的だった。根も葉もないことをあれこれいわれたクラークは自力で対応しなければならなかった。しかし二〇一七年になると、世論はSNSという形をとってアーダーンに味方した。不当な悪口をいわれたアーダーンは、味方はいないかと探す必要さえなかった。もともとインターネットをだれよりもよく活用する政治家だったこともプラスに働いた。何千人もの人々がオンラインで支持してくれた。必ずしも選挙のときの票には結びつかないかもしれないが、こういうときの味方にはことかかなかったのだ。結党したばかりのオポチュニティーズ党の党首、ガレス・モーガンが「ジャシンダは豚に塗った口紅みたいなもの（本質を変えずに表面だけきれいにしているという意味）。そこから脱却するべきだ」とツイートしたときも、ネット民の反応は素早かった。モーガンは大炎上。国民党政権の首相ビル・イングリッシュまでが、モーガンがそういう態度をとるなら、政府はオポチュニティーズ党とは仕事をしないと宣言した。モーガンは失言を認めるどころか、さらに暴言を重ねた。

翌日、ひとりの記者がアーダーンにコメントを求めたときにはすでに、アーダーンがモーガンに直接抗議する必要はなくなっていた。すでに勝負がついていたのだ。そこでアーダーンは「どうでもいい」とコメントした。本心からそう思っていたのかもしれない。「わたしが怒っているかって？　いえ、とくになんとも思っていませんよ。それよりいまは政策発表や今後の展望のことで頭がいっぱいなんです」個人的にはモーガンの言葉についてあれこれ考えたのかもしれないが、いずれにしても、世間で広がる論争に首をつっこむのは最小限にしたかったのだろう。一方のモーガンには、この軽率な発言のイメージがその先もずっとついてまわることになる。

世界中の女性が「性差別にはもううんざり」といいたいときに

労働党党首になった日、アーダーンはTVNZの〈ザ・プロジェクト〉という情報番組に出演した。生放送での短いインタビューのあいだ、司会者のジェシー・マリガンとカノア・ロイドは、最後の質問をするかどうかで軽くもめていたが、最終的にマリガンが強行した。「ニュージーランドの女性の多くは、子どもを持ちながら仕事もするか、それとも子どもをあきらめて仕事だけをとるか、ある程度の年齢になったときに選ばなければなりません。アーダーンさんも、今後どちらかを選ぶことになると思いますか？　それとも、もうすでに決めていますか？　こんな質問をしていいのかどうか迷いましたが」

視聴者はすぐにSNSで反応した。意見は二分。多くのコメント（主に女性）は、マリガンにしてはめずらしく、ずいぶん時代後れの質問をしたものだね、というものだった。しかし、まさに三十七歳のアーダーンに答えてほしい質問だ、というコメントもちらほらとみられた。

アーダーンには後者の思いが通じたらしい。「ええ、かまいませんよ。その点についてはは率直なところをお話ししたいと思います。多くの女性が直面する問題でしょうからね。仕事を三つもかけもちしている女性や、重い責任を一身に背負って働いている女性がたくさんいるでしょう。わたしもそのひとりです。来る日も来る日も、与えられた条件の中でベストを尽くさなければなりません。ですからわたしは、そういうことを先に決めておこうとは思いません。多くの女性がそうであるように、日々の生活で精一杯なので」

政治家による曖昧な答えのお手本のようなものだった。しかし番組が終わってしばらくすると、アーダーンがどう答えたかなど、みんなが忘れてしまっていた。マリガンの質問に関する議論が白熱したからだ。じつはマリガンはアーダーンの古い友人だった（ニュージーランドがいかに小さな国かということがわかるだろう）。だからこそあいう質問をすることができたのかもしれない。

この件が山場を迎えたのは翌朝のこと。元クリケット選手で、前夜のＴＶＮＺの〈ザ・プロジェクト〉に出演していたマーク・リチャードソンが〈ＡＭショー〉に出ていた。アーダーンもその番組中盤に顔を出す予定だったが、その前に、出演者三人が、例のマリガンの質問の是非について討論しはじめた。その中でリチャードソンは、マリガンの質問はまっとうなものだったし、どの企業も、就職の面接に来た女性に対して、近いうちに子どもを作る予定はあるかと尋ねる権利がある、と強く主張した。

反対意見のふたりとリチャードソンとが討論を続ける。そこにとうとうアーダーンがあらわれたので、ひとりがアーダーンに意見を求めた。

それまで数えきれないほどの場面で、家族を持つつもりがあるかどうかと尋ねられてきたアーダーンには、どうということはない質問だった。「わたしは自分の意思であの質問に答えました。あいう質問をされても全然平気だし、喜んで答えますよ」

しかしそのあと、リチャードソンを指さして、こう答えた。その後のやりとりは、すぐに世界中にシェアされることになる。「でも、ほかの女性は違いますよ。いまは二〇一七年です。職場で、女性にそのような質問をするべきではありません」

リチャードソンはこれに抗弁した。短いやりとりのあと、アーダーンは笑い声をあげてリチャードソンに向けて親指を立てた。「いいディベートでした！」

このやりとり全体というよりも、むっとした顔でリチャードソンを指さすアーダーンの映像が、インターネット上に一気に広まった。世界中の女性が「性差別にはもううんざり」といいたいときに、その表情を真似るようになった。

男性には仕事か子どもか、などという質問は一度もされていない

インタビューを受けるとき、アーダーンはいつも細心の注意を払っていた。リチャードソンがしたような発言を黙認すれば、自分も性差別に加担したとみられてしまう。とはいえ、あまり激しく怒ったり、苛立ちをあらわにしたりすれば、リーダーに必要な感情コントロール力に欠けると判断される。リチャードソンにしっかり釘を刺しつつ、全体としてはにこやかに話を進めることで、リチャードソンはただの小物という印象を与えるとともに、女性の権利について明確な意見を伝えることができた。そしてその声が世界に広まった。

この一連の出来事に関わるすべて――家族か仕事かという選択を迫られることから、テレビカメラの前で討論をするときに自分の正当性を主張することの難しさまで――が、女性特有の問題だといえる。労働党党首になってからの二十四時間を、アーダーンは、仕事を続けながらも子どもを持つという女性の権利を守ることに費やした。それによって、わたしたちの社会がなにを目指すべき

かをあらためて世間に知らしめることができたし、個人攻撃を受けたときにうまく対処する能力があることも、しっかりアピールすることができた。

それから五カ月後、アーダーンが妊娠を発表したとき、〈AMショー〉での出来事を思い出して、リチャードソンの言い分は的を射ていたんじゃないか、という声があがった。アーダーンが選挙の前に、自分は子どもを持つつもりだとはっきり宣言していたら、票の行方は違っていただろうか。それはだれにもわからない。ただ、国民党のビル・イングリッシュは六人の子どもの父親だし、労働党の前首相ジョン・キーにも子どもがふたりいる。ふたりとも、首相就任時はまだ若かった。なのにふたりとも、仕事か子どもか、などという質問は一度もされていない。

人工中絶合法化まで四十年

クラークがはじめて人工中絶に関する法改正を支持すると公言してからおよそ四十年後の二〇一九年八月、法務大臣のリトルが、人工中絶を犯罪とみなさないという新しい法案を発表した。ニュージーランド国民の多くはこれをきいて驚いた。人工中絶は合法だと思いこんでいたからだ。しかし、パトリック・ガワーがテレビ討論会で触れたように、人工中絶は犯罪だったのだ。人工中絶手術を受けるには医師二名の承認が必要で、その条件は、妊娠を継続することで、その女性の肉体的または精神的健康に深刻な問題が生じると思われること。事実上、精神状態に関する嘘の申告をして人工中絶手術を受ける人がほとんどだ。新しい法律によってその必要がなくなり、妊娠二十週以内であれば、自分の判断で病院に行き、処置を受けることができるようになる。

この法律についてはずいぶん前から議論が続いていた。そしてとうとう、人工中絶を犯罪ではなく健康問題と位置づけることになったのだ。「人工中絶は医療行為のひとつなのに、ニュージーランドではまだ犯罪とみなされています。この状況を変えるときが来ました」リトルはこういった。「安全な人工中絶手術は健康に関する問題として扱われる必要があり、法律もそのように改正すべきです。女性には、自分の体に関わる問題を自分で決める権利があります」

「人工中絶を非犯罪化する法改正」が成立するには、最終的に、議員による投票で支持を受けなければならない。投票は〝良心の投票〟。つまり、政党の指針にかかわらず、個人の意見で投票するということだ（訳注：ニュージーランドでは、所属政党の指針に従わない議員が比較的多い）。アーダーンはモルモン教徒の家庭で育ち、両親はいまもモルモン教徒だが、中絶合法化を支持すると宣言した。人工中絶に関する法改正は、国会で審議されるだけでも四十年ぶりだった。

法案をそこまで持っていったのはたいしたものだが、人工中絶に関する法改正は、クラークをはじめとする先人たちが、その種を蒔いてくれていたと考えるべきだ。クラークとアーダーンはいろいろな面で考えかたが似ているが、女性の権利、たとえば結婚や仕事や子どもに関する権利についてはとくにそうだ。ただ、政治においては流儀（スタイル）が重要で、両者はそこが対照的だった。

クラークはなにごともてきぱきとこなし、冷酷な人間と受け取られがちだったが、アーダーンは正反対のアプローチをして世間からの好感を得た。クラークにとってはそれが自分らしいスタイルだったのだろう。しかし、アーダーンが一九八〇年代に政治家を志したとして、うまくいったとは思えない。母性よりも貫禄を強く感じさせる歴代の政治家たちとは違って、アーダーンは、新しいスタイルのリーダーシップが求められていることを社会に示した。それはつまり、日々の生活の中でこそ重要な人間らしさ、感情を伴う知性、弱さ、といったものだ。毅然とした鋼のような強さだけがあればいいというわけではない。

クラークは自分の中に母親像をみいだすことはなく、子どもを持たない人生を選択した。アーダーンは家族を作る夢についてずっと前から話していて、首相という政治の最高峰に立ちながらも、それを実現した。政治家としての軌跡は重なる部分が多かったが、経験してきたことはまったく違っていた。私生活で目指したものも違っていた。しかし重要なのは、ふたりとも、自分がやりたいことをやったという点だ。それは、すべての女性に与えられるべき権利でもある。ふたりとも、その点にだけはうなずいてくれるだろう。

労働党内の性的暴行事件

二〇一八年の国連総会で、アーダーンは気候変動とジェンダー平等についてスピーチした。スピーチは全世界から絶賛された。また、母親でもある若い首相ということで、アーダーンはサクセスストーリーの主人公のように扱われた。スピーチの中で力をこめて強調したのは、あらゆる分野におけるジェンダーの平等。「〝Me Too〟ではなく〝We too〟であるべきです」これはアーダーンが国連に提出したスピーチ原稿には含まれていなかった一文だ。

この自分の言葉を、アーダーンはのちにふたたびきくことになる。国連総会からほぼ一年後、アーダーンは、労働党内で起きた性的暴行事件の取り扱いが不適切だったことについての質問に答えていた。

事件は深刻なものだった。多くの女性スタッフが性的いやがらせを受けていて、うちひとりは性的暴行を受けたとして、その内容を詳細に述べていた。よく調べると、党内には、若い女性のスタッフがこうした被害を受けても、それを訴えにくい事情があったという。被害を受けたと声をあげたとしても、それを無視されたり揉み消されたりしていたのだ。加害者である男性はなんの咎めを受けることもなく働きつづけていた。

二〇一七年に#MeTooムーヴメントが起こってから、権力を持った男性が立場の弱い女性に高圧的な態度で接したり、性的に虐待したりといった事件が次々に明るみに出てきた。ただ、今回世間が——とくに労働党に投票した人々が——より深く失望したのは、アーダーンの監視下にあるはずの党内で、告発が揉み消されていたからだった。

党内でなにかが起きていることは知っていても、そこまで深刻なものだとは知らなかった、とアーダーンはいった。性的なことなのかどうかを何度もきいたが、そうではないときかされていたとのこと。世間の反応は二分した。知らなかったはずがないだろう？　何週間も前から苦情が出て、ニュースにもなっていたじゃないか。もし知っていたのに知らなかったと嘘をついたのなら、首相の座を降りるべきだ——そんなふうにいう解説者もいた。とはいえ、大多数の人々はアーダーンがそういう嘘をつくはずがないと信じていた。そもそも、もし知っていたのなら、そんな悪事が横行するのを放っておくはずがない、と。

アーダーンの謝罪

人々がアーダーンを信じるのには理由があった。前の年、〈ヤング・レイバー〉のキャンプで性的暴行を受けたとの訴えが複数あり、これに対する党の対応がまずかったことを、アーダーンは認めていたのだ。「同様のことが二度と起こらないよう、党として対策を進めていきます。第三者委員会を作り、今後の政党運営を改善することにより、安全な労働環境を作っていきます」

二〇一九年の事件が明るみに出た日、アーダーンはマスコミに、「党の対応にありえないほどの苛立ちと失望を感じています」といった。その後の数日間で詳しい経緯を調べると、アーダーンはより深く被害者に同情するようになった。「性的暴行の被害を訴えるのは、とても勇気のいることです。その訴えがありえないやりかたで揉みけされたことで、心の傷はより深くなったことでしょう。労働党を代表して、わたしが、被害にあったみなさんにお詫びします。きちんとした対応ができなくて、申し訳ありませんでした」こう述べたのは九月十一日。事件が公表されてから二日後だった。

しかし、党の対応のまずさをアーダーンが謝る一方で、スタッフからの反発もあった。調査委員会のメンバーであり労働党代表でもあるナイジェル・ハワースは、性的暴行の訴えなど耳にしていないと主張した。被害者が委員会あてに「性的暴行」という言葉も明記して送ったメールのコピーを公開したあとも、その主張を曲げようとしない。アーダーンとの会談のあと、ハワースは党代表辞任の意向を発表したが、謝罪はしなかったし、自分が間違っていたと認めようともしなかった。アーダーンはマスコミを前に、これを批判した。「今朝、労働党代表と、メールのやりとりについて話しました。代表はこれまでの主張を取りさげませんでしたが、わたしは、なんらかの間違いがあったと確信しています」

「被害の訴えを揉みけしたことについて、労働党には弁明の余地もありませんし、わたしもそれを許しません」アーダーンはあらためて、こう発表した。「弁明を許せば、被害の訴えを過小評価することにもつながります。党としての心配りが足りなかったのは事実です。被害の訴えをきちんと受け止めて、適切に対応すべきだったのに、それができませんでした」間違いを認めようとしない党や委員会に代わって、党首であるアーダーンが謝罪した格好だ。党の意向とは違う対応をあえて選び、実行した。

アーダーンは勅選弁護士(ちょくせん)に、告発者たちが同意した付託条項つきで、第三者視点からの問題の再審議を依頼した。党による事件の処理のやりかたをもう一度調べたうえで、苦情の処理、適性訓練をし、党の空気を改善するのが目的だ。最終的にアーダーンは、被害者本人が望んでいれば話を直接きき、党の進むべき方向についての意見にも耳を傾けるということになった。被害者たちは党に、セクハラ講習の実施や行動規範の徹底を求めたが、行動規範ではカバーできない問題についても指摘した。労働党内のパワーバランスだ。「労働党の権力は男性に偏(かたよ)っているだけではありません。白人に偏っているんです」とのことだった。

男性による妨害

政治は昔から男性に支配されてきた。もっと厳密にいえば、白人男性に支配されてきた。女性が重要なポストにいたとしても、基本は変わらない。アーダーンが党首になったとき、補佐官が四人と、首席報道官が二人、つくことになった。ところが、この六人全員が男性だった。スタッフ全員をみれば男女の数が半々だが、上位のポストは男性がほぼ独占していた。内閣も同様。グラント・ロバートソン、フィル・トワイフォード（のちに降格された）、クリス・ヒプキンズ、アンドルー・リトル。副首相のウィンストン・ピーターズも、労働党副党首ケルヴィン・デイヴィスも男性だ。アーダーン以外でいちばん高い地位にいるのはミーガン・ウッズで、彼女は入閣していない。

労働党内の性暴力事件が明らかになると、アーダーンのまわりの男性たちがアーダーンを守るため、事件のことをあえて知らせないようにしたのではないか、という疑いが出てきた。政治的には、知らなかったのだからしかたがないという理屈が通るからだ。結果的に、アーダーンは一般の人々と同じように、ニュースで事件のことを知り、それについて発言した。知らん顔はできなかった。事件は三日間にわたって新聞の一面をにぎわせたのだ。

アーダーンが被害者の声に対応し、解決策を模索しようとすると、アーダーンのまわりの男性たちは、今度はそれを邪魔しようとした。副党首のデイヴィスは、被害者の声を〝単なる噂〟として退けようとした。彼はマオリのコーヒムヒムという言葉を使ったものの、後に、「噂」ではなく「申し立て」という意味で使ったのだと主張した。しかし、さらにその後、マオリ語の話者であるニュージーランド・ファースト党のシェイン・ジョーンズ議員が、それを否定した。コーヒムヒムはあくまでも「噂」や「ささやき」という意味だという。その日、性的暴行の加害者とされる男性が辞任した。しかし罪を認めることはせず、「わたしはひどいことをしたといわれているが、断じて否定する」と述べた。調査委員会の議長を務めるサイモン・ミッチェルは、委員会は性的暴行に関する訴えを受け取っていないと、弁護士を通して再度明言した。ところがそれから何時間もたたないうちに、被害者側の弁護士が、訴えが正当なものであることを、時系列表と証拠を添えて主張した。翌日、理由を明かさず入院していた副首相のウィンストン・ピーターズが、議会に戻ってきた。それまでに何度もやったように、アーダーンの出したメッセージとは異なる意見を表明した。事件と一連の経緯のことを「憶測と中傷をもとにこのような大騒ぎをするとは、恥ずべきことだ」といい、加害者とされる人物を擁護するとともに、マスコミに対して公表された文書を〝大量のガセネタ〟と表現した。

十二月十八日、労働党の独自調査結果をまとめたものが発表された。性的暴行とセクハラのうちもっとも深刻とされる訴えについては、〝実証されなかった〟とし、被害を受けたと主張する女性たちが誤った情報を提出したのだと結論づけた。しかし女性たちは主張を曲げなかった。

党以外のあらゆる場所でも変化を

組織内の性差別や女性蔑視を乗りこえてこそ、女性は成功できる。女性が成功するとき、それは男性の助けによるものではない。男性の邪魔があっても負けない女性が成功するのだ。

労働党には、党首となり、のちに首相になった女性がふたりいる。このことから、党内における女性の影響力がさぞかし強いのだろう、女性の存在が受け入れられているのだろう、と思われがちだ。しかし、二〇一九年のこの出来事からわかるのは、労働党は女性に優しい政党なのではなく、例外的に優れた女性がふたりいただけ、ということだ。

一九八一年にヘレン・クラークが議員に初当選したとき、女性議員は全体で三人しかいなかった。クラークは男性社会という土俵で男性と戦い、勝ちあがった。煙草もビリヤードも嫌いなのに、煙が充満したビリヤード室で何時間も過ごした。男性と同じようにふるまっていれば〝ガラスの天井〟を突き抜けることができると信じたのだ。一方のアーダーンは、昔ながらの〝女性らしい〟やりかたで成功をつかんだが、その周囲にいたのはやはり男性ばかりだった。

クラークとキングをのぞけば、アーダーンの躍進は異例なものだったし、首相になって組閣したときも、女性はその三分の一を占めたに過ぎなかった。それから一年もたたないうちに女性の大臣がふたり辞職し（仕事のできない女性もいるし、高圧的な女性もいる）、男女比はさらに偏ってしまった。

たったひとりの女性が成功したといっても——それがどんなにめざましい成功であっても——組織内の女性蔑視や偏った力関係が改善されるとは限らない。たったひとりの女性のサクセスストーリーがトレンドを作るわけではない。アーダーンとクラークが成功したのは、ただ優れていたからではなく、飛びぬけて優れていたからだ。

〝女性政治家〟のスペクトルがあるとしたら、クラークとアーダーンはその両端に位置する。クラークは無慈悲かつ合理的に仕事をこなし、バリトンボイスと、まわりを圧倒する存在感で知られる。アーダーンは他人への共感と自虐的なユーモアと写真の華やかさで知られる。ふたりとも、それぞれの強みを武器にして、政界という男性社会で戦った。ふたりとも、性差別や不公平やいやがらせを何度も経験したが、同時に、ほかのほとんどの女性には縁のないこと——トップに立つこと——も経験した。

ほかの女性はどうだろう。有能で勤勉だが、そこまで例外的とはいえない女性たち。かつてはクラークを尊敬し、いまはアーダーンを尊敬し、ふたりの足跡をたどって前に進もうとするものの、いやがらせを受けたり、無視されたりして、その道を阻まれている。〈ヤング・レイバー〉の若いスタッフのように、暴行の被害にあうこともある。

党を信頼したのに、党は安全な場所ではなかった。欠陥だらけのシステムの中で、彼女たちはただ耐えるしかなかったが、その結果として、党のリーダーを欠陥と向き合わせることができた。これでようやく、彼女たちの前進を阻んでいたドアが開くのかもしれない——かすかな希望が見えてきた。アーダーンには彼女たちの気持ちがわかるのだろう。新しい労働党を作ること、それを前進させることを、彼女たちに約束した。

「このことが変化への触媒になると信じています。起こったことの本質をしっかりみきわめることで、これまでとは違う新しい文化を作っていけるはずです。わたしが先頭に立ち、このことを進めていきます。党のためだけではありません。この件を教訓にしてわたしたち自身が変わっていくんだという信念を持ち、しかるべき役割を果たしていけば、党以外のあらゆる場所でも変化を起こすことができるでしょう」

アーダーンは、自分自身が開いてきた道をあらためて整備して、ほかの女性たちがあとに続いてこられるようにする、と約束した。ただ、二〇一九年の出来事をみるかぎり、その道にはまだ、古くさいゴミが大量に散乱しているように思われた。

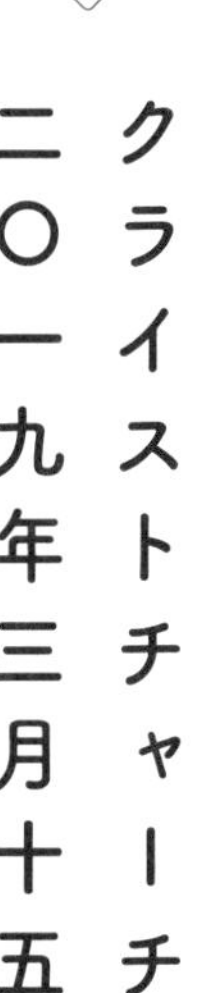

Christchurch,
15 March
2019

ナイーム・ラシッドは、二十一歳の息子タルハの結婚式の準備を手伝っていた。三月十五日、ふたりはクライストチャーチのディーンズ・アヴェニューにあるモスク、マスジッド・アルヌールに、午後一時半少し前に到着した。金曜日の礼拝、ジュムアがはじまる。すでにムスリムのコミュニティから三百人ほどの仲間が来ていて、その靴がモスクの入り口に並んでいた。モスクの中にははだし、または靴下で入るのが決まりだ。長い夏がやっと終わって、秋がはじまったところ。空気はまだ生ぬるい感じがした。入り口の靴もサンダルがほとんど。中のカーペットは目のさめるような鮮やかな緑色で、白い模様が入っていた。

フェイスブックのライブ配信

フスナ・アフメドと夫のファリドはもう来ていた。ファリドは二〇一三年に交通事故にあって、それ以来車椅子生活をしている。だから、ファリドが男性のエリア（お祈りをするとき、男性は男性だけで、女性は女性と子どもで、別々の場所に集まる）に行くときもフスナが車椅子を押してそこへ行き、そのあとフスナは女性のエリアに移動する。時計の長針が六のところを過ぎると、信者たちはお祈りの体勢をとった。

同じとき、通りを一本隔てたところで、二十八歳の白人至上主義の男性がフェイスブックのライブ配信をはじめた。撮影したものがそのまま自分のページに公開されるようになっている。ヘルメットに取りつけた小型カメラで撮影しながら、男は狭い路地を通って、モスクに近づいていった。車を運転しながら視聴者にむかって話しつづける。視聴者ははじめはほんの数人だったが、最終的には何千人にもなった。男は人種差別主義者やヘイトスピーチ好きが集う8chanのような匿名掲示板で白人至上主義グループが好んで使う流行り言葉を紹介した。男は8chanに常駐して、頻繁に書き込みをしているらしい。途中でカメラを自分に向ける。軍人のような服装をしていた。防弾チョッキを着ているようだ。一時四十分、男はモスクの横の路地に車を駐め、外に出ると、車のトランクをあけた。銃が五挺入っている。うち二挺はセミオートマチック、二挺はショットガン。男はセミオートマチックの一挺を手にしてトランクを閉め、モスクの入り口に近づいていった。

モスクの中にいたハジ・ダウド・ナビは、車の音に気づいた。礼拝に遅れてくる人はときどきいるので、ナビはドアに近づいて、やってきた男を出迎えた。「やあ、いらっしゃい」

男は黙ったままナビを三回撃ち、殺した。

中にいた人たちには、それがなんの音だかわからなかった。車のバックファイアーの音か、あるいはどこかの花火の音かと思ったようだ。

ナビを殺したあと、男はモスクの中に入り、銃を乱射しはじめた。人々は逃げようとしたが、多くの人にとっては逃げ場がなかった。男が何百発もの銃弾を至近距離から人々に浴びせる。ほんの数秒で、何十人もの人が倒れた。

ほかの人たちを裏口から逃がそうとしていたとき、タルハも撃たれた。小さな男の子に覆いかぶさるように倒れると、「動くな」とささやいた。それがタルハの最後の言葉になった。男の子はそのままじっとしていて、命拾いをした。

ナイームは息子が撃たれるのをみて犯人に駆けより、銃をもぎとろうとしたものの、結局は撃たれて死んだ。それでも仲間たちが逃げる時間を少しでも稼ぐことができた。

男も女も子どもたちも、モスクから逃げだした。小さな裏口のドアをたたき割るようにあける。子どもたちは這って外に出ろ、そして走れ、と教えられた。外に出た人々は駐車場の車のうしろや下に隠れていたが、銃声が鳴りやまないので、フェンスを越えて近所の家の庭に隠れた。

一時四十一分、だれかが救急に電話をかけ、銃乱射事件だと伝えた。犯人が発砲しはじめた直後のことだ。一時四十三分、静寂が広がった。犯人が持っていた大量の弾を撃ちつくしたらしい。フェンスを越えて逃げ、隠れていた人々が戻ってようすをみると、入ったのと同じドアから犯人が出てくるのがみえた。そして車に近づき、空になった銃を置いて、もう一挺のセミオートマチックをつかんだ。またモスクに入っていく。まもなく、ふたたび銃声が響きはじめた。

最初の銃撃がはじまったとき、フスナ・アフメドはほかの女性と子どもたちを逃がそうとした。外に出て、みんな別々の方向に逃げる必要があると思った。銃声がいったんやんだとき、フスナはファリドを助けるためにモスクに戻った。夫は車椅子なので、自力では逃げられないはずだ。しかし彼女は、中に入ったところで撃たれ、命を奪われた。

犯人のライブ配信はまだ続いていた。視聴者は、男がモスクにふたたび入り、床に折りかさなって倒れている人々を撃っているのを犯人目線で目撃することになった。

犯人がモスクに入ったのは一時四十分。モスクを去ったのは一時四十六分。その六分間に四十一人を殺し、数十人に怪我を負わせた。

男は車に戻り、五キロ走ってリンウッド・アヴェニューに入った。その途中でライブ配信が終わった。

アブドゥル・アジズ

リンウッド・イスラムセンターには、およそ百人のイスラム教徒が金曜日の礼拝に集まっていた。一度目のラカット（祈り）が終わり、二度目のラカットの前に、いったん立ちあがったところだった。ラテフ・アラビはイマーム（イスラム教の指導者）としてその場にいた。外から物音がきこえた。だれかがなにかを落としたような音だった。窓から外をみると、ヘルメットをかぶって大きな銃を持った男がいた。一瞬、警官だと思ったそうだ。しかし男は罵りの言葉を口にした。アラビは信徒にむかって、隠れろと叫んだ。めったに耳にしない言葉をきいて、だれもが動きを止めた。

銃を持った男が汚い言葉を叫んでいたのは、入り口がみつからなかったせいだ。こちらのモスクでもさっきと同じようにドアをあけて入っていくつもりだったのに、付近の道がわかりにくいせいで、建物の反対側に車を駐めてしまった。男は苛立ち、窓にむけて発砲した。一発が中にいたイスラム教徒に当たり、命を奪った。それをみたまわりの人々が右往左往しはじめた。ただひとり、アブドゥル・アジズだけは違った。

アジズは四人の息子たちといっしょに祈っていた。もともとはアフガニスタンの生まれで、子どもの頃に難民としてオーストラリアにやってきた。二十年ほど建設の仕事をしたあと家族を連れてニュージーランドに移住したが、それからわずか二年でこの事件に遭遇した。

弟が倒れるのをみて、アジズは犯人にむかっていった。建物から出る前に部屋の中をみまわし、武器になりそうなものを探した。デビットカードの読み取り機が目に入った。ちょうどレンガ一個くらいの大きさだ。アジズはそれをつかみ、駐車場に出ていった。犯人は車にむかって、また別の武器を取りだそうとしていた。

アジズは駆けだした。建物の前に倒れている人がふたりいる。犠牲者がだれなのか確かめることはせず、犯人に呼びかけた「おまえは何者だ?」男が銃を取りだそうとしているのをみて、アジズはカードの読み取り機を男に投げつけた。男はとっさにかがんでそれを避けてから、体勢を立てなおして銃をつかんだ。モスクのほうに歩きながら、男はアジズを狙って何発か撃った。アジズは近くの車の陰に身を隠した。

車の陰に隠れながら移動すると、遺体がもうひとつあった。すぐそばにショットガンが落ちている。手にとってみると、弾が残っていないのがわかったが、それでも持っていることにした。また銃声が響いた。犯人がドアの近くにいる。

モスクの中では、アジズの息子のひとりが「お父さん、逃げて」と叫んでいた。もうひとりの、まだティーンエイジャーにもならない息子は床に倒れていた。そのまわりを走っていく人々もどんどん撃たれていく。そばにいたトファザル・アラムという人が、倒れているアジズの息子を抱え、警察に電話した。「襲撃されています。救急車を呼んでください。警察も！」

アジズは車の陰から出て、犯人の気を引こうとした。

「おーい！　こっちだぞ！　こっちに来いよ！」

ほかの人たちが逃げる時間を稼ぐためだった。自分が撃たれてもかまわない。しかし犯人が挑発に乗ってこないので、アジズはショットガンを持ったまま犯人に近づいていった。犯人はアジズの姿をみてあわてふためき、自分の銃を落として車に駆けもどった。アジズが追いかける。

犯人の車には別の銃があるかもしれない。それを使われる前になんとかしなくては。アジズはそう思った。飛びかかるには距離がありすぎたので、持っていたショットガンを槍のように投げた。それは犯人をかすめるようにして車の窓にあたった。ガラスが砕ける。自分が撃たれたかのようなショックを受けたのか、犯人はアジズをみて「おぼえてろ」と叫び、車に乗って逃げていった。アジズはショットガンを拾い、走って車のあとを追った。近くの赤信号で車はスピードを落としたが、追いかけてくるアジズの姿がバックミラーに映ったのだろう、犯人は赤信号を無視して走りさった。

犯人の車がみえなくなると、アジズはモスクに戻った。息子たちのことが気になる。同時に警察もやってきた。きちんとした制服姿の警官もいるし、緊急招集を受けて駆けつけたのであろうTシヤツ姿の警官もいる。アジズは警官たちに自分の知っているかぎりのことを話した。犯人の車はスバルのステーションワゴン。金色。サイドの窓ガラスが割れている。犯人は白人の男。

一時五十六分。ここでは七人が犠牲になった。

犠牲者は五十一人

クライストチャーチ郊外ののどかな地域に配属されていた警官ふたりが、たまたま市の中心部でおこなわれていた〝武器を持った犯人の取り押さえかた〟の講習会に出席していたのだが、事件の知らせは彼らの耳にも入った。数十年の職務経験がある彼らはパトカーに飛びのり、リンウッドに向かった。ブルーアム・ストリートを走り、イスラムセンターのそばの角を曲がろうとしたとき、蛇行しながら走ってくる車が目に入った。犯人の車の特徴とぴったり同じだった。

彼らはパトカーをUターンさせて、その車を追った。追いかけながら、すぐに決断しなくてはならなかった。そのまま走らせるか、どこかで車を止めさせるか。止める場所によっては、通りがかりの人を危険な目にあわせるかもしれないが、すでに多くの犠牲者を出した犯人をこのままにしておくわけにはいかない。

二時二分、最初の通報があってから二十一分後。一台のパトカーが犯人の車に衝突した。犯人の車は縁石に乗りあげ、前輪が空転して動けなくなった。警官ふたりが銃を持ち、スバルの運転席に近づく。ドアをあけて犯人を引きずりおろし、地面に押さえつけて逮捕した。

確保に要した時間は十五秒。たまたま道路の反対側を通りかかった人が、そのようすを撮影していた。

犯人の車には爆発物がふたつと、銃も何挺かあった。まもなく爆発物処理班がやってきて、その処理をした。

爆発物があるとの情報はすでに広がっていた。三分後、地域の学校やショッピングセンターやオフィスのすべてから人が避難した。避難指示が解除されるのに四時間かかった。犯人をつかまえるだけでなく、ほかに共犯者がいないことを確かめなければならなかったからだ。

銃を持った白人至上主義の男がフェイスブックのライブ配信を立ちあげてから、マスジッド・アルヌールに到着するまでに八分。静かに祈っていた百人近くのイスラム教徒たちに銃を乱射するのに六分。そのうち四十三人が亡くなった。リンウッド・イスラムセンターに移動するのに七分。三分間で、罪のない人々を八人殺した。警察が通報が受けてから犯人を逮捕するまでに二十一分。この短い時間で、合計五十一人が犠牲になった。

たった三十分で、ニュージーランドはそれまでのニュージーランドとは違う国になってしまった。

国民にどう伝えるべきか

午後一時三十二分、ライブ配信を開始する直前に、犯人はジャシンダ・アーダーンにメールを送っていた。アーダーンだけではない。当時の国民党党首のサイモン・ブリッジズや、その他何人にも宛てて、人種差別主義にのっとった長々とした声明文を送りつけたのだ。これからやろうとしている恐ろしい犯罪について、それをしなければならない理由——そんなものがあるとは認めがたいが——を説明したかったらしい。メールはアーダーンが一般に公開しているアドレスに届いた。自動応答の返信メールを受け取って八分後、犯人は銃撃をはじめた。

その日、アーダーンは北島のニュープリマスにいた。気候変動を止めるための学校ストライキに参加してから、夜はある芸術祭のオープニングセレモニーに出席することになっていた。午後一時五十分、アーダーンと随行団の乗ったバンが学校に向かう途中、広報秘書官のケリー・スプリングが電話を受けた。クライストチャーチで大事件が発生し、状況が刻々と悪化しているとの知らせだった。スプリングは電話をアーダーンに渡した。クライストチャーチのモスクで銃の乱射事件が起きたという。詳細はほとんどわからないが犠牲者が多数出ているらしい。アーダーンはバンの運転手に命じて警察署に向かわせると、電話をスプリングに返した。その日はスプリングが秘書官として働きはじめた初日だった。

アーダーンが出席する予定だった行事にはアンドルー・リトルが代わりに行くことになった。アーダーンは近くの警察署に入り、情報のアップデートを受けとりながら、事件のことを国民にどう伝えるべきかを考えた。

前例のない事件だった。ニュージーランドは大きな悲劇をいくつも経験している。クライストチャーチでは二〇一一年に大地震があり、百八十五人が亡くなった。一九九〇年には、アラモアナ（南島）で男が銃を乱射して、十二人の市民が犠牲になった。ニュージーランドの銃乱射事件としてはこれが最大のものだった。十九世紀後半にはマオリ戦争もあった。ほかのどの国とも同じように、ひどい犯罪や事件は毎日のように起きている。ただ、ここまでの凶悪な事件はなかった。アーダーンは、自分がどのようにニュースを伝えるかによって、国民の受け止めかたが変わるということをわかっていた。

ニュージーランドで最悪の日

午後四時二十分、撃たれた人々のクライストチャーチ病院への搬送がまだ続いている頃、ごく普通のホテルの会議室に少数のマスコミが集まっていた。アーダーンの記者会見がおこなわれる。テーブルの奥には椅子がふたつ置かれていたが、アーダーンひとりがやってきて着席した。

「確実にわかっているのは、これまでに例のない、とんでもなく恐ろしい事件が起きたということです」アーダーンはカメラにむかって語りかけた。その言葉が生中継でニュージーランド全国の職場や休憩所や家庭に流れている。それを意識しながら続けた。「この事件の直接の被害者の多くは移民のみなさんだと思います。難民の方々もいらっしゃいます。ニュージーランドを選び、そこに住むことを決めた方々にとって、ここは永住の地です」

明確かつはっきりとしたスピーチだった。手元には原稿があるが、たまに視線を落とす程度で、あとはまっすぐカメラをみて話す。迷いもない。それをきいている国民以上の情報を持っているわけでもないのに。

そして質疑応答。同じようにショックを受けている記者たちの口調は控えめだった。このときだけは、首相対マスコミといういつもの敵対関係は消えていた。アーダーンは死傷者についてほとんどなにも知らなかったので、こう繰りかえした。

「これまでの、そしてこれからのニュージーランドで最悪の日です」

白人男性をテロリストと呼ぶ

その後、アーダーンは国防軍の飛行機でウェリントンに飛んだ。フライトのあいだ、スマホで原稿の準備をした。夜にはもっと長い発表をすることになる。

午後五時五十二分、アーダーンは世界にむけたメッセージをツイートした。「クライストチャーチで起こったのは、前例のないほど恐ろしい事件です。このニュージーランドで起こるはずのない事件です。被害にあわれたのは移民のコミュニティの方々ですが、もちろんニュージーランドは彼らのホームであり、彼らはわたしたちなのです」続けて、クライストチャーチの人々にむかって安全に過ごしてくださいと呼びかけ、この件でまた会見を開くと約束した。

あれほど活発にツイートしていたアーダーンが、すっかりそれをしなくなった。例外は五月にオーストラリアの元首相ボブ・ホークが逝去したときに追悼のメッセージを書いたときくらいだ。そのため、二〇一九年の終わりになっても、三月十五日に書いたメッセージがツイッターの個人ページの上のほうに残っていた。みる人はみな、事件の大きさをあらためて思い知る。

アーダーンがウェリントンに向かっているあいだに、保安情報局、保健省、民間防衛団、警察などの幹部がウェリントンに集まり、事件への対応策を協議していた。

アーダーンがビーハイヴに入ると、武装警官隊がその入り口を固めた。ニュージーランド国民がめったにみない光景だ。クライストチャーチでは、何十人もの武装警官がモスクのまわりに配置されていた。それから三日間は、全国のモスクに武装警官の監視がついた。

午後七時を少し過ぎた頃、アーダーンは国民にむけて公式の声明を発表した。少しでも早く、起こったことを正確に説明する必要があった。「本当に残念なことですが……四十人の尊い命が、この過激きわまりない暴力によって奪われました。今回の事件がテロリスト攻撃であることは間違いありません」

シンプルな説明だった。白人至上主義の男が単独で、二カ所の宗教施設を襲撃した。たしかにテロだ。しかし、白人至上主義者たちの動きは世界的にも活発化しているのに、その危険性を気にかけない人や軽くみている人が多い。アメリカでは、白人男性単独による銃乱射事件は、〝殺人者〟と呼ばれはするが、テロリストとは呼ばれない。テロリストという言葉は、非白人に対してのみ使われる。残念ではあるが、白人男性がテロ行為をおこなったとするアーダーンの明確な言葉は、いままでにないものだったのだ。

憎しみではなく愛を、厳しさではなく優しさを

その時点では、犠牲者の数はまだはっきりしていなかった。「複数の犠牲者」としか報じられていないので、そこまで多くはないのかもしれない、そうであってほしい、とだれもが思っていた。アーダーンが四十人といったので、人々の心は沈んだ。

「この犯人のような過激な思想を持っている人は、ニュージーランドには絶対にいてほしくありません。いえ、世界のどこにもいてほしくありません」落ち着いた口調だった。用意した原稿を読む

のではなく、前をみて続ける。事件の詳細や動機がまだほとんどわかっていないこと。どうして犯人が当局に目をつけられていなかったのか。犯人はどうやって銃火器を手に入れたのか。こういった疑問は一刻も早く解明されたほうがいい。しかし、ニュージーランドの現代史上最悪の事件が起きてから六時間後、アーダーンが国民にむけて強調したのは、憎しみではなく愛を、厳しさではなく優しさを、という言葉だった。犯人のことにはほとんど触れず、被害を受けた人々に語りかけた。「わたしたちの思いと祈りが、今日、被害を受けた人たちに届きますように。クライストチャーチは、被害を受けたみなさんの街です。そこで生まれた人は少ないかもしれませんが、みなさんはニュージーランドに住むことを選んだのです。ニュージーランドに住みたいと思い、ニュージーランドにかかわっていこう、そこで家族を育てよう、そう決めたのです。移民もコミュニティの一員です。移民のみなさんはコミュニティを愛し、コミュニティも移民のみなさんを愛していることでしょう。そこは安全な場所でなければなりません。それぞれの文化と宗教が尊重される場所でなければなりません」

事件は世界からの注目を集めた。アーダーンの言葉も世界中に流れた。しかし、アーダーンが次に語りかけた相手は、ショックと混乱のさなかにあるニュージーランド国民だった。「この会見を自宅でみて、どうしてこんなことが起こったのかと思っているみなさんに、こういわせてください。わたしたちが——ニュージーランドが——テロの標的になったのは、レイシスト（人種差別主義者）たちが住みやすい国だからではありません。この国が犯罪の現場として選ばれたのは、わたしたちが人種差別を許すからでもないし、過激派の存在を許すからでもありません。むしろ、その逆です。わたしたちが多様性とやさしさと共感を大切にするからこそ、狙われたのです。ニュージーランドは、わたしたちの価値観を共有できる人たちの国です。住むところを求める難民を受け入れる国です。その価値観は、このような攻撃によって揺るがされるものではありません」

きく人の心にまっすぐ届くような言葉を念入りに選んで話していた。報復をほのめかすどころか、正義という言葉さえ使わなかった。正義はすでに執行されたからだろう。犯人は逮捕され、二度と自由の身にはならない。アーダーンは、犯人が世間の人々に植えつけようとした差別と憎しみの気持ちを、人々に抱かせたくなかった。犯人へのメッセージとして、アーダーンはこういった。

「あなたはわたしたちを選んだかもしれませんが、わたしたちはあなたを拒絶し、糾弾します」

事件翌朝の「銃規制法を改正」宣言

この会見の直後、アーダーンはニュージーランド警察のマイク・ブッシュ警視総監から最新状況の報告を受けた。犯人は武器をニュージーランド国内で合法的に入手したとのこと。国のどこでも銃を買うことができるとはいえ、信じられない事実だった。というのも、銃は農業、狩猟、スポーツといった国の文化に根づいたものではあるが、セミオートマチックの銃を使った犯罪など、国内ではいままでに起きたことがないからだ。ニュージーランドではそのような武器を簡単に手に入れられるという事実を、突然つきつけられたような気分だった。

その瞬間、アーダーンは決意した。この状況を変えなければならない。銃規制の法律を強化すべきだ。その夜遅く首相官邸に戻ったアーダーンの手には、銃規制法に関する警察の最近の報告書があった。

三月十六日の朝、国民のほとんどがまだ眠っている時刻に、ウィンストン・ピーターズは首相補佐官からの電話で起こされた。補佐官は前夜のうちにアーダーンから事情説明を受けていた。「首相は銃規制法を改正したいそうです」補佐官はピーターズにいった。歴史的に、ピーターズもニュージーランド・ファースト党も銃規制法の改正には反対していた。しかしそれは昔のこと。いまは全面的に賛成だった。

午前中、アーダーンのもとには世界各国のリーダーたちから悔やみの電話がかかってきていた。そのひとりはアメリカのドナルド・トランプ。トランプは、特定の国の人々がアメリカに入国するのを制限する法律を施行していた。いわゆる〝ムスリム入国禁止令〟だ。そのトランプから、自分やアメリカ合衆国になにかできることはないか、との申し出があったのだ。アーダーンは、人によっては当てつけがましいと感じそうな言葉を返した。「ムスリムのコミュニティに同情と愛情を注いでください」

ひと晩のうちに、ニュージーランドは世界のトップニュースを飾っていた。ただし、不本意なニュースだった。銃の乱射事件といえばアメリカやヨーロッパで起こるものだと思っていた。SNSでも、ニュージーランド国民はいつも世界の反対側の国の人々に対して悔やみの言葉を書く立場だった。国際政治の大御所的人物や華やかなセレブが、悲しみや失望の言葉を述べるのをきく立場。平和で穏やかな国ニュージーランドでそんな悲惨な事件が起こるのには慣れていなかった。

アーダーンは午前九時にまた国民にむけてメッセージを送ったが、そのときまでには、テロ事件のニュースは世界中に広がっていた。夜のあいだに情報のアップデートが何度もあったが、そのたび、事件の規模が大きくなる一方。確認された死者の数は四十五人になっていた。

国の内外を問わず、多くの人が、ニュージーランドにもアメリカのようなテロを経験したいくつもの国と同じシナリオが用意されているんだろうかと考えた。テロが起こり、人々が悲しみ、なにかを変えるべきだという声があがり、結局はなにも変わらない。その繰りかえし。

アーダーンは問題に気づかないふりをするのではなく、真っ向から取り組むことにした。「とくに、今回のテロで使われた種類の銃器を規制したいと思っています。犯人は銃を五挺持っていたそうです。うちセミオートマチックが二挺とショットガンが二挺。犯人は銃のライセンスを持っていました。ライセンスの取得と銃の入手がどのような時系列で進んだのかは現在調査中ですが、それとは別に、ひとつ宣言したいことがあります。銃規制法を改正します」

ニュージーランドはアメリカ合衆国とは違う。

敬意を示すスカーフ

ニュージーランドが翌朝をむかえる前に、ワシントンDCにいる記者のひとりがトランプにきいた。クライストチャーチの事件を知ったうえで、白人至上主義に問題はあると思うか、という質問だ。トランプはノーと答えた。数時間後のウェリントンで、記者のひとりがアーダーンにきいた。トランプ大統領の意見に賛成しますか？　アーダーンはトランプに負けじときっぱり答えた。「ノー」

それから一時間後、アーダーンは黒い服に着替えた。髪に巻くスカーフ、ヒジャブが必要だと思ったが、首相官邸にはなかった。ムスリムの女性はスカーフで髪を覆う。悲しみにくれるムスリムの人々と会うのだから、自分もそうしたい。そこでアーダーンは友人のひとりに頼んでスカーフを借りた。あとで話したところによると、そのときはあまり深く考えず、敬意を示すにはヒジャブが必要だと判断した、とのことだった。

十六日の午前十一時、アーダーン、ピーターズ、国民党のブリッジズ、緑の党のショーはエアフォース（政府専用機）に乗り、クライストチャーチに向かった。

何百もの花束

クライストチャーチは静かだった。音が消えたようにさえ思えた。晴れた土曜日の朝だというのに、中心部の通りに人気（ひとけ）がない。週末のスポーツイベントはどれもキャンセルされた。営業しているカフェはあるが、記者の姿がぽつぽつとみえるだけ。どの記者も、朝早く飛行機でやってきたばかりなのだろう。カフェのテーブルでなにやら走り書きしている。

クライストチャーチは以前にも大きな悲劇にみまわれた。二〇一一年の大地震だ。地面が割れ、建物が倒れ、百八十五人が犠牲になった。その後、住人たちは結束して、街を建てなおした。しかし二〇一九年三月十六日のクライストチャーチには、建てなおすものがない。崩れたレンガを片づけるとか、地面を掘りかえすとか、そういう物理的な方法では、街を元どおりにすることができないのだ。街にはただ寒々しさが漂っていた。そして五十一人の命が失われていた。

地方裁判所では、非公開審問がおこなわれていた。判事の前に立ったのは二十八歳の白人至上主義者。罪状は殺人罪、被害者はひとり。その時点では、身元が確認された死者はひとりだけだったからだ。罪状はこれから付加されていくことになる。被告人は法廷に入り、マスコミをじろりとにらみつけると、手錠をかけられた右手で、白人至上主義のハンドサインをした。裁判所の入り口には武装警官が配備された。復讐しようとする市民が押しかけるおそれを想定してのことだったが、そんな心配をする必要はなかった。通りがかりの何人かが足を止めて、どうしてそんなところを見張っているのか、と尋ねただけだった。少なくとも四十人の隣人たちを殺した男の姿など、だれもみたいと思わなかったらしい。

人々がゆっくり集まりだしたのは、裁判所から一ブロック離れたハグリー公園だった。マスジッド・アルヌールの向かいにある一画で、夜のあいだは警察によって立入禁止にされていたが、朝になって制限が解かれていた。ディーンズ・アヴェニューは両端に警官がいて、まだ封鎖されたままだったが、公園の反対側のブロックにはまた車が走りはじめていたし、モスクの反対側の入り口にはだれかが供えた花束があった。日が高くなる頃には花束の数は何十にもなり、一日の終わりには壁全体が覆いつくされた。最初の花束は、何百もの花束に埋もれてみえなくなっていた。一日じゅう、そこを訪れる住人が引きも切らず、花を置いていったり、手紙を壁に貼りつけていったりする。チョークとフェルトペンと色とりどりのカードを持ってきた女性もいた。大人も子どももいっしょになって、メッセージを書いたり、ボードを置いていったりした。

あなたを愛しています
あなたとともに悲しんでいます
ここはニュージーランドではありません
アッサラーム・アライクム（どうぞ安らかに）

信仰の自由、事故補償制度、葬儀費用の支給

アーダーンは正午に到着し、クライストチャーチ・ムスリム協会のリーダーたちに会った。場所はカンタベリ難民再定住センター。マスコミは撮影を許可されたが、首相といっしょにそこへ移動するまでは、保安上の理由から、行き先を知らされていなかった。

アーダーンはヒジャブで髪を覆い、数人のリーダーたちの前に立つと、事件の犯人は一般的なニュージーランド国民とは違います、といった。インタビューでは、現場にいたが助かった人たちの多くが、インタビューに答えて「こんな事件が起こるなんて、自分たちの知っている――自分たちが定住を選んだ――ニュージーランドではない」といっていた。アーダーンの言葉は、彼らの思いを明確に裏づけるためのものだった。

「雨雲がどこか遠くからやってきて雨を降らせるように、このテロ行為は、どこかよその場所からやってきて、この街に降りかかったのです。この二十四時間に起こったことのうち、本当にニュージーランドらしいものは、ごく一部――みなさんがいま目にしている、周囲の人々からの援助の手です」

小さな部屋だった。両側の長椅子には人が座り、正面にもイマーム（指導者）を含む信者たちが立っていた。

「首相であるわたしにはさまざまな役割がありますが、いまは三つの絶対的に重要な仕事に力を注ぎます。ひとつは、愛と援助と悲しみを、ニュージーランドのすべての国民に伝えること」アーダーンは手を広げた。ピーターズとブリッジズとショーをはじめ、随行した議員たちを指して続ける。「ニュージーランドがこの悲しみの中で結束するように、わたしたちも、この悲しみの中でひとつになります。

ふたつめの仕事は、みなさんの安全と、信仰の自由と、文化や宗教を表現する自由を、確かなものにすることです。そして三つめの仕事は……みなさんが安心して哀悼を捧げることができるようにすることとです。事件の直後は気がつかないけれど、何日もたってから浮かびあがってくる問題がいろいろとあるはずですから、その問題をわたしたちが解決します。どうやって生計を支えていくのか、大切な人、とくに一家の稼ぎ頭を失った家庭の日々の暮らしをどうやって助けていけばいいか、それをこれから考えていきます」

明らかに起こるであろう問題だった。犠牲者の名前や身元は明らかになりつつあり、死者五十一人のうち四人が女性、三人がティーンエイジャーの男子、ひとりがそれより年下の男の子、残る四十三人が成人男性だったということがわかった。多くはニュージーランドで働いて、母国に残った家族に仕送りをしている人々だった。家族ごとクライストチャーチに移住した人もいたが、やはりそのほとんどが一家の稼ぎ頭だった。テロによる直接的な被害だけでなく、経済的な不安や、ビザはどうなるか、住居や葬式は、といった問題が、完全にニュージーランド国民になったわけではない人々に降りかかる。アーダーンはこの部屋で、その不安を払拭しようとしていた。

「いまみなさんにお伝えしたいのは、ニュージーランドには事故補償制度（ACC）があり、所得のにない手を失った家庭が子どもを育てていくための援助を、何週間、何カ月、さらには何年単位で提供しているということです。いまは先のことなど考えられないかたが多いかと思いますが、わたしたちがみなさんの未来のことまで考えていることを、どうかおぼえておいてください」それからまもなく、事件の遺族には葬儀にかかる費用が支給され、故人を祖国に埋葬したいという遺族にはそのための費用も政府によってまかなわれるということが発表された。

政府が遺族の生活を支援するという約束

しばらく質疑応答と会話をしたあと、アーダーンは被害者や遺族と面会した。マスコミはこの予定を知らされていなかったし、撮影の許可もおりなかったが、アーダーンに会ったうちの何人かが携帯電話で動画を撮った。

場所はハグリー公園をはさんでマスジッド・アルヌールと反対側。アーダーンは前日に亡くなった人々の友人や家族と言葉を交わした。

「アッサラーム・アライクム」アーダーンはマイクを片手に、まずそういった。もう片方の手を胸にあてる。「みなさんに――わたしたちみんなに――心の平穏が訪れますように」

さらにこう続けた。「いま現在気になっていることがふたつあります。亡くなったかたがたを悼む気持ちをお察しします。また、葬儀に関して、宗教上の決まりごとがあるときいています」イスラム教では、亡くなった人を二十四時間以内に埋葬しなければならない。アーダーンがその話をしている時点で、犠牲者たちが亡くなってから二十時間が経過していた。遺体のほとんどは、まだモスクに残されている。「問題のひとつは、現場に倒れている方々の搬出作業が安全にできるかどうかということでした」アーダーンはこういったあと、警察ができるだけ迅速に作業を進めることと、新しい情報を逐一報告することを約束した。

アーダーンが話しているあいだ、いくつもの携帯電話が高く掲げられた。海外に住む遺族の顔がスクリーンに映っている。フェイスタイムを通してアーダーンの話をきいているのだ。亡くなった人やその遺族が移民なのか難民なのか、またそれ以外の形でニュージーランドに住んでいるのかを問わず、政府が遺族の生活を支援するということを、アーダーンは繰りかえし約束した。

福祉担当者と話し合いをするときは言語の壁があるかもしれないが、根気よく話し合ってほしいし、互いに協力しあってほしい、ともいった。短いスピーチの最後は、ニュージーランド国民を代表して、と前置きしてこう締めくくった。「わたしたちの愛と支援の気持ちを受け取ってください。いま現在も、そしてこれからも。ここはあなたがたの家なのですから。アッサラーム・アライクム」前夜に死亡者の数を伝えたときもアーダーンの声は震えていたが、このときは泣き声になっていた。

病院の負傷者を訪問

そこからほんの三百メートルしか離れていないクライストチャーチ病院では、医師や看護師が苦戦していた。銃で撃たれた人が病院に来ることは、ふだんは滅多にない。あってもたいていは偶発的なもので、受傷箇所も手や足であることが多い。ところが、金曜日の午後、ちょうど看護師のシフト交替の時間、全身血まみれの男がふたり、歩いて病院にやってきた。割れた窓ガラスのせいで怪我をしたという。そして救急隊員に銃撃事件のことを話した。負傷者がたくさん出ているはずだ、と。その後、重傷を負った五十人近くの患者が運びこまれた。病院の看護師が総出で対応にあたり、シフトが終わったばかりの看護師も、翌日の朝まで働きつづけた。ふだんは最大で三室しか同時に使わない手術室を、七室稼働させた。

土曜日の午後、アーダーンは病院にいる負傷者たちを訪問した。単独の訪問で、マスコミもほかの政治家も連れていかなかった。抱きしめられる状態の患者を抱きしめ、それができない患者の手を握った。

犠牲者の人生、最期の瞬間

ハグリー公園にマスコミが集まりはじめた。地方局だけでなく全国ネットの放送局も朝早くに到着していたし、午後には海外のカメラクルーや記者がやってきて、仮設スタジオを作った。亡くなった人や怪我をした人の家族を取材しては、それを放送する。

週末、そしてそれから何カ月もの月日をかけて、ニュージーランド国民と世界の人々は、亡くなった人々の人生や、最期の瞬間をどんなふうに迎えたかを知ることになった。サルウェイ・ムスタファは、十六歳の息子ハムザの話をした。マスジッド・アルヌールにいたハムザは、襲撃の最中、母親に電話をかけた。少し言葉を交わしたが、すぐにハムザは答えなくなった。ムスタファはそれからずっと応答を待ちつづけたが、二十二分後にきこえた声はハムザのものではなかった。「残念ですが、息子さんは息をしていません。亡くなったと思われます」

ニュージーランドのフットサル愛好家たちが、ディーンズ・アヴェニューに集まった。フットサルのニュージーランド代表ゴールキーパーだったアッタ・エラヤン（三十三歳）を追悼するためだ。エラヤンは犯人を追いかけようとして撃たれた、とひとりが話した。撃たれても立ちあがったが、ふたたび撃たれたとのこと。

ムカド・イブラヒムはわずか三歳。犠牲者のうち最年少だった。父親と兄といっしょにモスクにいて犠牲になったイブラヒムは、のちにこの惨劇の〝顔〟として知られるようになる。罪もない命が奪われた、その象徴的な存在だ。

ディーンズ・アヴェニューの両端に置かれたオレンジ色のコーンが、訪れた人々の献花の中心になった。何千もの花束が置かれ、何百もの人々が無言のまま、その日一日をそこで過ごした。ニュージーランドでもっとも悪名高いストリートギャング集団であるモングレル・モブも、モスク周辺の警備を申し出て、祈りにきた人々を守った。ディーンズ・アヴェニューのそばに住む人々は、配置された警官たちにコーヒーやビスケットを差し入れた。

世界に影響を与えた抱擁の写真

土曜日の夕方、アーダーンはウェリントンに戻った。ビーハイヴにはロバートソンがいて、銃規制法の改革案作りにとりかかっていた。

夜、クライストチャーチがふたたび静かになってから、ディーンズ・アヴェニューの道路整備がはじまった。何千もの花束が集まっていたが、翌日の遺体の収容・運搬作業のため、道路を通れるようにしなければならない。作業にあたったジェイ・ワーカは、道路に置かれた花束を拾っては、道路のわきに持っていき、丁寧にフェンスに立てかけた。そしてまた道路に戻り、花束を拾う。ジェイとその仲間たちは、それから一時間かけて、何千もの花束やぬいぐるみやメッセージカードを移動させ、道路の両脇を飾るようにした。メッセージカードはよくみえるように外側に置かれた。

それから一週間、夜になると同じ作業が繰りかえされた。

日曜日、銃撃がはじまってから四十八時間後、アーダーンとロバートソンとゲイフォードは、ウェリントンのキルバーニーにあるモスクを訪れた。アーダーンは前日と同じように喪服を着て、髪をヒジャブで覆った。入り口の石段は花で飾られ、駐車場は弔問のためにやってきた近所の人々でいっぱいになった。アーダーンは石段に自分の持ってきたリースを置き、悲しみにくれるムスリムの女性たちと言葉を交わした。女性のひとりはアーダーンの手をぎゅっとつかみ、もう片方の手を息子の手とつないだまま、アーダーンの肩に寄りかかって泣いた。アーダーンは彼女を抱きしめた。すぐそばでは、レナード・コーエンの『ハレルヤ』を、マオリの子どもたちがマオリ語で歌っていた。

その抱擁をAP通信のカメラマンが撮影し、世界中に配信した。さらに進んでいった三人は、ナイマ・アブディと出会った。アブディとハグをしながら、アーダーンは「いっしょに乗りこえていきましょう」といった。その瞬間をとらえたヘイゲン・ホプキンズによる写真は、この年のもっとも記憶に残る写真の一枚になった。目を閉じたアーダーンが、アブディの背中を両手でぎゅっと抱いている。アブディの手は、彼女が人々に差しだしていたティッシュペーパーの箱を持ったままだった。

二〇〇一年九月十一日の同時多発テロ以来、西洋社会ではイスラム恐怖症が悪化しつつある。移民や難民にとって、反イスラムの風潮を目の当たりにするのは日常的なことで、それはニュージーランドに住むムスリムも同じだった。それでも、三月十五日の事件に関してレイシスト側の味方をした人はごくわずかだった。圧倒的多数のニュージーランド国民はアーダーンと同様に考え、ムスリムの人々に深く同情した。抱擁というシンプルな行為によって、アーダーンは多くの人々の考えかたに影響を与えることができたのだ。

抱擁の写真には、アーダーンがそれまでの四十八時間いいつづけてきたことが体現されているかのようだった。同様の残忍な事件を経験したほかの国々では、人々がキルバーニーでの写真やビデオを拡散し、自分たちの国のリーダーたちに、あなたたちはどうしてこういうことをしてくれないのかと訴えた。

一週間後、アラブ首長国連邦のドバイにある世界一の高さの建物〈ブルジュ・ハリファ〉に、アーダーンの姿があらわれた。高さ八百二十九メートルのビルの壁面いっぱいに、アーダーンとアブディの抱擁の写真が映しだされたのだ。写真の上にはアラビア語の「サラーム」と、同じ意味の英語「ピース（平和）」が表示された。ＵＡＥ首相兼副大統領のシェイク・モハメド（ムハンマド・ビン・ラシド・マクトム）は、このライトアップの写真をツイッターに投稿し、次のようなコメントを添えた。「ニュージーランドのジャシンダ・アーダーン首相へ。テロ事件によって恐怖に震えた全世界十五億人のムスリムたちに心を寄せ、支援と敬意を示してくださったことに、心から感謝します」

さまざまな宗教のリーダーがいっしょに議会に入場

世界中から支援の手が差しのべられる中、オーストラリアの保守系議員フレイザー・アニングは、事件についてコメントを出した。こんなことになったのはムスリムのコミュニティに問題があるのではないか、という論調だった。事件の金曜日以来五回目の記者会見で、アーダーンはアニングのコメントについて意見を求められた。賛否を論じることはしたくないとしながらも、アーダーンはひとこと「恥を知ってほしいですね」といった。アニングはオーストラリアの議会で非難され、世界中のリーダーたちにも糾弾されたが、それだけでは足りないと思った人がいたようだ。数日後、アニングがメルボルンで記者会見をしたとき、その背後に立っていた十七歳のウィル・コノリーが、落ちつきはらったようすで生卵をとりだし、アニングの頭に投げつけた。アニングがコノリーの顔を殴り、警備係がコノリーをとりおさえた。クラウドファンディングのGoFundMeに〈エッグボーイの法的費用を援助しよう〉というページができて、十万ドル近い寄付が集まったが、コノリーはそれをクライストチャーチ被害者支援基金に全額寄付した。被害者支援基金もやはりクラウドファンディングを利用して発足したもので、百億ドルを超える寄付が集まった。

三月十八日月曜日、ニュージーランド国民の仕事や学校がはじまった。クライストチャーチではモスクの遺体がさらに運びだされていった。搬出後は身元確認の作業が必要だ。自分の大切な家族が無事かもしれないという希望にすがっている人々もいた。アーダーンは、ビーハイヴの会見室からふたたびマスコミ発表をおこなった。銃規制法の改正原則案ができたとの内容だった。法律を変えるという宣言はすでにしていたが、その作業が実際に進んでいるというのを世間に知らせるのは大切だ。

火曜日の午後二時、テロが起きたあとはじめての議会が開かれた。通常は議長のトレヴァー・マラードがひとりで入場するが、この日は特別で、さまざまな宗教のリーダーがいっしょに入場した。議長はイマームのニザーム・ウル・ハク・タンヴィの手をとっていた。タンヴィがイスラムの祈りの言葉を唱えると、それが英語で繰りかえされ、さらにマオリ語で繰りかえされた。

犯人に名前など与えてはならない

祈りのあと、アーダーンが立って発言した。SNSを利用する人々はヘイトを拡散させないという責任がある、との趣旨だった。「SNSでの発信は、本を出版するのと同じです。コンテンツをただ伝達するのでなく、コンテンツを作って広めているのです。利益を得るならば責任を負わなければなりません」さらに、国がめざす方向について話した。「すべての国民が安全に暮らせる国を作りましょう。安全というのは、暴力を恐れる必要がないということですが、それだけではなく、人種差別やヘイトといった感情を恐れる必要がないということでもあります。そういった悪感情のあるところに、暴力ははびこり、大きく成長してしまいます。わたしたちひとりひとりがそれを変えていかなければなりません」

さまざまなことを話したが、テロリストの名前には触れなかった。「ひとりの人間が、ニュージーランドのムスリムのコミュニティに対してテロ行為を起こしました。二十八歳の男性で、オーストラリア国籍でした。いまのところ、一名に対しての殺人罪で訴追されていますが、今後罪状は重くなるでしょう。ニュージーランドは、法の力すべてをふるって犯人と闘います。犠牲者の家族にとって、正義が実現されなければなりません。犯人はこのテロ行為によっていろいろなことを実現したかったのでしょうが、そのひとつは、自分の悪名を轟かせることだったはずです。だからわたしは今後も犯人の名前を口にしません。その二十八歳の男はテロリストであり、犯罪者であり、過激派です。でも、わたしは彼を名前では呼びません。みなさんにもお願いします。命を奪われた人の名前を呼びましょう。命を奪った人間の名前など、呼ぶ必要はありません。あの犯人に名前など与えてはいけません」

その日の夕方、犠牲者数名の遺体が遺族に返された。最初の発砲があってから四日と四時間後のことだった。

悲しみをこらえる必要はない

アーダーンは三月二十日水曜日の朝、ふたたびクライストチャーチに行った。埋葬がはじまっていた。遺体はイスラムの慣習にのっとって清められ、布で包まれ、埋葬された。何人かをいっしょに埋めるケースも多いが、どの遺体も、顔がメッカのほうを向くように埋められる。金曜日の礼拝のときに向いていたのと同じ方角だ。

生徒ふたり――サヤド・ミルンとハムザ・ムスタファ――を失ったカシミア高校を訪れたアーダーンは、生徒たちと話をした。金曜日からずっと、アーダーンはあちこちに出かけてたくさんの人と話をしていた。ほとんどはマスコミが相手だが、ムスリムのコミュニティや事件の遺族にも会った。ただ、子どもたちとはあまり話す機会がなかったので、この高校を訪れた。

全校生徒によるハカで迎えられた。全国のモスクの周辺で、たくさんの人がハカのパフォーマンスをしていた。ディーンズ・アヴェニュー付近では、何人かが即興でハカをはじめ、終わるときには何十人もが加わって団結の声をあげる、ということもあった。なかでもいちばん心に響くのは、若者たちによるハカだった。ディーンズ・アヴェニューで少人数の若者たちがハカをする姿は動画におさめられ、世界中の何百人もの人に閲覧された。カシミア高校の生徒たちも、誇りと悲しみをこめて、アーダーンにハカを披露した。

アーダーンは前置きをせず、本題に入った。「こういうときは、自分の気持ちをどう表に出したらいいのかわからなくなりがちです」満員の体育館で、こう話した。「とくに若い人に知ってもらいたいのは、悲しみをこらえる必要はないということ。直接被害を受けたわけではなくても、つらいときはまわりに助けを求めていいんです」

これからも、いままでと同じように愛情を示してください、そしてヘイトをなくしてください、と続けた。「ニュージーランドを、人種差別を許さない国にするために」

質疑応答のときには、事件のことを若者たちにもわかりやすく話すつもりだった。犯人が一名の殺人罪で訴追されている理由も説明し、今後、罪状が追加されるであろうことも話した。犯人についての詳細には触れず、銃規制法の改正に話題を変えた。

生徒たちから出る質問はどれも予測していたものばかりだったが、ひとつだけ例外があった。

「大丈夫ですか？」

「わたし？」アーダーンはひと呼吸おいて答えた。「きいてくれてありがとう」

当然といえば当然だが、記者会見のときにそんな質問をされたことは一度もなかった。ただ、ビーハイヴの廊下で記者たちに囲まれたとき、まるで政治ドラマ『VEEP/ヴィープ』のワンシーンのように「夜、家に帰って泣くことはありますか？」ときかれたことがある。そのときは、個人的なことだから、といって答えを濁したものだ。しかしいまははっきり答えた。「とても悲しいわ」

すべてが終わってアーダーンが一行とともに立ちあがると、生徒たちも立ちあがった。そのうちのひとりが注意を引こうとしているのに気づいたアーダーンは、手招きをした。十三歳の女の子が出てきて挨拶をした。ふたりは抱きあい、そしてアーダーンは学校を去った。

わたしたちの仲間になってくれて、ありがとう

議会でも宣言したように、学校でも生徒たちに約束した。銃規制法の改正は週末までにきっと実現する、と。しかしアーダーンは週末まで待つこともしなかった。木曜日、テロ事件から六日後、

軍用のセミオートマチック銃やライフルの所持を禁止する、と全国民に向けて宣言した。その売買も違法になる。所持禁止になった銃器の所有者がそれらを処分するまでの猶予期間は設けられたが、法律そのものはすぐに施行される。

金曜日のクライストチャーチはまた晴れていた。ハグリー公園を訪れるには絶好の日だった。何千人もの人々が公園に集まった。アーダーンの全国への呼びかけがあったからだ。午後一時半からラジオの国営放送と主要ニュースサイトを通して祈りの集会をおこなう、というもの。事件後はじめての金曜礼拝に合わせたもので、アーダーンはニュージーランドの全国民に対して、それを見守り、ムスリムの人々を支えてほしい、と呼びかけた。イスラムのコミュニティから依頼されてのことだったが、ここ一週間のアーダーンの行動趣旨とも合致することでもあった。反論意見もあったが、相手にする人は少なかった。海外のマスコミは、ニュージーランドという国全体がこれほど素直にアーダーンの考えに従うなんて信じられない、という論調だった。

ハグリー公園には、何百人ものムスリムの男性が何列にも並び、そのうしろに女性と子どもたちが並んだ。国内最大のストリートギャング集団、モングレル・モブもやってきた。彼らは、ムスリムの列の両端に立って警護役をした。女性と子どもたちのうしろには、何千人もの非ムスリムの国民。髪をスカーフで覆っている女性もいた。仮設ステージに立った若い男性が声をあげた瞬間、国のいたるところで、時が止まったかのようだった。学校、オフィス、空港でも、だれもが手や足を止めて、クライストチャーチからの声に耳を傾けた。

祈りのあと、マスジッド・アルヌールのイマーム、ガマル・フォウダがステージに立った。クライストチャーチのムスリム・コミュニティを代表してのスピーチは、愛と寛大さにあふれ、人々の胸を打つものだった。

「テロリストは、悪意に満ちた信念によって国を引きさこうとしました。しかしわたしたちは、ニュージーランドの結束の強さをみせつけることができました」イマームは、集まった何千人もの人々と、全国のたくさんの人々にむけて話した。

「わたしたちの心は傷つきましたが、わたしたちの結束は無傷です。

ニュージーランドのみなさん、静けさをありがとう。ハカをありがとう。お花をありがとう。愛と思いやりをありがとう。

アーダーン首相、ありがとう。あなたのリーダーシップは、世界のリーダーたちへのいいお手本になったことでしょう。わたしたちを抱きしめてくれてありがとう。スカーフで敬意を示してくれたことにも感謝しています。温かい言葉と、おこないと、思いやりをありがとう。わたしたちの仲間になってくれて、ありがとう」

アーダーンは、たくさんの議員たちといっしょに、ステージ近くに並べられた椅子の最前列に座っていた。この一週間ほどたくさん人前で話をしたことはなかった。記者会見だけでも十回ほど開いたし、記者からの三百以上の質問に答えた。しかし今回はなにも話さなかった。

三月二十二日金曜日。ニュージーランド史上最悪のテロ事件が起こった日のちょうど一週間後、アーダーンはハグリー公園にいた。道路をはさんだところにマスジッド・アルヌールがある。アーダーンはムスリムの人々と、そのほかのニュージーランド国民とともに、静寂に包まれていた。

〈14〉いいときと悪いとき

Highs and Lows

銃乱射事件は、この国でもそんなことが起こるのか、と驚いた国民をひとつにまとめたものの、ムスリムのコミュニティの中には、それほど驚かなかったという人もいた。〈イスラム女性評議会〉のアンジュム・ラフマンが、新聞に論説記事を書いた。ムスリムのリーダーたちは何年も前から、ニュージーランドで勢いを増しつつあるヘイトスピーチやオルタナ右翼の動向に注意を向けてほしいと訴えてきたではないか、という趣旨だった。ラフマンは怒っていた。ムスリムのコミュニティを監視するために多額の予算を割いてきたくせに、なぜ、過激派のレイシストであることを大っぴらに自認する白人男性が、これまでノーチェックで暮らすことができたのか。もしも犯人がイスラム過激派で、撃たれたのが非ムスリムの国民だったら、国民の反応はまったく違うものだったはずだ。事件直後、この事件はニュージーランドらしくない、ニュージーランドにはあるまじき事件だ、という言葉がきこえたものだが、そんなことはない。ニュージーランドで起こるべくして起こった事件だったのだ、と。

銃撃の動画をみることは犯罪に、みようとすることも違法に

犯人がなぜノーチェックでいられたのか。ＳＮＳで危険な思想を垂れながし、たくさんの銃を購入していたのに。アーダーンはその点を調べさせた。結果が出るまでには時間と労力がかかりそうだった。それとは別に解決しなければならないのが、銃規制法の問題だった。迅速に改正する必要があった。さらにもうひとつ、ＳＮＳの問題があった。銃規制法よりも扱いにくい問題だ。

テロの犯人がライブ配信に使ったのはフェイスブックだ。だれかがそれを8chanにシェアした。8chanはインターネット掲示板サービスのひとつで、だれもがいいたい放題に悪口を吐く場になっている。人種差別主義者やヘイトスピーチ好きな過激派のたまり場だ。そういった人々は、テロ犯人が罪のない人々を次々に殺していくのをみながら、うれしそうなコメントをつけていた。彼らはさらに、その動画をできるだけ広く拡散しようとした。のちの調査によると、虐殺の動画は三十万回もシェアされたという。ユーチューブにも、事件発生後二十四時間のあいだ、一秒に一回のペースで、その動画がアップロードされた。フェイスブックやツイッターのようなサービスの管理者は、そうした投稿のすべてを削除することはできなかった。というより、本気で削除に取りくまなかっただけかもしれない。

放送局は、なにをどこまで放送していいものか、線引きをしなければならなかった。動画も、犯人の声明文も、犯人の名前も、なにも放送しないと決めた局もあれば、犯人が車の中にいるシーンを静止画にしたものや、犯人の声明文の一部を紹介した局もあった。動画の一部を公開したニュー

スサイトもあった。そのニュースの見出しをクリックしただけで、動画が自動再生される。マスジッド・アルヌールのそばに車を駐め、銃を取りだし、モスクの入り口に歩いていくシーンだ。ナビを撃つシーンで動画が終わる。それを公開するとすぐに苦情が殺到したので、最終的に動画は削除された。

アーダーンとブッシュ警視総監は、銃撃の動画をみること自体を犯罪として扱うことに決めた。動画をみることだけでなく、みようとすることも違法になる。クライストチャーチの白人至上主義者ひとりが、不快な映像データを配布した罪で逮捕され、訴追された。被告人は罪を認め、懲役二十一カ月が宣告された。控訴は棄却された。

〈クライストチャーチ・コール・アクションサミット〉

フェイスブックの創設者マーク・ザッカーバーグに怒りの声が寄せられた。フェイスブックの存在こそが、このテロ攻撃を可能にしたのに、知らん顔をしているとはどういうことだ、という声だ。あれほど恐ろしい、しかも規模の大きな犯罪が起こり、犯人はその動機を事件前にライブ配信で語っていた――そんなことは前例がなかった。SNSはよいもの、楽しいもの、というイメージがあったのに、いまはヘイトと暴力を広める道具になってしまっている。その点について政府はどう対応するのか、という質問がアーダーンに寄せられた。アーダーンは五月に、〈クライストチャーチ・コール・アクション・サミット〉をパリで開き、フランスのエマニュエル・マクロン大統領とともに議長を務めた。テロ集団や過激派グループを組織したり暴力行為を喧伝したりするための場としてSNSが使われることを抑止することが、この集会の目的だった。世界各国のリーダーと、インターネット関連企業のCEOが集まって、アクションプランを作成した。フェイスブックのマーク・ザッカーバーグは参加しなかった。

このサミットで署名をしたリーダーやCEOは、透明性を向上させたりアルゴリズムを見直したりといった方法で、過激な映像やデータが自国のウェブサイトに広まらない努力をすることになる。アメリカは署名しなかった。言論の自由が脅かされる、という理由だった。アーダーンは宣言書「クライストチャーチ・コール」作成に深く関わったことから、在任中はこの問題に真剣に取りくんでいく、と約束した。八月、ニュージーランド最大手の通信接続業者である〈スパーク〉が、テロ行為の動画や声明を広めた8chanへのアクセスをブロックした。主任検閲官のブライアン・シャンクスは、8chanをブロックするインターネット・プロバイダーを支援すると発表した。政府による検閲には反対の声もあがった（〈スパーク〉は民間企業ではあるが）が、圧倒的多数の国民は、8chanを二度とみたくないという意見だった。

クライストチャーチ・コールはニュージーランドだけでなく世界中の人々に受け入れられた。短期間ではたいした変化は起こらないだろう、という懐疑的な考えの人がいたとしても、宣言のおかげで状況はよくなるというのが国民の総意だった。国民党のブリッジズは「〝普通のニュージーランド国民〟にとっては、過激派がネット上でやっていることより、住宅や教育のほうが大切だ」といって、宣言を批判しようとしたものの、この言葉は多くの〝普通のニュージーランド国民〟の反発にあった。

世界中の大物とフェイスブックも署名

ブリッジズがこのコメントをしたのは九月のはじめ。九月の終わりには、アーダーンはふたたびニューヨークの国連総会に出席した。ちょうど一年前は、在任中に出産をした首相として出席したが、今回は、この一年で最悪のヘイトクライムを経験した国の首相として出席した。

ニューヨークにいるあいだに、アーダーンはフェイスブックの最高執行責任者であるシェリル・サンドバーグに会い、クライストチャーチ・コールについて話し合った。また、同じ問題について会議を開き、宣言への署名を三十三増やした（三十一カ国と二組織で、うちひとつはフェイスブック）。採択した声明のうち中心的なものは「危機対応プロトコル」。テロ攻撃の予告がインターネットにまた投稿されたときにどういう対応をするかというガイドラインだ。クライストチャーチで起こったことを教訓にしてほしい、今後に活かしてほしい、とアーダーンは繰りかえした。オリジナルのライブ配信映像が削除されたあと、のべ百五十万人以上が、その映像をふたたびフェイスブックにアップロードしようとしたという事実がある。

法的強制力はない。各国や企業のリーダーが本気で状況を変えたいと思うかどうかにすべてがかかっている。フェイスブックが自分たちのプラットフォームから危険な要素を一掃して、安全なオンラインスペースを作るつもりだと述べたことに関しては、信じられないという声が多方面からあがったが、それももっともな話だ。何年も前から、フェイスブックはアメリカの政府や法律を手玉にとる格好で、自分たちの好きなように企業活動をしてきたようにみえる。だから、アーダーンに要請されたから営業方針を大きく変えるというのは、にわかには信じがたい。しかし、ともかく会議の場にあらわれて、宣誓書に署名をしたのは事実だ。それだけでも大きな一歩といえる。

七十以上の国のリーダーと大手ハイテク企業のＣＥＯを、ひとつの行動方針に賛成させる——かなりの外交的手腕が必要で、これまでの首相には到底できなかったことだ。アーダーンだからこそできたのだろう。一対一の人間関係を作り、その絆を深めていくのは、昔からアーダーンの得意とするところだった。世界中の大物たちが一室に集まり、クライストチャーチ・コールに署名してい る光景には、アーダーンが将来どんな人物になるかがあらわれているかもしれない。国連総会開催中、アーダーンが輝く瞬間はたくさんあったし、アーダーンのリーダーシップのとりかたをみていると、いずれは国連を動かす人物になるのではないか、という評判も立っていた。ただ、アーダーン本人は、海外に活躍の場を求めるつもりはないと明言していた。少なくともあと二期か三期は、労働党党首でいるつもりだ、と。しかし、アーダーンはまだ三十九歳。これから二期を経たとしても、まだ四十六歳。まだまだ長い人生が残っている。

幸福予算

何十年ものあいだ、ニュージーランドの経済の健康状態は、ほかの国と同じように、国内総生産（ＧＤＰ）で測られていた。いいかえると、どれだけの製品とサービスを製造できるかということだ。歴史的にみると、ニュージーランドの予算は、ＧＤＰを増やすことにより経済状況を改善できるよう、組まれてきた。財務大臣のロバートソンは、二〇一九年、経済状態をＧＤＰだけから判断するのは、ニュージーランド国民の本当の生活ぶりに目を向けないことになるのではないか、と論じた。

「財政状態や経済指標だけに注目するのではなく、国民の幸福度に関する指標をみていきたい」ポッドキャストの〈Two Cents' Worth〉で、その年の予算案発表の直前に、ロバートソンはいった。「わたしたちの教育レベルは？　健康状態は？　治安は？　環境も気になりますね。空気とか水とか。国民は政府をどの程度信頼しているか、国民同士の結束感はどうか、というのもあります」

労働党は、新たに作った〝幸福予算〟を発表しようとしていた。西洋社会ではおそらくはじめて、国の経済の健康状態を、国民の健康や幸福やコミュニティの指標で示そうという考えだ。

幸福予算を組む上で、大切な要素は五つ。心の健康を重視すること。子どもの幸福を向上させること。マオリと南太平洋諸国系の人々の願望を支援すること。生産性の高い国家を作ること。経済を転換すること。

発表のとき、アーダーンは、これを作った根本的な理由を強調した。「ニュージーランドは長年にわたって力強い成長を続けてきましたが、その一方で、高い自殺率、受け入れがたいほどのホームレスの増加、家庭内暴力や子どもの貧困といった恥ずべき問題を抱えていました」そのとおりだった。二〇一八年六月から二〇一九年六月までの自殺件数は、ニュージーランド史上最高を記録してしまったのだ。アーダーンはさらにいった。「成長したからって、それだけではよい国とはいえません。幸福について考えるべきときが来たのです」財務大臣のロバートソンがつけくわえる。「幸福予算については、最初から完璧なものを作ろうとは思っていません。いきなりすべてがうまくいくものではないでしょう。これは改革のはじまりだと考えてください」

家庭内暴力と性暴力撲滅のためのジョイントベンチャー設立予算

経済成長以外の面がうまくいっているかどうかも重要だと考える国は、ほかにもある。ブータンは二〇〇八年に国民総幸福量という指数を導入したし、イギリスも、二〇一三年から幸福度をはかるようになった。しかし、政府の予算編成全体にそれを組みこもうという国はまだほかにない。はじめに、そしてもっとも大きく賞賛されたのは、メンタルヘルス系の医療サービスに、五年で十九億ドル（約千五百二十億円）という枠組を作ったことだ。そのうち五億ドル近くが、全国の精神医療サービス現場――一般家庭のかかりつけ医、マオリや太平洋島嶼(とうしょ)国民族が利用する医療施設、各コミュニティにおける該当組織、大学、ユースセンターなど――に分配される。軽度から中等度のメンタルヘルス問題に関して、すべての国民が医療サービスを受けられるようにするためだ。

この発表は広く支持されたし、国際的にも評価された。しかし、〈キウイ・ビルド〉（労働党の住宅政策。246ページ参照）のときと同じように、その実現性をめぐってはさまざまな疑問が寄せられた。メンタルヘルスセクターは急激な拡充が必要だった。二〇二四年までに、三十万人以上の国民がそれを必要とすると見こまれるためだ。

具体的な施行策が明らかになったのは九月になってからだった。全国で二十二の一般病院に、合計六百万ドルの助成金が支給される。幸福予算の目標を達成するための第一歩だ。メンタルヘルスの専門家を増やすことで、目標達成には何年もかかるかもしれないが、それを必要とするすべての人々に心のケアを提供しようという計画だ。

ニュージーランドでは、心の病気が長年の問題だったし、しかも問題は大きくなる一方だった。どの党が政権をとっていたとしても、いずれは取り組まなければならない問題だったといえる。しかし、労働党が打ちだした予算の規模は、世界の国々でニュースになるほど大きなものだった。〈ニューヨーク・タイムズ〉も〈ガーディアン〉も米〈ブルームバーグ〉も、ニュージーランドの幸福予算をこぞって絶賛し、ほかの国々も追随すべきだと述べた。

支援サービスには総額三億二千万ドルが割り当てられたが、中でもとりわけ大きかったのは、家庭内暴力と性暴力撲滅のためのジョイントベンチャー設立の予算だ。健康予算の要素はすべて、互いになんらかの関連性があることから、家庭内暴力と性暴力の問題には全政府をあげて取り組むことにし、財務省の元最高執行責任者、フィオーナ・ロスをその指揮者に任命した。社会発展、教育、司法、警察を含む十の政府機関のトップで構成される理事会も設立された。

これまでは暴力の被害者への対応や支援が場当たり的なものだったので、これを一貫性のあるものにする。暴力、とくに子どもへの暴力は、国のさまざまな面に大きな悪影響を及ぼすものだ。このジョイントベンチャーを設立することにより、各セクターの対応を一本化し、暴力被害を防いだり、被害者を支援したりできるようにする。

社会問題は、どれかひとつのセクターだけにかかわるものではない。すべての政府機関が連携して対応する――つまり、十の別々のセクターがそれぞれ動くのではなく、ひとつの目的を持ったひとつの組織として活動するわけだ。うまく機能すれば、被害者への対応はこれまでとは様変わりするだろう。疑問や質問はたくさん出てくるだろうが、アーダーンの示した計画から明らかに伝わってくるメッセージはただひとつ。国民第一ということだ。

気候変動への取り組みを貿易の中心に

予算の配分は一律ではない。多いところも少ないところもあるのは当然だ。それをもっとも顕著に感じさせたのは、気候変動の分野だった。メンタルヘルスのケアに大きな予算を割いた点は広く支持を得たものの、気候変動という緊急性のある問題に本気で取りくむだけの予算が割り振られなかったことには不満が噴出した。

選挙運動のとき、アーダーンは気候変動のことを「わたしたちの世代にとっての〝非核〟問題です」といった。ところが一年後、あのときと同じ気持ちをいまも持っているかと尋ねられたとき、アーダーンは、まったく同じではないと答えた。ニュージーランド国民は、非核についての意見はまとまっているが、気候変動についてはまだ挙国一致というわけではないからだという。とはいえ、アーダーンは希望を捨ててはいなかった。

「少なくとも十年前と比べれば、それなりの進歩をしています。十年前は、気候変動が現実のものなのかどうか、という議論をしていたのです。でもいまは、どれだけのことをするべきなのか、どれくらいのスピードでするべきなのか、ということに論点が移っています。十年前は、人前で気候変動について話すとブーイングを受けました。議員になったばかりのとき、気候変動を科学的に検証する委員会が作られたのをおぼえています。いまは、ゼロカーボン法案に政治的支援を得ることが期待できる状況であり、それだけでも大きな進歩です。そこは悲観しなくていいと思います」

選挙のときからずっと、アーダーンは気候変動に関して積極的な姿勢をとりつづけてきた。二〇一八年の国連総会では、太平洋諸島の国々が海面上昇の危機にさらされていることを強調した。ただ、隣国のオーストラリアはアーダーンのスタンスに賛同してくれなかった。一年後、太平洋諸島フォーラムでの緊迫した話し合いにおいて、アーダーンは、オーストラリアは太平洋諸国の声に応えるべきではないかと発言し、モリソン首相の消極的な姿勢を批判した。温室ガスを大量に排出する国のひとつとして、オーストラリアは太平洋諸国の中でも率先して排出量規制に取りくむべきだったのに、緊急アクションへの合意に及び腰だった。

二〇一八年のニューヨークでは、アーダーンはまだ楽観的だった。「さまざまな問題の中で、海面上昇は、わたしたちの地域にとっては最大の脅威です」世界のリーダーたちにこう話した。「南太平洋諸国の人々にとって、気候変動は机上の問題ではないし、論争の余地さえありません。国連が創設されて以来、気候変動ほど多国間の協調による取りくみが必要な問題はありません。わたしたちみんなが同時に声をあげて取りくむべきなのです」アーダーンはここまでいうと、話題を次の問題に移した。しかし翌年の国連気候行動サミットでは、より具体的なアプローチを提案した。「ニュージーランドでは水力発電、地熱発電、および風力発電の実績がありますし、食料生産に関しても、二酸化炭素排出量を減らす動きが進んでいます。また、電気自動車の製造や高速大量輸送システムの分野に秀でた国もあるでしょう。そういった国家間でトレード（貿易）をしましょう。これまで長いこと、世界の貿易は、環境には優しくない方向に進んできました。気候変動への取りくみを貿易の中心に据えていきましょう」

同じ週、アメリカではドナルド・トランプの弾劾裁判がはじまり、イギリスのボリス・ジョンソンは最高裁の判決を受けて急遽帰国した。アーダーンはアイスランド、ノルウェー、コスタリカ、フィジーの四カ国のリーダーと会合を開き、気候変動、貿易、サステナビリティに関する合意書（ACCTS）について話し合った。国力でいえば、この四カ国を合わせても世界的スーパーパワーにはかなわないが、この合意書には潜在的な力がある。LED電球や太陽光発電に必要な部品など、環境保護に貢献する製品の関税を撤廃するのが、合意書の主な目的だ。

五カ国の国家規模からして、世界全体への即時的な影響力はきわめて小さなものだろう。しかしアーダーンは、自分たちが道を作り、条件を明確に示していけば、先々には多くの国が加わってくれるだろうと考えた。ニュージーランドは小国で、国際的な貿易交渉で大きな役割を果たすことはないと思われている。それが変わるかもしれない――アーダーンはそんな野望を持っていた。

キャピタルゲイン課税問題

二〇一八年の九月、選挙から一年後、アーダーンはとくに大きな困難に見舞われていなかった。何人かの大臣が失脚して党内がごたごたしたり、ピーターズのニュージーランド・ファースト党が政府の方針とは異なる政策を打ちだそうとしたり、といったことはあったが、大失敗といわれるようなことはなにもなく、就任後のハネムーン期を過ごしていた。これまで実行したのははじめてのことばかり。真価を問われるのは二回目からだ。

そんなとき、クライストチャーチの銃乱射事件が起こり、〝通常の〟政治活動はすべていったん脇に置くことになった。どんなに辛口の批評家も、アーダーン率いる労働党の事件後の対応に落ち度をみつけることは難しかったようだ。ニュージーランドの首相があのような非人道的な事件に対処したことはそれまでなかったが、それを最初に経験する――願わくは最後でもあってほしい――首相がアーダーンだったおかげで、国民は大きく救われた。当然ながら、アーダーンの対応は世界中から賞賛された。アーダーン本人が居心地の悪い思いをするほどの高評価だった。

事件後におこなわれた世論調査では、アーダーンの支持率はそれまでで最高の数字を記録した。これほどの政治的資本を持った首相はいままでいなかった、と解説者たちが口をそろえた。

しかし、政治の通例どおり、それも長くは続かなかった。二〇一九年四月、アーダーンはキャピタルゲイン課税を政策からはずした。全国的な住宅価格高騰を解決するための現実的な第一歩として以前から労働党が主張してきた政策だが、それを税制に入れることはないと明言したのだ。しかも、今の任期だけでなく、アーダーンが首相の座にいるかぎりはその方針を貫く、と。これは多くの国民を驚かせ、とくに若い支持者たちを幻滅させた。

〈キウイ・ビルド〉の頓挫

選挙運動でのアーダーンの公約は、政権発足から百日以内に〈キウイ・ビルド〉計画を実行に移し、同時に海外の投資家の住宅購入を制限する、というものだった。トワイフォードは住宅相に任命され、まずはほどほどの第一期計画を立てた。一年でおよそ千戸の住宅を作る。「一週間でできるとかいうものではありません。前からいっているように、三年間かけて段階的に数字をあげていきます。目標は一年で一万戸です」

〈キウイ・ビルド〉に対する最初の批判は、ニュージーランドの建設業界の規模と事業内容を政府が過大評価しているという点だった。労働力が足りない。労働党は無償の第三期教育を提案するなどして問題の部分的解決を試みたが、必要なのは建築分野に絞った教育であり、そのような専門学校は一朝一夕に作れるものではない。しかし、住宅建築にはすぐにでもとりかからなければならなかった。二〇一九年五月半ばの時点では、選挙から二年近くたっていたにもかかわらず、完成した住宅はわずか百二十二戸。絶望的な状況なのに、労働党は十万戸という最終目標にこだわり、残りの年月で遅れを取りもどすと主張した。結局、九月のはじめにアーダーンがタオルを投げいれ、当初の計画を大幅に変更することにした。ただし、〈キウイ・ビルド〉そのものはなんらかの形で存続させる。これは、それほど意外な展開ではなかった。トワイフォードはすでに住宅相を辞任し、ミーガン・ウッズ（労働党の中でアーダーンの次にランクの高い女性議員）があとを継いでいた。

キャピタルゲイン課税と〈キウイ・ビルド〉、ふたつの政策が立て続けに頓挫したことで労働党は住宅政策の失敗を認めたようにみえた。結局、約束していたような大きな改革は実現しないのだと、だれもが感じた。若者はこの先ずっと、もう若者と呼べないような年齢になっても、賃貸住宅に住みつづけるしかないのだ。

人間的な対応

アーダーンは、気候変動は自分たちの世代にとってもっとも差し迫った問題であると語った。国民党の中には、気候変動そのものがただの気のせいだと主張する議員もいた。政府の打ちだしたゼロカーボン法案は、目標レベルをかなり低く修正することになったものの、二〇一九年の終わりには党派を超えた合意を得て、施行に至った。温室効果ガスの排出量を法律で制限するというものだ。正しい方向に一歩踏みだすことができた。

アーダーンの幸福予算は、国民の幸福を経済の核にすべきだという包括的なメッセージが評価され、全世界で高く賞賛された。町の精神病院や社会開発セクターから、その実現方法や投資先の選択などについて質問の声が多数あがったものの、進む方向としては、やはり正しいものだったといえる。

二〇一九年四月、フィオーナ・ロスは、健康、教育、司法、警察、事故補償制度、懲罰といった政府機関を統合した、家庭内暴力と性暴力撲滅のためのジョイントベンチャーの責任者に就任した。これも、国が正しい方向に進む第一歩だ。ただ、とるべき行動を明文化するにしても、目標や効果を数値であらわすことが難しい。大切なのは、今後のリーダーたちが変化を起こしつづけていくための基盤作りだ。

このように、アーダーンはさまざまな成果をあげてきた。ニュージーランド国民は、もっと高い目標を掲げるべきだと訴えるし、それももっともなことではあるが、海外からみれば、これでもじゅうぶんに羨むべき状況なのだ。アーダーンが無意識のうちにちょっとした人間らしさや善意を表に出すだけで、他国のリーダーたちがそういうものを持たないという事実があぶりだされてしまう。よそと比べれば自国のいいところさえみえなくなってしまうものではあるが、自国のリーダーに幻滅した人々は、遠く離れた小国ニュージーランドに新たな希望をみいだしている。オプラ・ウインフリー、ジュリアン・ムーア、バーニー・サンダーズのようなアメリカの有名人や政治家も、ニュージーランドがすみやかに銃規制法を改正したのをみて、こぞってアーダーンを賞賛した。

一年のうちに銃乱射事件と、火山の噴火という国家的大惨事を二度経験したアーダーンは、国のリーダーたちが人間的な対応をすることの重要性を、身をもって示した。二〇一九年十二月にニュージーランドのホワイト島で火山が噴火した頃、オーストラリアではニューサウスウェールズ州を中心に大規模な森林火災が発生していた。両国首相の行動と、それに対する国民の反応は、驚くほど対照的だった。何百戸もの住宅が焼け、州全体の空が煙に覆われているというときに、モリソン首相は家族と海外旅行を楽しんでいた。非難の声が激しくなったので、結局は休暇を短く切りあげて帰国したものの、もはや無意味だった。首相は、丸焼けになった町に形ばかりの慰問に訪れたものの、焼けだされた人々は握手さえ拒否する。その動画がインターネット上に出回った。クライストチャーチのテロ事件後のアーダーンの行動があれほど評価された理由が、ここであらためてよくわかった。困ったときや苦しいとき、国のリーダーが人間的な行動をとることは、そう簡単なことではないのだ。その人がどんな政治的思想を持っていようと、ニュージーランド国民がアーダーンのことを「クソ首相！」と呼びたくなることがそれほどあるとは思えない。しかしオーストラリアでは、山火事の現場に向かう途中の消防士が、その科白を叫んだという。

ニュージーランドでは、政府に対して文句をいう理由が山ほどある人であっても、「うちの首相があんな人じゃなくてよかった」と思ったことだろう。

大事なのは国内の評価

キャピタルゲイン課税に関する発表をした翌日、ニュージーランドの放送局はすべて、失望をこめた報道をしていた一方で、米『フォーチュン』誌はアーダーンを世界で二番目に偉大なリーダーとした。一位はビル・ゲイツとメリンダ・ゲイツ夫妻だ。

国内と国外でのアーダーンの評価は異なることがあったが、二〇一九年九月には、正反対といえるほどになった。国内では、あるコラムニストが、労働党内の性暴力事件の処理を誤ったことで、アーダーンは辞任したほうがいいのではないかと書いていたのに、海外では、アーダーンをノーベル平和賞の候補に推す声が高まっていた。ほかのときでもそうだっただろうが、そのときはとくに、ジャシンダ・アーダーンのノーベル平和賞受賞を望まない人間の筆頭がアーダーン本人だった。

二〇一九年のはじめ、海外のメディアに注目されていることをどう思いますか、海外のメディアにどうみられるかばかりを気にしているのではありませんか、と質問されたとき、アーダーンは現実的なコメントを返した。「ニュージーランド国民、ニュージーランドの有権者にとって、海外の評価など、実体のないものです。わたし自身の目も、国内で政府が取りくんでいることに向けられています。結局のところ、わたしの本当の評価は国内でどんな成果をあげるかで決まるんですから。海外で起こっていることは関係ありません。ニュージーランド国民のためになにをするか、ニュージーランド国民代表としてなにをするか、それが大事だと思っています」

その年のうちに、アーダーンはもう一度同じ話をした。海外のメディアにばかり対応しているのではないかという批判を受けて、強く反論した形だ。「そのような批判を受けるのはきわめて不本意です。取材を受けるのは仕事のためであり、自分の役割のためです。わたしはニュージーランドのために働いているんですよ」〈NZヘラルド〉への返答だった。「ニュージーランドという国を代表する人間としてふさわしくないと思われるようなことがほんの少しでもあってはならない、そう心がけて働いています」

アーダーンとマスコミのあいだにある刺々しい空気は、海外での人気のせいで余計に際立ってしまうのだろう。過去のニュージーランドには、毎日何十人もの海外メディアに対応する首相などひとりもいなかった。国内で起こっている問題に対応すべきときに、海外の出版物に、華やかな紹介記事が出るというのも、アーダーンならではの現象だった。

アーダーンの選挙区での人気と海外での人気の差が埋まることは、今後も決してないだろう。アーダーン自身が掲げた高い目標のせいだ。有権者たちは、アーダーンが抜本的な改革と国の繁栄をもたらしてくれると期待している。期待すればこそ、批判も出るだろう。首相就任直後、アーダーンは誇らしげに、変革の政府を率いていくと宣言した。いきなり高い目標を設定してしまったわけだ。そしてニュージーランド国民は、アーダーンがその約束を守ることを期待している。住宅や気候変動の問題では大きな、そしてすばやい政策変更ができなかったという点では、高い目標を達成したとはいえない。国内での評価が海外での評価に追いつくことはなさそうだが、ニュージーランド国民の代表として世界のステージに立つという役割を、アーダーンほど見事に果たしてくれる首相はいないだろう。

〈15〉

新しいタイプのリーダー

・

A New Kind of Leader

ジャシンダ・アーダーンは首相にはなりたくなかった。そんなことは考えてもいなかったのに、突然、七週間先に首相になるかもしれないという可能性が出てきた。ニュージーランドの政治ライターのあいだでは広く信じられていることだが、国会議員のだれもが首相になりたいと考えているし、なりたくないという議員がいれば、その人は嘘つきだ。しかし、アーダーンが首相になりたくないと何度も繰りかえすうち、人々はそれを本心だと信じるようになった。首相になりたくないというだけでなく、組織の中の昇格そのものを望んでいないようだった。IUSYのリーダーだったアーダーンが労働党から議員に立候補し、副党首になり、党首になった流れは驚くべきものだったが、どの段階でも自分から望んでそうしたのではなく、まわりから要請されてのことだったし、その要請も一度だけではなく、何度も頼まれてようやく受け入れたという場合がほとんどだ。自分がリーダーになりたかったのではなく、まわりがアーダーンにリーダーになってほしかったということだ。つまりしぶしぶリーダーの役割を果たしているだけなのか、ときききたくなるが、そうではない。アーダーンは首相という役割をすんなり受け入れた。渋っていたどころか、前からやりたいと思っていたのではないか、いいタイミングを待っていただけなのではないか、と思うほどに。

ひたすら他人のために

アーダーンは、多くの労働党の政治家たちが乗りこえられなかった障害を乗りこえた。成功の鍵は、自分が鏡になること。相手の身になってものを考えることで、出会った人々は心配ごとや困っていることを話してくれる。アーダーンはそれを理解し、援助の手を差しのべる。

アーダーンが国会議員になる前はなにをしていたと思うか、若い頃にいちばん苦労したのはなんだと思うか、と平均的な有権者にきくと、ほとんどの人はわからないと答える。それはなぜかというと、アーダーンは個人的な欲求をかなえるために政治活動をしているわけではないからだ。

ティーンエイジャーの頃から、アーダーンは自分が望んだことではなく、ほかの人たちのためになることをしてきた。単に自分が目立ちたいからといって、生徒代表に二年続けて立候補する子どもはいないだろう。モルモン教徒だったアーダーンは、学校にショートパンツをはいていきたいとは思わなかったが、クラスメートたちはそう望んでいた。だからアーダーンは、クラスメートたちのためにそれを訴えた。同様に、アーダーンはウェリントンで平等の権利を求めていたLGBTQIA+コミュニティのメンバーではなかったが、彼らが支援を求めているのを知って、支援した。労を惜しまなかったので、コミュニティの人々のあいだで政治家の協力者として有名だった。

アーダーンにとって、政治家としてのやる気をかきたてる存在は、昔から子どもたちだったし、子ども担当大臣になりたいと思っていた。首相になってからは、ニュージーランドを「子どもにとって最高の国」にすると誓った。子どもたちが暮らしやすい国を作るというのはとくに目新しい考えではないが、アーダーンの場合、自分が育った家庭が貧しかったわけではない。ムルパラ時代、近所に貧しくて困っている家庭がたくさんあったからそう思ったのだ。

自分が子どもを産むより前に、産休の期間を長くするように法改正をした。そして自分が出産したときは、産休を六週間しかとらなかった。

政治家が自分ではなく他人の利益になるように働くことが当たり前であってほしいものだが、現実にはそうではない。しかしアーダーンはそういう希有な政治家であり、だからこそ、人々の悩みを共有してくれる共感力のあるリーダーとして世界の人々から偶像視されるようになった。アーダーンの評価は上がり、他国のリーダーたちが非難された。

自分自身にとっては首相でいることはどうでもいい

声をあげられない人々の代わりに声をあげることができる、それがアーダーンの強みだ。しかしその代わり、自分自身について率直に語る機会を失いがちではないだろうか。昔大麻を吸ったことがあると認めることが政治的利点になりうるような状況でも、アーダーンはそれを認めるのに抵抗を感じたらしく、こういった。「わたしはモルモン教徒として育ちましたが、モルモン教徒らしくないことをしたこともあります。これがどういう意味か、ご想像におまかせします」賢い答えかただ。笑いもとれた。そしてこれはじつにアーダーンらしい発言だった。個人的なことは、些細なことであっても決して明かさない。明かすとしたら、その方法を巧妙に工夫する。大麻の合法化を求める人々は、アーダーンは自分たちの気持ちや経験を理解してくれると思っただろうし、反対の人々は、昔一度だけやったことがあるだけでその後二度とやっていないんだと解釈しただろう。解釈によってまったく逆の印象になる。

働く女性が子どもを持つことについてのマーク・リチャードソンの暴言に反論したときのやりかたも、まさに政治家アーダーンらしいものだった。個人的には、あなたにいわれたことで気を悪くしてはいませんが、ほかのみんなを代表して苦言を呈します、といったのだ。ほかのみんなの代表といいながら、ほかのみんなとは違うスタンスをとった。

クライストチャーチのテロのあと、アーダーンが直感的にとった行動は、悲しみにくれる国家のリーダーとして模範的なものだった。海外からも、国民の心を思いやることのできるリーダーと評価されたし、実際にそのとおりだった。しかしニュージーランド国民はだれも驚かなかった。アーダーンはそれよりずっと前から、自分が属しているわけではないコミュニティを理解し、心を寄せることのできるリーダーだったからだ。

銃規制法の改正では、指揮をとるアーダーンをまわりのすべての人々が支持した。議論が起こることさえなかった。多少の雑音があったとすれば、それは規制をもっと厳しくすべきだという意見だったし、六カ月後の再改正ではその意見が採用された。アーダーンは国民の要望に素早く応え、国民はアーダーンに感謝した。

いろいろな意味で、アーダーンは完璧な政治家だ。自分の個人的意見を脇に置いて、ほかの人たちの希望をかなえるために働くことのできる人間こそ、リーダーに適している。トランプやジョンソンのように、自分の興味や関心ばかりを優先させる政治家とはまったく違う。しかし、国民の希望や意見がふたつに分かれているとき、政治家はどうするべきなのだろうか。そうした国民のために働くとは、どういうことなのか。ニュージーランド国民（と、世界各国の何百万人もの人々）は、アーダーンが正しい行動をとると信じている。ほかの国のリーダーたちと違って、アーダーンは、どうするのが国民のためになるか、ということだけを考えて行動する。

だからこそ、悲劇を悼む国民をひとつに結束させてからほんの数週間後に、アーダーンが個人的には不本意な決断を下したとき、ニュージーランド国民は驚いたのだろう。自身の圧倒的な人気を利用してキャピタルゲイン課税の導入を強行する選択肢もあったはずなのに、アーダーンはそれをしなかった。作業部会からも法案可決のお墨付きをもらい、自分自身もずっとそれを実現させたいといっていたにもかかわらず、見送ることを発表した。有権者は疑問を感じた。結局は国民ではなく自分が大切なのか？

アーダーンの本心を推しはかるのは難しい。個人的に腹を割って話しているときでも、論点をいつのまにかずらすのが得意なのだ。国でもっとも有名な人物と話をしているはずなのに、なぜか、そうではないような気分になってしまう。本人がなにを求めているのかはっきり言葉にしてもらおうとしても、思うような答えは得られない。自分が首相でいることは自分自身にとってはどうでもいいことで、ニュージーランドにとって大切なことだから——結局はそういわれてしまう。

そう考えると、現実がますます皮肉なものにみえてくる。ほかの人たちの希望や主張を支援することに長い年月を費やしてきたアーダーンが、世界の注目の的になったのだから。

抜本的な改革ではなく改善

最近、政治解説者たちが議論していたことがある。アーダーンの天職は政治家なのか、それとも民間企業や、チャリティの分野での仕事なのか、という話だ。そして多くの人がこういった。アーダーンはきっとニュージーランドの政界を引退したあとは国連で働くだろう。国連のような場でこそ、アーダーンは自分のスキルを存分に発揮することができる。国民の批判の目にさらされることもないし、一国を率いる――しかも連立政権という状況で――という重圧もない。アーダーン本人は、首相よりも一省庁の大臣でありたいといった。そのほうが批判の目や人間関係のしがらみも少ないから、というのが理由だ。とはいえ、あのような不安定な連立政権の運営をほかのだれがやったとしても、アーダーンの半分もうまくできなかっただろう。

やりたくない仕事を任されたものの、能力を発揮している――そんなふうにみることもできるが、そうではなく、単に首相になるタイミングが早かったということかもしれない。

一九七二年、労働党のノーマン・カークが二十九代ニュージーランド首相になった。カークは弁舌に長けた政治家で、社会問題や海外政策についての考えを情熱をこめて話したものだ。一九七三年にアパルトヘイト政策をとっていた南アフリカのラグビーチームのニュージーランド訪問を拒否したことと、ベトナムからニュージーランド軍を撤退させたことで知られる政治家でもある。しかしその一方で、人間関係の考えかたがあまりに保守的であると、若い党員たちから批判されていた。ＬＧＢＴＱＩＡ＋コミュニティや女性やマオリの権利をもっと認めるべきだ、と働きかけられたが、カークは応じなかった。それどころか、南太平洋の島から移民してきた人々の家を早朝に訪問しては不法長期滞在者を摘発するという、〝夜明けの奇襲（ドーン・レイズ）〟として知られるやりかたでマイノリティを抑圧した。

　しかし、スピーチや日頃のちょっとした言動などを通して、カークはニュージーランドがその後変化していくための準備をしてくれたともいえる。一九七四年にはじめて国の休日になったワイタンギ・デーの記念式典で、カークは、ニュージーランドは二文化が共存する国であることをだれもが認めるべきだと語り、新聞の一面にはカークとマオリの少年が手に手をとって歩く写真が掲載された。象徴的な写真やスピーチはたしかに重要だったが、実際に政府がとったアクションは、それに見合わない小さなものだった。一九八〇年代中頃、カークの死後十年たってようやく、カーク政権の若いメンバーだった政治家たちが第一線に立つようになり、大きな変化をもたらすことができた。

　アーダーンはよくカークのことを、自分にとってお手本の政治家のひとりだといっている。たしかに、アーダーンとカークの政治スタイルは似ている。アーダーン批判でよくきかれるのが、アーダーンの公約は立派だが、政府のアクションがそれを実現できていない、というものだ。「夢見心地になるだけで、実体がなにもない」選挙の討論会で、イングリッシュがいった言葉だ。アーダーンのしていることが〝美徳シグナリング（「いい人」アピール）〟だといわれたこともある。いまは侮辱的言葉とされる言葉だが、一九七三年にツイッターがあったとしたら、カークの言動は〝美徳シグナリング〟だと何度いわれたかわからない。

アーダーンの政府が社会を改善したことは否定できない。産休の延長、生活困窮者のための燃料手当て、低所得者層の子どもたちへの無償給食、沖合での油田・ガス田開発の中止、使い捨てのビニール袋の使用禁止、新生児のいる家庭への毎週の給付金、海外からの投資目的の住宅購入の禁止、ニュージーランドの歴史の必修科目化、囚人の選挙権（刑期三年未満の囚人に限る）、といった政策を実現した。進歩的な政府がおこなった、前向きなアクションばかりだ。ただ、抜本的な改革とはいえない。アーダーンの選挙公約は抜本的な改革だったはずだ。幸福の予算も、変革ではなく改善だ。正しい方向に舵を切るだけであって、みんなの手をつかんで一足飛びにどこかへ移動するというわけではない。

野党議員だったとき、アーダーンは頭の切れる未来のリーダーという立ち位置だったが、政治手法は――心情的なものは別として、言動は――いつも保守的だった。口から出てくるのは希望に満ちていて、楽観的で、人を感動させるような言葉なのに、実際にやることはどちらかといえば現実的。首相になってからは、政権与党のリーダーとして国民の理想の人物でいつづけるのがいかに難しいかを学んだようだ。

とはいえ、口だけの政治家というわけではない。首相就任後の二年間で、前々から計画していたことも、そうでなかったことも含めて、さまざまなことを実現させた。労働党が打ちだした幸福予算は世界ではじめてのものだったし、今後、ニュージーランドでも、他国でも、よりよいものになっていくだろう。そのほかに、ニュージーランドはゼロカーボン法案を採択し、気候変動への対応目標を法律で定めた。そして大量殺戮を可能にする銃器の所持を禁止した。

若い人たちに与えた刺激

アーダーンはやがて、気候変動に懐疑的な野党議員たちが政界を去るのを見送ることができるかもしれない。現在五十代半ばから後半で、かつては我こそがジョン・キーの後継者だと思っていたような議員たちだ。現実には、まだ三十代の女性がトップに立っている。アーダーンの存在は、ベビーブーマー世代からミレニアル世代へと、国の運営を明けわたす流れを加速させたといえよう。これから七年たてば、現在の若い議員——とくにクロエ・スウォーブリック（一九九四年生まれ）のような緑の党の議員たち——も、中堅どころになるだろう。アーダーンの言葉に影響されて政界をめざした若い女性たちも、経験を積んでいるだろう。各地方自治体の議会では、二〇一九年に選ばれた女性議員の数が前年よりぐっと増えた（それでもまだじゅうぶんではないが）。彼女たちが自治体運営の中心的立場になれば、これまでに見聞きした変革を、彼女たち自身の手で実現するかもしれない。

アーダーンは、こうした若い人たちに刺激を与えてきたのだ。生まれたときからずっと、議論の余地もなく、気候変動が世界の脅威だと考えて育ってきた人たち。いまはまだ政府が言葉にしているだけだが、言葉ではなく行動に移すことが、まずはなにより大切な一歩だ。全世界をみても、具体的な行動をとっている国はまだほとんどない。

二〇〇八年に国会議員になってから、アーダーンは、民主主義と平等を社会に広めたい、若者の幸福に関する決定に若者自身が関与するようになってほしい、と話してきた。その結果、変化がまだまだ足りない、もっと抜本的な変化が起こってほしい、と考える若者たちの批判の目にさらされるようになった。

個人的かつ直感的な行動で

アーダーンがこれまでになしとげた改革は、アーダーンの個人的な、そして直感的な判断によるものが多い。世界の大国の多くでは、男性政治家が権力の座についていては、短期間でその座を追われている状況だ。そして世界は、ジェンダーや宗教などのアイデンティティ問題に関して、大きな曲がり角にさしかかろうとしている。車のハンドルを握るのはアーダーンだ。うまく曲がりきれなければ、車は奈落の底に落ちてしまう。しかしニュージーランドはこれまでも、そういうときのハンドルさばきがうまかった。とくに、女性政治家の台頭については世界の先を行っている。首相が在任中に出産をしたことさえ、とくに大きな騒ぎにもならず受け入れられた。海外では――女性が基本的人権さえ満足に与えられないような国ではとくに――そのようなことがあれば歴史的大事件としてとらえられるだろう。現在のニュージーランドでは、国会の本会議場に赤ちゃんがいることも珍しくない。ただ、アーダーンとゲイフォードが国連総会にニーヴを連れていったことで、世界各国で女性リーダーの扱いかたは大きく変わってきたようだ。

クライストチャーチのテロのあとは、頭にヒジャブをかぶることで、ニュージーランドと世界をひとつにできた。トップに立つ人間がほんの小さな思いやりを持つだけで、これほどの変化を作りだすことができるということを、世界に示すことができた。政治とはまったく関係のない行為による効果だと考えると、驚くべきことだ。二〇一九年の八月、テロの半年後にイスラム女性評議会でスピーチをしたとき、アーダーンはムスリムコミュニティのメンバーであるかのように大歓迎を受けた。事件直後のアーダーンの言葉とハグと存在そのものが、人々の記憶にはっきり残っていたのだ。

ニュージーランド国民は、自分たちの国でテロが起こるはずがないと信じていた。なのに、あのような事件が起こった。事件直後、国全体が軸を失ってふらついているかのようだったが、アーダーンがそれをしっかり支えた。そして同じ年の十二月、ホワイト島での火山噴火により二十二人の犠牲者が出たとき、アーダーンは同じように国を支えた。ほかのことはさておき、このふたつの出来事への対応によって、アーダーンは歴史に名を刻んだ。世界的な混乱と紛争の時代にアーダーンがしたことを、世界は決して忘れないだろう。

しかし、どんなことでも、もっといい結果が得られた可能性はあるものだ。もしもアーダーン率いる労働党が、ピーターズ率いるニュージーランド・ファースト党との連立なしに政権をとっていたら、ニュージーランドはよりよい進歩をとげたのではないか。そう考えずにいられない人もいるだろうし、それを否定する人もいるだろう。ニュージーランド・ファースト党との連立のおかげで、労働党は保守的な政策をとる口実ができたのではないか、と否定派はいうだろうし、肯定派は、労働党だけの単独与党なら国はもっとよくなっていたというだろう。アーダーンは、連立という制限がある中でさえこんなにうまくやってきたのだから、と。

働く母親として、〝共感力のある〟リーダーとして

世界にはいろいろなタイプのリーダーがいる。悪の権化として歴史に残るリーダーもいれば、際立ってよいことをひとつかふたつしたことで人々に記憶されるリーダーもいる。しかしほとんどのリーダーは完全に忘れられてしまう。

この先どういう展開になろうと、ジャシンダ・アーダーンが、在任中に出産した世界で二番目のリーダーであり、産休をとった最初のリーダーであり、子どもを連れて国連総会に出席し、スピーチした最初のリーダーである事実は変わらない。そして、クライストチャーチのテロ事件のあとに人間的で共感力に満ちた対応をしたことを、人々は決して忘れないだろう。

しかしアーダーンは、働く母親として、〝優しい〟リーダーとして、自らのレガシーを作りたいと思っているし、それを実現するつもりだ。

これからのアーダーンを全世界が見守っている。

エピローグ　二〇二〇

「みなさん、こんばんは。ちょっとだけオンラインでご挨拶します。これからしばらく、みんなで家にこもらなきゃですものね」

二〇二〇年三月二十五日の夜。三時間後に、ニュージーランド全国がロックダウンに入る。ジャシンダ・アーダーンは自宅からフェイスブックのライブ配信をはじめた。二〇二〇年は選挙の年ということもあり、こんなことになるとはまったくの予想外だった。二〇一七年の選挙のとき、ライブ配信はアーダーンの強い武器だったし、二〇二〇年の選挙運動でもそれを利用するだろうと考えるのが妥当だった。しかし、この日のアーダーンは、スーツを着て新しい政策について話すのではなく、ゆったりしたセーター姿で、世界的パンデミックについての質問に答えていた。

国民に寄り添ったロックダウン

アーダーンは一月から、科学者や健康アドバイザーと緊密に連絡をとり、COVID-19（新型コロナウイルス）の拡散状況に目を光らせていた。ほとんどのニュージーランド国民にとってこのときはまだ、新型コロナウイルスは、世界地図の下のほうにあるニュージーランドからははるか遠くのどこかに存在するもの、という印象だった。しかし、感染は急速に広がりつつあり、ニュージーランドが呑みこまれるのも時間の問題だった。二月二十八日、国内ではじめての新規感染者が報告された。イランから来た飛行機の乗客だという。このような感染例が増えるのは避けられない。政府が手を打つ必要があった。

三月半ば、世界保健機関（WHO）はまだ、各国の国境を閉鎖したほうがいいとはいっていなかった。しかしニュージーランドを含む多くの国では、中国本土から来た人の入国を制限しはじめていた。のちに制限対象国にはイラン、イタリア、韓国が加わった。三月十四日、アーダーンは、南太平洋諸島（まだ感染者数がゼロだった）から来た人を除くすべての入国者に対して、十四日間の自主隔離を求めることを発表した。政府の対応の厳しさを感じさせる最初の宣言だった。その翌日、ヨーロッパからの旅行客がニュージーランドに入国し、しれっとした顔で「自主隔離なんかしませんよ」と取材記者にいった。規則を守らないと明言したのだ。そのことについての意見を求められて、アーダーンはきっぱり答えた。「わたしたちは彼らを隔離することができます。隔離施設に入れて、ドアの外に警官を立たせ、外に出さない。また、隔離ではなく、彼らに国外退去を命じることもできるかどうか、問い合わせているところです」

ニュージーランドが国境を封鎖するのは建国以来はじめてだった。入国できるのは海外から帰国するニュージーランド国民のみ。一週間ほどは発表される対策が定まらなかったものの、最終的には、国民への周知期間を経て完全なロックダウンに入ることになった。三月十九日木曜日、国境が完全に封鎖された。二十一日土曜日、アーダーンは自分のオフィスでカメラに向かい、四段階の警戒レベルについて国民に説明した。レベル4になると、エッセンシャルワーカー（日常生活に不可決な仕事をする人）を除き、すべての国民は自宅から出ることが禁止される。現在はレベル2、とのこと。

深刻なメッセージであると同時に、どういうわけか国民に安心感を与えてくれる発表だった。

二十三日月曜日、アーダーンは警戒レベルが3になったこと、そして二十五日の真夜中からはレベル4になることを発表した。「この決定は、ニュージーランド国民の移動に関して、現代史上もっとも大きな制限を意味するものです。けれど、ウィルスの拡散を防いで国民の命を守るには、これが最善の方法です」ひと晩のうちに、バス停、看板、テレビやラジオのCM、道路標識など、すべてのものが同じことを訴えるようになっていた。「家にいましょう。命を守りましょう」

アーダーンは、あえてシンプルなメッセージを選んだ。記者会見ではいくつかのキャッチフレーズを繰りかえし口にした。「早めに厳しい対策を」「バブルから出ないで」「五百万人のチーム」「強く、でも優しく」

効き目はあった。信じられないことに、ロックダウンへの反対意見がほとんど出なかった。もちろん、経済への影響を心配する声はあったが、ロックダウンに伴ういくつかの工夫によって、打撃は小さく抑えられた。十二週間の賃金支給制度（のちに期間が延長された）が作られ、従業員の代わりに雇用主が申請できるようにした。自営業者にも手当てはあり、たった六十秒の手続きにより、四十八時間以内に多額の給付金が銀行に振りこまれた。賃貸住宅の家賃も支払い猶予が認められた。政府がこの状況をきわめて深刻に受け止めていることのあらわれでもあり、だからこそみなさんも深刻に受け止めてくださいというメッセージでもあった。

三月二十五日、国じゅうのスマホが光を発し、緊急アラートが鳴った。ロックダウンの開始だ。どうすべきかはじゅうぶんに告知されていた。アラートにはこんな文面が出てきた。

すべてのニュージーランド国民へ。すべてはみなさんの行動にかかっています。規則に従い、家にいてください。自分が新型コロナウイルスに感染しているという前提で行動してください。このことで、たくさんの命が救われます。

次のことを忘れないでください。

・今夜いるところにずっといてください。場所を変えてはいけません。
・いっしょに暮らしている人以外とは、肉体的な接触をしてはいけません。
・警戒レベル4の状態は数週間続くと思われます。
・みんなの力を少しずつ合わせて、COVID－19を乗りこえましょう。キア・カハ（がんばろう）。

それから四週間、ニュージーランドは動きを止めた。医療従事者、政府関係者、スーパーマーケットの店員といったエッセンシャルワーカーは仕事に出るが、ほかの人々は自宅のバブルにこもった。散歩やジョギングなどの運動は許されたが、高速道路は警察がパトロールして、自宅を離れて遠くへ行こうとする人を取り締まった。スーパーで、ひとりの男がほかの客にむかって咳きこんでいるようすが撮影されると、その男は国じゅうの人から非難され、すぐに逮捕された。ロックダウンの規則を破っていると思われる人を告発するオンラインサイトが作られると、二日間で一万件もの報告があった。ニュージーランド国民がいかに国全体の健康を気にかけているかのあらわれだ。国民みんなが警察のスパイになったかのようだった。

イースター・バニーはエッセンシャルワーカー

毎日午後一時、アーダーンは保健局長のアシュリー・ブルームフィールドといっしょに——あるいはブルームフィールドがひとりで——新規感染者数、死亡者数、累計感染者数のアップデートを発表した。同時に、ソーシャルディスタンス、手洗い、具合が悪くなったらどうしたらいいか、といった基本情報を提供する。ひとりで担当するときも、アーダーンと組んでこの仕事をするときも、ブルームフィールドは見事にその役目をこなした。新しい数字や感染予防方法を淡々と伝えるようすはアーダーンの感情をこめたスタイルとは対照的で、その組み合わせがよかったのだろう。ロックダウン中でこれといった娯楽もないので、ニュージーランド国民はすぐにブルームフィールドを神格化し、午後一時からのその放送を〝アシュリー・ブルームフィールド・ショー〟と呼び、「アシュリー・ブルームフィールド　奥さん」というのがグーグルの検索ワードのトップになった。

その頃、海外ではふたたびアーダーンのことが話題になっていた。感染がすでに大きく広がっている国の人々から、完全なロックダウンという対応が賞賛されたのだ。それだけではない。アーダーンは、自分自身を含むすべての大臣の給料を、むこう半年間二十パーセントカットするとも発表した。ロックダウンの影響で苦しんでいる国民に同情と理解を示すための決定だ、と海外の新聞は報じた。ブルームフィールドと国民党党首のサイモン・ブリッジズは、自分たちも給与のカットを受け入れるといった。最大二十パーセントカットしたとしても、十六万ドル（約千二百八十万円）は残るわけで、じゅうぶんな高給だ。とはいえ、このことは世界各国にも同じ流れを生みだした。

アーダーンはまたも、国民に心を寄せて結束を示すことが、これまでのどんな政治家のやりかたよりも効き目があるということを、世界にむけて示したことになる。

さらに、アーダーンは、イースター・バニー（復活祭のウサギ）をエッセンシャルワーカーと認める、と宣言した。イースターが近づいてきたある日、記者のひとりが伝えたひとりの子どもの質問「イースター・バニーはロックダウン中もちゃんとお仕事ができるんですか」に対する答えだった。「たしかに、イースター・バニーはあちこちのおうちに卵を配ってまわりますよね」アーダーンはそういって笑った。「トゥース・フェアリー（歯の妖精）もイースター・バニーも、エッセンシャルワーカーですよ」家庭のテレビをみている子どもたちに語りかけるような話しかたで、現状を説明した。「それでもバニーがすべての家庭を訪れるのは難しいかもしれないから、みなさんはイースターの卵の絵を描いて、窓辺に飾っておいてください。外を通りかかった子どもたちにみえるように」

アーダーンとブルームフィールドは、国民にさまざまな役割を――しかもレベルの高い役割を――果たすことを要求した。そして国民はそれに応えた。五百万人から成るチームの一員としての役割を、だれもがきちんと果たそうとした。ロックダウンに入って十日で、新規感染者数はピークを迎え（四月二日と四月五日が八十九人）、そこからは急激に減少した。数字が小さくなるたびに国民は喜んだし、アーダーンもテレビカメラにむかって国民に感謝した。「この百年間で一度もなかったような人類の健康の危機の中で、ニュージーランド国民は静かに、そして力を合わせ、防御の壁を築いて国を守ろうとしました」四月九日の言葉だ。「感染の連鎖は止まろうとしています。

みなさんひとりひとりの努力のおかげです」

四月二十日、警戒レベル4のロックダウンがあと二日で明ける予定だったが、アーダーンは、四月二十七日までは警戒レベルを3には下げない、と発表した。新規感染者数は一桁に落ちていたが、ロックダウンを延長することにしたのだ。それでも国民のほとんどは文句をいわずに従った。世論調査によると、回答者の六十六パーセントが、この四月二十七日というタイミングを「まあ適当である」と答え、二十二パーセントが「まだ早い」と答えた。

ロックダウンから三カ月足らずで

アーダーンとブルームフィールドのリーダーシップは、国民から全幅の信頼を得ていたが、これは海外の状況とは対照的だった。ニュージーランド国民は安全な自宅にこもりながら、イギリスの首相ボリス・ジョンソンが他人との接触を控えようとしなかったせいで新型コロナウィルスに感染したとのニュースをみた。アメリカの新規感染者数が毎日千人単位で増えていくのに、トランプ大統領が新型コロナウィルスなどたいしたものではないと公言するのもみた。世界のリーダーたちが好き勝手なことをいい、それが間違っていたとわかる――そんな経過をみていると、ニュージーランド国民は、わが国はだいじょうぶだと安心感を深めることができた。

五月四日、ニュージーランドの新規感染者数がゼロになった。三月半ば以来のことだ。しかも、この一日だけではなかった。国境での隔離システムを徹底させたことと、国民がロックダウン期間中のルールを守ったことによって感染者数ゼロの日数が積みあがっていく。六月九日までに、感染者数ゼロの連続日数が十七日まで伸びた。アーダーンはビーハイヴの会見室で二件の発表をした。ひとつは、ニュージーランドでは新型コロナウィルスの感染者も患者もいなくなったこと。もうひとつは、その結果として、国の経済活動を再開させ、国内のすべての規制を解除すること。例外は出入国の規制だ。大部分の疫学専門家は、三月の時点で、状況がここまでよくなるとは予想していなかった。ニュージーランドはCOVID－19を克服したのだ。この結果をどう受け止めましたか、という問いにアーダーンはこういった。「ちょっと踊ってしまいました」

国内での感染事例が判明してロックダウンが実行されてから三カ月たらずのうちに、ニュージーランドの経済活動は通常どおりになった。人々は学校や職場に戻り、大切な人と抱きあったり、大人数で集まったりすることもできるようになった。午後一時の定例会見も終わり、政府の活動も以前どおり。つまり、政治家がいつものように失態をさらしたり互いに反発しあったり、近づいてくる選挙の準備をはじめたりしはじめたのだ。

高いコミュニケーション能力と共感力

通常の状況であれば、コミュニケーション能力は、一国のリーダーにとって必要な能力のうち二番目か三番目くらいに位置づけられるが、アーダーンはその能力が高かった。しかしそのことが逆に、〝言葉だけ〟という非難につながったこともある。それでも、アーダーンの意図しないところで起きたさまざまな状況により、アーダーンの首相としての第一期は、その座を脅かされることなく過ぎた。クライストチャーチのテロ事件のあとは、高いコミュニケーション能力のおかげで、国民に共感して国民とひとつになれる首相だという評価を得ることができたし、悲しみにくれる国民を結束させることもできた。自然災害が起きたときも、愛する家族の無事の帰宅を待つ人々に対して、言葉を選んで状況を報告した。現在のコロナ禍の世界で、国民を結束させるのに苦労するリーダーが多い中、アーダーンとそのチームはその高いコミュニケーション能力を活かし、状況に見事に対処することができた。

その結果、アーダーンの人気はふたたび急上昇した。COVID－19の初期対応において、アーダーンの判断はすべて正しく、国民党のサイモン・ブリッジズの判断はすべて誤っているようにみえた。五月十八日、国民党にとってショッキングな世論調査の結果を受けて、トッド・マラーが党首の座に名乗りをあげた。それまで、マラーは無名の人物だったが、少なくともブリッジズとは別人だし、ニッキー・ケイが副党首として彼を支える。ブリッジズを辞任に追いこむにはそれだけでじゅうぶんだった。

それから五十三日後、マラーが国民党党首を辞任し、ベテラン議員のジュディス・コリンズがあとを継いだ。三カ月のうちに党首が二回も入れ代わった国民党のありさまは、二〇一四年の労働党とよく似ていた。その後、アーダーンを選挙区で二度倒した唯一の議員であるニッキー・ケイが、今期いっぱいで政界を引退すると発表した。国民党の議員がどんどん政界を去っていく。そのうち、よほどの失策がない限り、アーダーンと労働党はそのまま政権をとりつづけるのが確実だとわかってきた。選挙まであと五十五日の時点で、労働党の支持率は六十パーセント、国民党は二十五パーセント。この数字を投票日まで維持できれば、労働党の単独政権が実現する。ニュージーランド・ファースト党や緑の党と連立しなくてすむ。

一九九六年の小選挙区比例代表併用制施行後、労働党が単独政権をとることはそれまで一度もなかった。実現すれば、連立パートナーと政策をすりあわせることなく、独自の決定を下すことができる。また、それまでの三年間にアーダーンがしてきたスピーチの内容や公約を必ずしも守らなくてよくなる。

二〇二〇年七月、全世界の新型コロナウィルス感染者総数が千六百万人を越え、六十四万人が亡くなったと報告された。感染者数がふたたび激増しはじめ、世界のあちこちの都市で二度目のロックダウンがはじまった。マスク着用を拒否する人々も多かった。

ニュージーランドの累計死者数は二十二人。五月二十八日以来、その数字は変わっていなかった。市中感染はゼロ。オークランド中心部での選挙運動中、アーダーンは町のお祭りのようなイベントに参加した。屋台をやっている人たちに話しかけながら、人込みの中を進む。出会う人々と挨拶を交わし、握手をし、ときには立ちどまっておしゃべりをする。町の人々の姿をみて、アーダーンはとてもしあわせそうだった。人々も、アーダーンに会えてうれしそうだった。

二回目のロックダウン

何度も繰りかえしいわれたことだが、ワクチンと治療薬が普及するまでは、ニュージーランドが真の意味でCOVID‐19を根絶したとはいえない。それまでは、感染の波が起こるたびにそれに対応する手段をとり、医療システムが崩壊しないようにすることが大切だ。第一波のときは国全体のロックダウンで感染者ゼロまで持っていくことができたが、第二波が来るのは時間の問題だった。

八月十一日の夕方、夜の九時十五分にアーダーンとブルームフィールドが緊急会見を開くとの発表があった。そんな遅い時刻にわざわざやるのだから、悪い知らせだというのはすぐにわかる。そこでアーダーンは単刀直入に切りだした。「百二日ぶりに、管理下に置かれた隔離施設の外で、新規感染事例が確認されました」オークランド市民の一家のうち四人が新型コロナウィルスの検査を受け、陽性と認められた。出入国をしたわけでもないし、確認されているほかの感染者と接触したわけでもない。「こうしたシナリオを防ぐべく全力を尽くしてきましたが、同時に、準備もしてきました」アーダーンはいった。保健関係者が感染者の接触履歴を調べるとともに、地域の人々に集中的に検査をおこなった。そして最大都市オークランドに警戒レベル3のロックダウンを発令した(翌日の正午から開始)。レベル3のロックダウンとは、日常生活で必要不可欠な行動、たとえばスーパーでの買い物や運動、非接触のフードデリバリーなどは許されるが、それ以外は家にいなくてはいけないというもの。今回のロックダウンは三日間の予定だが、新規感染者数が増えれば延長もあり、との内容だった。オークランドは息をひそめて待った。二日後、アーダーンは再び会見場にあらわれ、オークランドでここ四十八時間のあいだにおこなった検査結果として、二十九人の陽性患者が出たことと、今回の波の出所がはっきりわからないということを述べた。オークランドのロックダウンは十二日間延長され、トータルでおよそ二週間ということになった。オークランド市民は不満を漏らしたが、ほかの地域の人々は、別の心配をしていた。もしオークランドのロックダウンがさらに延長されたら、九月十九日の選挙はどうなるのか。その日はわずか四週間後に迫り、野党各党からは延期を望む声があがっていた。感染拡大を防ぐため、選挙活動に制限が設けられていたためだ。八月十七日、アーダーンがまた会見をおこなった。「検討の結果、選挙は四週間延期し、十月十七日を投票日とすることに決めました」全国から不満の声があがった。ステイホームだけでもうんざりなのに、選挙運動が四週間も延びるなんて勘弁してほしい、という声だった。

それでも、二回目のロックダウン中におこなわれた世論調査では、ニュージーランド国民の過半数が、政府による新型コロナウイルス対策を〝とてもすばらしいと思う〟と答えた。迅速なアクションと明確なコミュニケーションのおかげで、二回目のロックダウンは一回目と同じような結果を出した。新規感染者数がはじめの数日は増加するものの、その後確実に減少する。九月になると規制がゆっくり緩和されていった。午後一時の定例会見もいったんは復活したものの、一時的なものだった。それが終わると、アーダーンは選挙運動にエネルギーを注いだ。パンデミックへの対応により政府の支持率が上がりはしたものの、油断は禁物だ。どんな悪いことが起こるかわからない。

中道寄りにシフト

労働党が国民全体から支持されているのは明らかだった。八月はじめ（新たな感染の波がやってくる二日前だった）、アーダーンが選挙運動を正式にはじめたとき、労働党の支持率は五十三パーセント、国民党は三十二パーセントだった。その一週間前、アーダーンの四十歳の誕生日の調査では、労働党の支持率は六十一パーセントという高い数字を記録していた。また、若い労働党支持者たちは、次の政権ではアーダーンがもっと進歩的な政策をとってくれるのではないか、と期待していた。政府はすでに賃金助成制度や中小企業への貸付金制度にためらいなく予算をつぎこんでいたし、労働党支持者の中でもより左寄りの有権者たちは、労働党なら、富裕層への課税を重くすることで、そういった支出の穴埋めをするつもりではないかと期待していた。

ところが労働党は、政策を中道寄りにシフトした。不満を抱えた国民党支持の有権者たちにアピールするためだ。労働党の新税制は年収十八万ドル以上を対象にしたもので、該当するのは全国民のうちのわずか二パーセント。選挙公約からは〝抜本的な〟という言葉が除かれた。かわりに使われたのは〝強くて安定した〟という言葉。つまり、今回の労働党への投票は、「国政に大きな変化を求めないという選択」なのである。大きな波瀾続きの一年を経験していた有権者には、これが効いた。

アーダーンとジュディス・コリンズによる党首討論会が四回開かれたが、それによってわかったのは、労働党と国民党の共通点の多さだった。キャピタルゲイン課税が話題になったとき、コリンズは、自分はいいと思わない、国民党は採択するつもりはない、と答えた。アーダーンは、いい考えだとは思うが、党としては取りあげないつもりだ、と答えた。両者の違いが際立ったのは、討論のスタイルだった。アーダーンは落ち着いて、物事を明確に述べるタイプ。その特徴が前面に押しだされていたのに対して、コリンズはより攻撃的なアプローチをとったし、アーダーンのことを何度も「若いあなたは」とか「お嬢さん」といった言葉で呼んだ。古い政治家と新しい政治家の戦いでもあった。コリンズは視聴者をある程度楽しませはしただろうが、最終的に勝ったのはアーダーンだった。

安楽死と大麻についての国民投票

労働党が勝ち、単独政権を樹立した。ニュージーランドが小選挙区比例代表併用制をとりいれて以降はじめての単独政権だ。労働党への投票が過半数だったので、他党と連立を組む必要がなかったのだ。投票日の午後七時に投票が締め切られるまで、さまざまな予想が国をにぎわせた。ACT党は二〇一七年の〇・五パーセントから八パーセント近くまで得票率を上げることができるのか？　副首相のウィンストン・ピーターズとニュージーランド・ファースト党は議席を失うのか？　労働党躍進の中、緑の党は五パーセントという最低ラインを超えて議席を得ることができるのか？

これらの問いに対する答えは、すべてイエスだった。

労働党が比例代表で過半数の票を確保したことは、午後七時十六分の時点で明らかになっていた。国民党の得票率は二十五・六パーセント、緑の党は七・九パーセント、ACT党は七・六パーセント、そしてニュージーランド・ファースト党は二・六パーセントだった。

国民党が政党票の一部を左派の労働党や右派のACT党に奪われることや、労働党が左右（左は緑の党、右は国民党）から票を奪うことは、開票前から予測されていた。意外だったのは、緑の党が前の選挙よりいい結果を残したことだ。有権者全体が左方向にシフトしたことのあらわれだった。

労働党は過半数の議席を確保したが、投票日の夜、いちばんの勝者は緑の党のクロエ・スウォーブリックだった。ファッションデザイナーから政治家に転身した二十六歳のスウォーブリックは、アーダーンの前の選挙区であるオークランド・セントラルから出馬した。ここは歴史的に国民党と労働党の戦いの場だったが、ニッキー・ケイが突然引退を発表したこともあり、両党とも比較的無名の候補者を出すことになり、そこにスウォーブリックが割ってはいった格好だ。小選挙区では一議席しか獲得したことがなかった（一九九九年）緑の党がオークランド・セントラルからスウォーブリックを出馬させることについては、労働党の候補者ヘレン・ホワイトが何度もやめてくれといっていた。左派の票が割れてしまうからだ。しかしスウォーブリックは熱心な草の根キャンペーンをおこない、結果として労働党と国民党の両方から票を奪って、オークランド・セントラル小選挙区を制した。次点のヘレン・ホワイトとの得票差は一〇六八。

アーダーン同様、スウォーブリックは将来の党首と見こまれていたが、これもアーダーン同様、本人はそうなりたくないと主張した。スウォーブリックがアーダーンと違っていたのは、連立与党の仲間であった議員たち、とくにアーダーンを遠慮なく批判する点だった。

労働党の圧倒的勝利から二週間後、リベラルな有権者たちはふたたび失望することになった。アーダーンの政治的信念に物足りなさを感じたのだ。一度目は、国民からの圧倒的人気をキャピタルゲイン課税導入に活用できなかったときだった。そして今回は大麻。二〇二〇年総選挙の投票日、有権者は四種類の投票をした。小選挙区、比例代表、そしてふたつの国民投票だ。大麻の合法化と、安楽死の合法化。どちらも何年も前から討論されていたものだ。安楽死についてはACT党のデイヴィッド・シーモアが承認を訴えてきた。嗜好品としての大麻の合法化については、クロエ・スウォーブリックが先頭に立ってキャンペーンを張ってきた。

大麻についての国民投票は、ドラッグ問題であると同時に人種問題でもあった。アーダーンのチーフサイエンス・アドバイザーであるジュリエット・ジェラードの報告により、マオリの国民は非マオリの国民に比べて、大麻関連の犯罪で逮捕される頻度が三倍であり、一度目の違反で送検される可能性は二倍高く、起訴される可能性は七倍高いということがわかっていた。

　アーダーンは以前、自分自身のドラッグ経験について聞かれて曖昧に答えたことがあったが、それから数年後の党首討論会では、大麻を使ったことがあると明言した。思いきった告白、というほどのものではない。むしろ、成人の過半数が大麻使用の経験があるこの国で大麻をやったことがないというほうが不自然であり、認めるべきことを認めたにすぎなかった。ただし、それ以上のことはいおうとしなかった。多くの国会議員が、大麻合法化の国民投票について、自分の考えを明らかにしていた。前労働党党首であり現職の法務大臣であるアンドルー・リトルも、賛成票を投じると公言した。記者やほかの議員や討論会の司会者などに意見をきかれても、アーダーンは――大麻の所持者を逮捕したり収監したりするべきではないと思うと何度もいっていたにもかかわらず――今回の国民投票でどちらに投票するつもりかを明かさなかった。首相の役割は、国民投票をおこなって国民に選択の場を提供することであって、賛否を国民に押しつけることではないから、というのがアーダーンの説明だった。「わたしの一票も、お隣さんの一票も、重さは同じですからね」

　投票日が近づくにつれて、安楽死（これについてはアーダーンが支持を表明していた）の合法化はスムーズに決まりそうな情勢になった。しかし大麻のほうは賛否が拮抗していた。国民からもっとも信用され支持されている首相がイエスといえば、きっと賛成票が増えるだろう。しかしアーダーンは態度を変えなかった。

　労働党の歴史的勝利から二週間後、国民投票の暫定結果報告があった。安楽死法案は通過の見込み。しかし大麻合法化は、反対票が五十三パーセントあるので実現しないと思われる、とのこと。

その日、アーダーンは自分が大麻合法化に賛成票を投じたと語った。賛成派の人々は激怒した。リトル法務大臣は、次期政権では麻薬関係の法改正を目指す、と明言した。開票がすべて終わった時点で、大麻合法化が実現しないことが確定した。最終的な反対票は五〇・七パーセントだった。

アーダーンが賛成票を投じたことをあとになって認めたことについて尋ねられたとき、スウォーブリックは容赦ないコメントをした。「わたしが緑の党にいるのは、自分の意見をためらわずにいえるからです」

アーダーンは自分の意見を明かす勇気があるのだろうか？　二〇一七年の選挙のときからずっと、だれもが持っていた疑問だ。第二期に入っても、国民はその疑問を持ちつづけていた。労働党が単独政権を獲得したいま、ウィンストン・ピーターズにサイドブレーキを引かれるおそれはない。アーダーンは自分の考えるとおりに政策を進めることができるのだ。しかし、実際にそうするのかどうか。アーダーンは自分の考えるとおりに政策を進めることができるのだ。

何年も前から支持してきたキャピタルゲイン課税を、自分が首相でいるあいだは導入しないと発表した。大麻所持者の逮捕や訴追に表立って反対してきたにもかかわらず、結局は合法化を見送る形になった。こうした中途半端な意見表明は、アーダーンなら抜本的な改革を実現してくれるはずと信じた人々を落胆させる結果になった。

多様性に満ちた閣僚名簿

とはいえ、そのほかの分野では、ニュージーランドには重要な変化があった。二〇二〇年十月にアーダーンが発表した閣僚名簿は、それまでのどんな閣僚名簿とも違ったものだった。それは、ニュージーランドそのものだった。大臣の半数が有色人種で、半数が白人。モコ・カウアエと呼ばれるマオリにとって神聖な意味のある顔のタトゥーをした議員がはじめて誕生したが、その議員ナナイア・マフタは、ニュージーランドではじめての女性外務大臣に任命された。また、労働党には八人、緑の党には四人、LGBTQIA+の議員がいることから、ニュージーランド国会は世界でももっとも性的多様性に富んだものになった。アーダーンは、国全体を象徴するような内閣を作った。各大臣が、自分の所属するコミュニティの権利を求めて闘っていくだろう。国民党(三十三人の議員のうち三十人が白人)とは違って、労働党は未来に目を向けた政党という色合いをどんどん濃くしている。

ほかの国々と比べてみれば、ニュージーランドという世界地図のいちばん下にある小国が世界の趨勢(すうせい)をよく理解しているのがわかるだろう。アーダーンはこれからも、よりよい未来を願う若い人々にとって、希望の灯でありつづける。国内のさまざまな問題への取り組みが慎重すぎて、支持者の一部を落胆させてしまうことはあったとしても、彼女の優しさと共感は、何百人もの人々の心を動かしてきた。首相在任中に妊娠出産をしたことで有名になったアーダーンではあるが、いまやその経歴は、これまでに積みかさねてきた数々の業績と比べれば、単なる注釈程度のものにすぎない。どのような形でその名を歴史に残すかは、アーダーン政権がこれからなにを成しとげるか、アーダーンがこの小さな国でいかに大きな力を発揮するかにかかっている。

その力を使ってなにをするか、それはすべてアーダーン次第だ。

二〇一八年九月二十八日
国連総会におけるニュージーランド国家声明

E ngā mana nui o ngā whenua o te ao Tēnā koutou katoa
Nei rā te reo mihi maioha o Aotearoa Tēnā tātau i ngā kaupapa kōrero
Ka arahina e tātau Me te ngakau pono
Me te kotahitanga o te tangata

総会議長、事務総長、わたしの友人である全世界のみなさん。

わたしはこのスピーチを先住民族の言葉、マオリ語（テ・レオ・マオリ）で始めました。アオテアロアとは、ニュージーランドを意味するマオリ語です。伝統にのっとりここにいるみなさんに感謝するとともに、わたしたちがなぜここにいるか、そしてわたしたちの仕事がいかに大切かということを申し上げました。

まずはマオリのことから話すのがいいと思います。わたしは今回はじめて一国の首相として国連総会に出席し、そこにあるパワーとポテンシャルに圧倒されましたが、国連の持つ力については、ニュージーランドで暮らしていても、いつも強く意識しています。

ニュージーランドは南太平洋のいちばん南にある島国で、いちばん近い隣国に行くにも飛行機で三時間かかります。十二時間以内に行ける場所は〝ご近所〟という感覚です。しかし、こうした地理的な孤立がわたしたちの価値観に影響を与えたことは疑いありません。

ニュージーランド国民は謙虚で、ステイタスを重視しません。スポーツクラブでボランティアをしてくれる人を、成功した実業家と同じくらい高く評価します。わたしたちには共感力と強い正義感があり、また、現実的にものを考える力があります。ニュージーランドは主にふたつの島から成り立っていて、それぞれシンプルに北島、南島と呼ばれます。ふたつの島から成り立つ島国ではありますが、ニュージーランド国民に島国根性はありません。広い視野をもって世界に関わってきたことで、いまの国民性が形作られました。

わたしは八〇年代に子ども時代を過ごしました。ニュージーランドの歴史において、海外で起きたさまざまな出来事に対して、傍観しただけでなく、国家として果敢に挑んだ時代です。たとえば南アフリカのアパルトヘイト、太平洋での核実験といったものに自分の国がどう反応するかをみながら、わたしは育ちました。街頭デモをするときも、法改正をするときも、わたしたちは、コミュニティの一員であるならば声を上げなければならないと学びました。わたしはだれよりも高い誇りを持ったニュージーランド国民ですが、その誇りの大部分は、自分が国際的コミュニティの強く活動的な一員であるという思いから来るものです。国際的な感覚を持つことは、自国への誇りを否定するものではありません。そして、その国際的コミュニティの中心にあるのが、この国連本部です。

悲惨な戦争を経験したあと、わたしたちは力を合わせ、話し合いや憲章や裁定を通して、国際的規範や人権に関する取り決めをしてきました。これらのことはすべて、わたしたちが孤立してはいないことや、各国政府は自国民および他国に対するさまざまな義務を負っていること、そしてわたしたちの行動が国際的影響力を持つことの証左です。

一九四五年、ニュージーランドの首相ピーター・フレイザーはこういいました。「すべての人間の心には、人類すべてが協力し、人間の品位にふさわしいリアルで永続的な平和を手に入れたいという願いがある。国連憲章は、ともすれば置き去りにされがちなその願いを、わたしたちに思い出させてくれるものなのだ」しかし、こうした原則を歴史の本の一ページに追いやってしまってはいけません。実際、わたしたちが今日直面している課題について考えれば、そして、それらの問題の性質も、与える影響も、全世界に及ぶものであることを考慮すれば、全体で行動すること、多国間で力を合わせることの必要性が、現在ほど明らかになった時代はありません。しかしながら、こうした現実があるにもかかわらず、世界のあちこちからきこえてくる討論や会話は、国際的な組織や機構の重要性とは無関係に進められているようです。だからこそ、わたしたちはそういった組織や機構の存在をわたしたちの力で守っていかなければなりません。

このことから、ひとつの疑問が浮かびあがってきます。わたしたちはどうして今日のような状態になってしまったのか。そして、どうやってここから抜け出したらいいのか。

いまこの場所で、わたしたちを政治的に結びつけるものがあるとしたら、それは国連の存在です。グローバリゼーションはわたしたちの国家や国民にとても大きな影響を与えます。多くの人にとっては、その影響はよいものですが、そうでない場合もあります。経済の変容のせいでいやな思いをしたり、それが苦しい状態を招くこともあるでしょう。これまでにない世界経済の成長の中で、孤独感を深めたり、住む場所を失ったり、不安や危険をおぼえたり、希望がむしばまれていくのを感じたりする人々がいるのを、わたしたちは目の当たりにしています。

政治家として、政府として、こうした課題に取り組む方法の選択肢があります。ひとつは、環境問題の責任を、名前も顔もない〝だれか〟に押しつけて、さらに危険な状態をつくったり、より強い孤立主義に走ったりすること。そしてもうひとつは、問題の存在を認め、それを突きとめて解決することです。

世代の交代

ニュージーランドは、一国だけでやっていける国ではありません。それは歴史をみればわかることでもありますが、それだけではなく、貿易立国という性質のためです。また、わたしたちは、そのことに誇りを持っています。ただ、そうした背景がなかったとしても、わたしたちは、国家としての独立性のほかに考えるべき問題があります。世代によって求めるものが違うという点です。若い人たちが既存の政治システムに不満を示すのが世界的風潮になっているのは、まったく驚くべきことではありません。違ったやりかたで政治をおこなえ、と彼らは要求してきますが、それも当然です。彼らもまた、急速に変わりつつある世の中に適合していかなければならないのですから。

次の世代の人々は、これまで以上に密接にたがいと関わりあいながら育っていくことになるでしょう。産業のデジタル化によって、いまの若者がめざしている職業の中には、二十年後には存在しないものも出てくるでしょう。教育の場でも、労働市場でも、若者は近所の友だちと競争するだけでなく、まわりの国々と競争しなければならなくなります。ボーダーレスの世代であるといえます――少なくともバーチャルな意味では。彼らはまた、自分を一国の国民ではなく世界の一市民と考えるようになるでしょう。若者たちをとりかこむ現実が変わっていく以上、若者たちは、わたしたちにも変化を求めるはずです。わたしたちリーダーが下す決断によって世界全体が影響を受けることを理解してほしい、力の使いかたを変えてほしい、というでしょう。

新しい世代は、たとえばどの分野でのやりかたを変えてほしいと思っているのでしょうか。それほど遠くに目をやる必要はありません。すぐ手元にある、気候変動に目を向けるべきです。

世界が抱える問題

二週間前、太平洋諸島のリーダーが集まる太平洋諸島フォーラムが開かれました。ナウルという小さな島で開かれたこの会合で、太平洋の安全を脅かすもっとも大きな問題は気候変動である、との声明が出されました。お願いです、このことを少しのあいだ考えてみてください。わたしたちは話し合わなければならない問題をたくさん抱えていますが、その中でも、海面上昇は、わたしたちの地域にとって、ほかのなにより重大な問題なのです。南太平洋諸島に住む人々にとって、気候変動は学問の対象ではなく、議論の余地のない差しせまった現実です。彼らは海面が上昇するのを目の当たりにしています。異常気象が頻繁に起こるせいで、水や食料の確保にも影響が出ています。わたしたちはよく科学的な話をします。たとえば、人類が生き残るためには気温の上昇をどれくらい抑えなければならないか、といったことです。しかし、南太平洋諸島の人々の話をきいていると、胸がずきずき痛むような厳しい現実が伝わってきます。子どもの頃は海はもっと遠かったとか、おとなになったら村全体がなくなる心配をしなければならないとか。

　この世界的問題に対してわたしたちがとるべきアクションは何通りかありますが、なにもしないというのは絶対にだめです。ツバル、マーシャル諸島、キリバスといった小さな国々は、気候変動の原因になるようなことをほとんどしてこなかったにもかかわらず、いま、そしてこれから、気温上昇の影響をもろに受けようとしています。

　こうした南太平洋の国々が、気候変動の影響を受けることから逃れられないとするならば、わたしたちがそれを止めるためのアクションをとるしかありません。多国間の協調に少しでもひびが入っていたら――気候変動に関する目標や合意を反故（ほご）にするような動きがあったなら――そのことが地政学の歴史に残す足跡は小さくありません。破滅につながります。

　ニュージーランド国民は、自分たちの役割を果たすことを決意しています。沖合の油田やガス田の開発は、今後許可しません。二〇三五年までに、電力のすべてを再生可能エネルギーに切り換えるという目標を設定しました。また、新しい工夫がどんどん生まれるようにするために、緑のインフラ基金を創設し、今後十年間で十億本の植樹をする計画にとりかかっています。

こうした計画は壮大なものですが、わたしたちは決して臆することなく、それを目指しています。気候変動の脅威に対抗するには、そうしなければならないのです。しかしながら、ニュージーランドの温室効果ガス排出量は、世界全体の〇・二パーセントにすぎません。だからこそ、世界全体でアクションを起こすことや多国間で協調することの重要性を、気候変動ほど強く訴えてくる問題は、国連創設以来ひとつもなかったといえるのです。これを、わたしたちみんなのスローガンにしなくてはなりません。

しかしながら、生じるべきではない障害も起きています。個人が負担するコストを計算したり、自分の利益になるのだろうかと考えたりすることです。そしてこのこと以外にも、それぞれの国が、まずは自国の損得勘定をしてしまうという問題もあるでしょう。こうした障害によって、いくら世界が力を合わせて問題解決に取り組もうとしても、その努力はなかなか報われず、最悪の場合には完全に打ち消されてしまいます。

多国間協調の再構築

とはいえ、自国の利益中心にものごとを考える姿勢は理想的なシステムに背を向けるものだと断罪するのは、不公平であり、短絡的でもあります。わたしたちはこれまで、問題解決のための国際的な組織や機構を作ることに力を注いできましたが、それらはまだ完璧なものではありません。しかし、改善することはできます。

ですから、わたしは今日、みなさんに訴えたいのです。多国間協調政策を建てなおし、あらためて全力を尽くしましょう。グローバルなコミュニティの一員として、これまでの二倍の努力をしていきましょう。多国間のつながりが生みだすマイナス面ではなくプラス面についての共通の信念を再発見しましょう。世界全体で力を合わせてアクションを起こすことがいい結果につながるだけでなく、すべての人に利益をもたらすものであるということを、示していきましょう。

次世代の人々に示す必要があります。わたしたちは彼らの声をきく耳を持っていて、彼らの声にすでに気づいているということを。

結束

しかしながら、改革の計画を本気で進めていくのであれば、わたしたちがこの重大な岐路に立つまでに犯してきた失敗を認めることからはじめなければなりません。たとえば、貿易の自由化のおかげで世界の何百万もの人々が貧困から抜けだすことができた一方で、生活レベルが低下したと感じている人々もいます。ニュージーランド国内でも、貿易に関する合意に反対意見が出ることがたびたびあります。

これを解決するには、過去の過ちを繰りかえさず、保護貿易主義の偽りの利点に誘惑されないようにすることが大切です。逆に、貿易の恩恵が全世界に公平に行きわたるよう、みんなで努力すべきです。その努力を国際機関だけにまかせていてはいけません。また、恩恵が満足に行きわたらなかったとしても、国際機関を責めてはいけません。創造的でサステイナブルで包括的な経済を作るのは、わたしたちみんなの責務です。また、やりかたさえ間違えなければ、国際経済統合は世界全体を豊かにしてくれるということを国民に示していくのも、同様にわたしたちの責務です。

そして、だれかの生活をよりよいものにしたいと考えるとき、そのだれかというのは、もっとも弱い人でなければなりません。

ニュージーランド国民は、高いところに定めたゴールにむけて動きはじめています。子ども時代を過ごすのにいちばんいい国でありたいと思っています。手っとり早く評価するのが難しいことではあります。というのも、楽しさや安心感や幸福度に点数をつけるのは難しいからです。しかし、ものの欠乏や貧困を数値化することはできます。それならば、幸福に点数をつけることもできるでしょう。また、わたしたちは、その点数を毎年の予算とともに報告する法律を作ろうとしています。それが、わたしたちが責任を果たすための最善の方法であり、その恩恵を享受するのは子どもたちであるべきなのです。

ただ、次世代を育てることを大切にするならば、気にかけなければならないことがほかにもあります。若い世代に引き継ぐもの——たとえば環境です。マオリ語には、わたしたちのこの役割の重要性をあらわす言葉があります。カイティアキタンガです。

〝後見人の責務〟という意味です。わたしたちに委託された環境を大切にしなければならない、という概念でもあります。わたしたちにとって、これは、環境の劣化を防ぐためにアクションをとることを意味しています。たとえば、川を人が泳げるくらいにきれいにするための基準を作ること。ごみを減らし、使い捨てのビニール袋を使わないようにすること。環境の破壊要因を撲滅して、生物の多様性を保護すること。

経済を成長させ富を増やそうという競争が環境を犠牲にしておこなわれているのならば、その結果としてだれもが貧しくなるばかりです。ニュージーランド国民は、そのようなことが起こらないようにしようと決意しました。どれもニュージーランド国内におけるアクションとイニシアティヴばかりですが、これを進めることによって、国際機関への圧力や責任追及を和らげることができます。とはいえ、国際機関が現状のままでいいというわけではありません。

国連の改革

多国間協調システムの中心にある国連が、改革の先導役を果たすべきです。国連をより敏感で効率的で現代的な組織にし、現代社会のさまざまな問題に対処していくことができるようにするための事務総長の努力を、わたしたちは心から支援します。どうか、目標は高くしてください。わたしたちも、事務総長といっしょに、その目標にむかって進んでいきます。しかし、国連に変化を起こすのは、結局はわたしたち加盟国次第です。

安全保障理事会の改革についても同じです。国際平和と安全の維持という目的を理事会に達成してほしいと思うのであれば、その活動は日々更新されていかなければならず、そのためには、加盟国は拒否権の発動による妨害をするべきではありません。〈持続可能な開発目標(SDGs)〉が示すヴィジョンを達成するには、新しい考えかたも必要になるでしょう。

ニュージーランドでは、SDGsの新しい生活標準の枠組に、政策作りや資源管理の指針となるような原則を組みこみました。そしてわたしたちは今後も引きつづき、SDGsの運用に全力を注いでいくつもりであり、その努力を共にする国際社会におけるパートナーたちのために、政府開発援助への予算を大幅に増額します。

普遍的な価値

しかし、規則に基づいた国際システムを活性化するのは、相互協力の仕組みを変えるだけでは不可能です。わたしたちが国連の価値をあらためて認識し、それを大切にしていくことが大事なのです。国連憲章には、国連は戦争の災禍のあとの世代の人々を救うために作られたと記されています。二度にわたる世界大戦によってもたらされた、言葉にいいあらわせないほどの悲しみを乗りこえるためです。国連創設に至る歴史とその本質を忘れてしまったら、わたしたちはいずれ同じ過ちを繰りかえすに違いありません。

どんどん不安定になっていく現代の世の中では、国連創設の基礎となった核心的な価値観をつねに頭に置いておくことが、これまで以上に重要です。すべての人間は平等です。すべての人間の尊厳と人権は尊重されるべきです。わたしたちは、より大きな自由の中で、社会の発展と生活水準の改善を目指して進んでいかねばなりません。わたしたちにはその責任があることを、いつでも意識していなければなりません。

その意識を新たにする際、説明責任の所在を確かめておく必要があります。平等に関する問題においては、とりわけそれが重要です。これまでに多くの進歩があり、そのひとつひとつがとても喜ばしいものでした。ニュージーランドでは、女性が参政権を得てから百二十五年になります。女性参政権が実現した世界で最初の国です。子どものころのわたしは、女性であることが、人生のいかなる局面でも目的達成の妨げになるとは思っていませんでした。

わたしはニュージーランドではじめての女性首相ではありません。なんと、三人目です。であるにもかかわらず、ニュージーランドはいまなお給料の男女格差があります。給料の低い職業には女性がついていることが圧倒的に多いし、女性が家庭内暴力の被害を受けています。ニュージーランドだけではありません。この現代社会においてもジェンダー平等をあらためて訴えなければならないという事実に驚きますが、実際にそうなのです。また、世界のあちこちに、女性や女の子がもっとも基本的な機会や尊厳を与えられていない国があることを考えると、わたし個人は、ニュージーランドが遂げてきた進歩を祝う気にはなれません。

「Me too」ムーヴメントを、まわりの人々がみんなで関わる「We too」ムーヴメントにしなければなりません。

みんなで世の中を変えていくのです。

結論

わたしたちに求められていることをひとつひとつあげていけば、長いリストになるでしょう。わたしたちは苦難の時代を生きているのです。わたしたちが直面している諸問題を、ニュージーランドでは〝たちの悪い問題〟と呼んでいます。互いに関連があって、からみあっている問題です。ならば、混乱からは一歩下がって、自分たちがどうしたいのかをあらためて考えてみるときではないでしょうか。そこにシンプルな答えがみつかるかもしれません。平和も繁栄も公正さも、シンプルなものなのです。

それを煎じつめれば、わたしたちニュージーランド国民が追いもとめているひとつのシンプルな概念ができあがります。優しさです。

孤立主義、保護主義、人種差別といった問題に直面したとき、外に目を向けるというシンプルな概念や、優しさ、集団主義（訳注：自分の属する社会、集団を重視する）について考えることが、解決のための最良の第一歩になることでしょう。苦難に陥ったわたしたちを助けてくれた、そして今後も助けてくれる、国連をはじめとしたさまざまな国際機関とともに、その一歩を踏みだしましょう。

また同時に、わたしはここで断言します。ニュージーランドは、国際平和と安全の構築と維持のために、全力で役割を果たしつづけます。オープンで包括的で規則にのっとった、普遍的価値に基づく国際秩序を推進していきます。

現実に目を向け、他人に心を寄せ、強く、優しくあるために。

次世代に多くのものを残すために。

Tena koutou, tena koutou, tena tatou katoa.

二〇一九年三月十九日
クライストチャーチのモスクにおける
テロ攻撃事件を受けて

アッサラーム・アライクム。みなさんに平穏が訪れますように。わたしたち全員に平穏が訪れますように。

三月十五日は、わたしたちの記憶に永遠に刻みこまれる一日となるでしょう。穏やかな金曜日の午後、ひとりの男が平和な祈りの場にずかずかと入っていき、五十人もの人の命を奪いました。穏やかな金曜日の午後は、わたしたちのもっとも暗い日になりました。

しかし、遺族にとっては、それ以上の悲劇でした。祈りというシンプルな行為——イスラムの信仰を実践する行為——が、愛する家族の命を奪うことにつながったのです。

亡くなったのは、彼らの愛する家族——兄や弟、娘、父親、子どもたちです。

みな、ニュージーランド国民です。彼らはわたしたちなのです。

仲間を失ったわたしたちは、国家として、彼らに追悼を捧げます。わたしたちには彼らをケアする大きな責任があります。彼らに話したいこと、してあげたいことがたくさんあります。

わたしは、まったく予期していなかった役割を果たすことになりました。二度と同じ役割を果たすことがないように願います。それは、国家としての悲しみを表明することです。そしてもうひとつ、被害を受けたり遺族になったりしたみなさんのケアをすることと、すべての国民の安全を守ることも、わたしの新しい役割です。

この役割を果たすにあたって、遺族の方々と直接お話をしたいと思いました。悲しみの深さを知ることはできませんが、立ち直るまでの各ステージで、そばにいて支えていくことはできます。わたしたちは、共感(アロハ)と友として(マナアキタンガ)の支えと、わたしたちをわたしたちたらしめるすべてのもので、あなたがたを包みこむことができますし、そうしていくつもりです。わたしたちの心は重く沈んでいますが、魂は負けていません。

警察への緊急通報から六分後、警察は現場であるモスクに向かいました。

犯人逮捕は、すばらしく勇敢なふたりの警官によっておこなわれました。まだ銃を撃ちつづけている犯人の車に突撃したのです。犯人の車のドアをあけると、そこには爆発物があったそうです。そして犯人を引きずりだしました。

ふたりの警官の勇気ある行動によって、ニュージーランドに安全が戻ってきた——すべての国民はそう考えているでしょう。わたしを含め、みんなが彼らに感謝しています。でも、勇気ある行動をした人は、ほかにもいます。

ナイーム・ラシッド。パキスタン出身。犯人に向かっていき、銃を奪おうと揉みあっているうちに撃たれて亡くなりました。まわりで神に祈りを捧げていた仲間たちを救おうとして、命を奪われたのです。

アブドゥル・アジズ。アフガニスタン出身。武器を持ったテロリストに立ちむかい、手近にあったデビットカードの読み取り機を投げつけたあと、犯人のあとを追いました。命をかけたこの行動のおかげで、何人もの命が救われたことは間違いありません。

ほかにも数えきれないほどの勇敢なストーリーがあります。中にはわたしたちが知り得ないものもあるでしょうが、この場でみなさんを讃えたいと思います。

多くの人々にとって、この事件の大きさをはじめて知ったのは、救急車が被害者をクライストチャーチ病院に運ぶ光景をみたときでしょう。救急隊のみなさん、救急サービスのスタッフのみなさん、被害者のケアに当たった——そしていまもけが人の治療に当たっている——医療従事者のみなさん、わたしたちの心からの感謝の気持ちを受け取ってください。この異常な事態に対応するプロフェッショナルな仕事ぶりを、わたしはこの目でみて、それを誇りに思いました。そしてはかりしれない感謝をおぼえました。

ムスリム・コミュニティの安全を確保するために——ひいては国民すべての安全のために——現在とっている措置についてもお話ししたいと思います。

国家として、厳戒体制を維持します。いま現在、具体的な脅威と感じられることはありませんが、警戒と監視を続けます。残念ながら、テロの恐ろしさをわたしたちよりもよく知っている国はいくつもあり、そういった国々をこれまでみてきたところによると、事件後の数週間は国内の緊張が高まり、さまざまなことが起こる傾向があります。ですから、警戒をゆるめることはできないのです。

クライストチャーチには追加の治安部隊が駐留しています。また、全国のモスクのドアがあいているあいだは、警官が警備につきます。ドアが閉まっているときも、警官はモスクの付近にいます。遺族に必要なケアを確保することを重視しています。最優先事項でなければなりません。クライストチャーチ病院の近くにはコミュニティ福祉センターが設立されました。支援を得る方法をみなさんに確実にお知らせするためのものです。

海外にいる遺族が葬儀に出られるようにするためのビザ発給を優先的におこないます。葬儀費用は国が負担します。また、愛する家族の遺体を祖国に運びたいという方々のために、その費用も負担できるよう、迅速に対処しました。

メンタルヘルスのケアと社会的支援の提供についても、現在取りくんでいるところです。〈ヘルスライン1737〉（公的なメンタルヘルスサポート機関）は、きのう一日でおよそ六百件の電話とメールを受けました。一件の通話時間は平均四十分です。ケアが必要なかたはためらうことなくこのサービスを利用してください。あなたを助けるためのサービスです。

五千以上の窓口で、通訳翻訳サービスが提供されています。あなたがどのような形で被害の補償を受ける立場だとしても、必要な言語で支援を受けることができます。このサービスに協力してくださるみなさん、ありがとうございます。

保安情報局にはさまざまな情報が入ってきています。これまでもそうであったように、今後もいただいた情報は真剣に受け止め、フォローアップをしていきます。

しかしながら、どうしてこんな事件がここで起こったのか、という声があがっているのを知っていますし、それももっともなことです。オープンで平和で多様性に富む場所で、このようなことが起こったことで、怒りの感情が高まっています。

答えの必要な質問がたくさん出ています。いずれお答えする、とだけいわせてください。きのうの閣議で、三月十五日の事件につながるような出来事が事前になかったかどうかを調べることで意見が一致しました。わたしたちがあらかじめなにを知っていたのか、なにに気づくことができたのか、なにに気づくべきだったのかを、検証していきます。このようなことを二度と起こさないために。

ニュージーランド国民の安全を確かなものにする手段のひとつとして、銃規制法の厳しい見直しがあげられます。前にもお話ししたとおり、わたしはそれを改正するつもりです。きのうの閣議では、改正についての原則的な部分を決定することができました。事件から七十二時間後の進歩です。月曜日にまたみなさんとお目にかかるとき、この決定についてお話しすることができると思います。

ニュージーランドのムスリム・コミュニティに対するテロ事件を起こしたのは、二十八歳の男性、オーストラリア国民です。現在、被害者ひとりの殺人罪に問われていますが、罪状はこのあと増えていくでしょう。ニュージーランドのあらゆる法律によって裁かれます。わたしたちは遺族の悔しい思いに応えなければなりません。

犯人は、いろんなことを考えてテロ行為をおこなったのでしょうが、そのひとつは、自分の悪名を轟かすためだったと思われます。

だからこそ、わたしは犯人の名前を口にしません。

犯人はテロリストであり、犯罪者であり、過激派です。

わたしがこの話をするとき、犯人に名前など与えてやりません。

そして、みなさんにもお願いします。罪のない人々の命を奪った人間の名前ではなく、命を奪われた人々の名前を口にしてください。犯人は有名になりたかったのでしょうが、ニュージーランドは犯人になにも与えてやりません。名前さえ与えてやりません。

また、わたしたちは、今回の事件にSNSが演じた役割についても考えていくつもりです。わたしたちになにができるかということだけでなく、国際社会でなにができるか、検討します。分断とヘイトの思想と言葉は何十年も前から存在していましたが、それを広める手段や、組織が使うツールが、昔とは違ってきています。

こうしたプラットフォームが存在し、そこに書きこまれる言葉の責任を問われることがない――こんな状態を黙って受け入れているわけにはいきません。サイトの運営者はコンテンツを作って広めているのであり、ただ伝達しているだけではありません。利益を得る活動には責任が伴います。もちろん、彼らの責任は免除されません。わたしたちは国家として、そのことを示してやる必要があります。人種差別、暴力、過激主義に立ち向かうためには、そうしなければなりません。いまはすべての疑問への答えを用意できませんが、みんなで力を合わせて、それをみつけていきましょう。行動しましょう。

全世界から同情と支援と結束のメッセージをたくさんいただきました。心から感謝しています。また、わたしたちの味方になってくれた世界のムスリム・コミュニティにも感謝します。わたしたちもあなたたちの味方です。

　わたしたちはクライストチャーチの街にも心を寄せていきます。大きな地震を経験し、復興の途中だったこの街にとって、今回の事件は大打撃を与えました。ムスリムのコミュニティを支えてきた議員のみなさんに感謝します。とくに、クライストチャーチのあるカンタベリー地区の議員は、二重の悲しみを抱えていることと思います。

　最後に、三月十五日以降、わたしたちの胸を打つさまざまなストーリーが耳に入ってきたことに触れさせてください。

　ストーリーのひとつは、ハジ・ダウド・ナビに関するものです。

　彼は七十一歳で、マスジッド・アルヌールのドアをあけて「やあ、いらっしゃい」といったのが最後の言葉になったといわれています。

　もちろん彼は、ドアのむこうにいるのがヘイトに満ちたテロリストだということなど、夢にも思いませんでした。しかし、彼のこの言葉はわたしたちに多くのことを教えてくれます。彼が、すべての仲間を温かく受け入れる宗教の信徒であったこと。その宗教が寛容で優しいものであったこと。

　わたしがこれまでに何度もいっているように、ニュージーランドには二百以上の民族が暮らし、百六十の言語があります。わたしたちはドアを開き、隣人を歓迎します。金曜日の事件を経て変わった唯一の点は、その同じドアが、ヘイトと恐怖をもたらす相手には開かれなくなったということです。

　たしかに、今回の事件の犯人はニュージーランド国民ではありません。ニュージーランドで育ったわけでもありません。犯人は、自分のイデオロギーをここではみつけられませんでした。しかしだからといって、犯人と同じ考えかたがこの国に存在しないというわけではありません。

この最悪の日々の中で、国家として、わたしたちはムスリムのコミュニティにできるだけの安心と快適さを提供したいと考えます。そして、それを実践していきます。モスクの入り口に山と積まれた花。門の外で自然にはじまる歌。これらはあふれる愛と共感のあらわれです。でも、まだまだ足りません。

すべての国民が安全を感じられるような世の中を作りたいと思います。

安全とは、暴力を受ける心配がないということです。

でも、それだけではありません。人種差別やヘイトといった、暴力の温床になる感情にさらされずにすむ、ということでもあります。

わたしたちひとりひとりが、世の中を変えていく力を持っています。

金曜日——事件の一週間後に、ムスリムのみなさんが祈りの集会をおこないます。

彼らの悲しみを見守りましょう。

彼らがこれからも集まって神に祈ることができるよう、支援していきましょう。

わたしたちはひとつ——彼らはわたしたちなのです。

Tātau tātau
Al salam Alaikum
Weh Rahmat Allah
Weh Barakaatuh

二〇二〇年八月六日
七十五回目の広島・長崎の原爆の日に

Kia ora koutou katoa（みなさん、こんにちは）

世界がCOVID−19への対応に苦慮しつづける中、七十五回目を迎えた広島・長崎の原爆の日は、世界の歴史に残るこれらの出来事が、人々や地球にどれほど壊滅的な被害を与えたのかを、わたしたちに思いおこさせます。

一九四五年八月、世界は核兵器のおそろしさを初めて知りました。その大惨事は多くの人の命を奪っただけでなく、命は助かったものの放射線を浴びてしまった人々に、想像を絶するほどの苦しみを与えました。その後も、太平洋を含む各地でおこなわれてきた核実験が、とてつもない悲劇を生みつづけています。今日の世界に存在する一万三千の核兵器のひとつひとつは、広島や長崎に落とされた核爆弾よりもずっと高い破壊力を持っています。そのうちのひとつだけを使用しても大変なことになりますし、核兵器をめぐる世界の摩擦は永遠に消えることがないだろうと、だれもが思っています。

核兵器がひとつ使用されるだけで、何百万もの死者が出るでしょう。地球環境への影響も甚大です。どの国家も、国家連合も、国際組織も、核戦争がもたらす結果に前もって備えることはできないし、対処することもできないだろうと、多くの専門家が警告しています。備えることができないのであれば、そのような事態が起きないようにしなければなりません。

グテーレス国連事務総長は、国際社会が核軍縮にむけて一層の努力をし、〝人類を守る〟ことが必要だと訴えています。この仕事は、わたしたちがやるしかありません。他人まかせにしたり、次世代に引き継いだりしてはならないのです。

へ・ワカ・エケ・ノア――わたしたちみんなで取り組みましょう。

そのために、ニュージーランドを含む国連加盟国の半数以上の国は、核兵器禁止条約を採択しました。この歴史的な条約をほかのすべての国々も批准することを強く求めます。それこそが、核兵器根絶のために必要な一歩です。この条約を通して世界的な協議を重ねることにより、核保有国すべてを含む全世界が核の根絶を目指していかねばなりません。

広島と長崎の原爆投下や、太平洋を含む各地における核実験によって被ばくした人々の苦しみに報いることができるのは、核兵器の根絶のみなのです。

（ニュージーランド外務・通商省ツイッター　二〇二〇年八月六日の動画より）

出典

プロローグ　2017年10月19日

Tracy Watkins, '"I don't want to be prime minister" – Jacinda Ardern', Stuff, 28 November 2015.

1.ムルパラからモリンズヴィルへ

'Debating team talks its way to North Island win', Waikato Times, 1 October 1996.

'Jacinda Ardern on her role model mum', Now to Love, 20 October 2017.

'Jacinda Ardern, the pregnant prime minister of New Zealand, on her work/life balance and meeting Barack Obama', The Sunday Times, 8 April 2018.

Jacinda Ardern, Maiden statement, Hansard, vol. 651, 2008, p. 753.

Jacinda Ardern, 'Wellbeing a cure for inequality', Speech, 25 September 2019.

Kelly Bertrand, 'Jacinda Ardern's country childhood', New Zealand Woman's Weekly, 30 June 2014.

Michelle Duff, Jacinda Ardern: The Story Behind an Extraordinary Leader, Allen & Unwin, Crows Nest, 2019.

Gregor Fountain, 'An extraordinary job', PPTA website, 1 April 2019.

Dr Jarrod Gilbert, 'Life, kids and being Jacinda', The New Zealand Herald, 19 January 2018.

Dale Husband, 'Jacinda: Lofty goals and small-town values', E-Tangata, 26 August 2017.

David Lange, Oxford University debate on nuclear weapons, 1 March 1985.

Mark Sainsbury, 'Jacinda Ardern: Running on instinct', Noted, 16 September 2017.

Katrina Tanirau, 'Labour leader Jacinda Ardern hits hometown in campaign trail', Stuff, 10 August 2017.

2.モルモン教との別れ

'Ask me anything with Jacinda Ardern!', Reddit, 23 March 2008.

Dr Jarrod Gilbert, 'Life, kids and being Jacinda', The New Zealand Herald, 19 January 2018.

Amanda Hooton, '48 hours with Jacinda: Warm, earnest, accessible – is our PM too good to be true?', Stuff, 31 March 2018.

Kim Knight, 'The politics of life: The truth about Jacinda Ardern', The New Zealand Herald, 29 January 2017.

Nadia Kohmani, 'David Cameron, a pig's head and a secret society at Oxford University – explained', The Guardian, 21 September 2015.

Kate McCann, 'Theresa May admits "running through fields of wheat" is the naughtiest thing she ever did', The Telegraph（UK）, 5 June 2017.

Alex McKinnon, 'Australia's prime minister has a pants-shitting problem', The Outline, 22 May 2019.

Tad Walch, 'President Nelson meets New Zealand prime minister Jacinda Ardern, says church will donate to mosque', Deseret News, 19 May 2019.

3.見習い政治家

'The back bench baby MPs', The New Zealand Herald, 8 November 2008.

Natalie Akoorie, 'Youngest MP keen to get down to work', Stuff, 11 November 2008.

Jacinda Ardern, Maiden statement, Hansard, Vol. 651, 2008.

Don Brasch, 'Nationhood', Speech, Orewa Rotary Club, 27 January 2004.

Tim Donoghue, 'Labour woos families commissioner as MP', The Dominion Post, 2 April 2008.

Adam Dudding, 'Jacinda Ardern: I didn't want to work for Tony Blair', Stuff, 27 August 2017.

Brian Edwards, Helen Clark: Portrait of a Prime Minister, Politico's Publishing, London, 2002.

James Ihaka, 'Eyes on tussle in bellwether seat',

The New Zealand Herald, 13 October 2008.

Colin James, 'A change of political generations', colinjames.co.nz, 7 October 2008.

Anne Mellbye, 'A brief history of the third way', The Guardian, 10 February 2003.

Paula Oliver, 'Parties chasing votes of expat Kiwis', The New Zealand Herald, 7 June 2008.

John Rougham, 'A word with Kate Sutton', The New Zealand Herald, 22 October 2008.

4.ライバル

'As it happened: New Zealand election 2014', The New Zealand Herald, 20 September 2014.

'Meeting Nikki Kaye: Young but a "tough cookie"', The New Zealand Herald, 16 February 2013.

'Pitch perfect: Winning strategies for women candidates', Barbara Lee Family Foundation, 8 November 2012, www.barbaraleefoundation.org/ wp-content/uploads/BLFF-Lake-Pitch-Perfect-Wining-Strategies-for- Women-Candidates-11.08.12.pdf.

'Who knew tax reform was such a turn-on?' The Sunday Star-Times, 14 February 2010.

Jacinda Ardern, 'Stardust & substance', Auckland Writers Festival, 19 May 2019, https://vimeo.com/337427477.

Guyon Espiner, 'Jacinda Ardern: One to watch', Noted, 20 July 2012.

Patrick Gower, 'Young gun targets city seat', The New Zealand Herald, 23 November 2009.

Jonathan Milne, 'High noon for old blood', The New Zealand Herald, 1 November 2008.

Jane Phare, 'Battle looming in Auckland Central', The New Zealand Herald, 4 May 2008.

TVNZ, 'Political young guns on Breakfast', Clips, Breakfast, 2009–2012.

Simon Wilson, 'My dinner with Nikki & Jacinda', Metro (NZ), Issue 358, November 2011.

Audrey Young, 'Blue-green ambitions', The New Zealand Herald, 26 March 2010.

5.上昇気流

'Bruiser Bennett and the beneficiaries', Stuff, 27 August 2009.

'Clarke Gayford reveals his first date with Prime Minister Jacinda Ardern', New Zealand Woman's Weekly, 25 September 2018.

'David Shearer's dead snapper stunt', Stuff, 20 August 2013.

'Is romance blossoming for MP?' The New Zealand Herald, 15 September 2014.

'Labour leader David Shearer steps down', The New Zealand Herald, 22 August 2013.

'The Michelle Hewitson interview: Jacinda Ardern', The New Zealand Herald, 26 April 2014.

'Wintec Press Club: Jacinda Ardern edition', Quote Unquote (blog), 26 May 2017.

Jacinda Ardern, 'Stardust & substance', Auckland Writers Festival, 19 May 2019, https://vimeo.com/337427477

Emma Clifton, 'Labour's Jacinda Ardern reveals why she doesn't want to be prime minister', Next, 15 June 2017.

Jane Clifton, 'Annette King – and Jacinda Ardern – deserved better than this', Noted, 1 March 2017.

Simon Collins, 'David Cunliffe: I'm sorry for being a man', The New Zealand Herald, 4 July 2014.

Simon Day, 'Out with the old, in with the new: Robertson', Waikato Times, 20 October 2014.

John Key, Resignation speech, 5 December 2016. Andrew Little, Facebook post, 1 March 2017.

Jo Moir, 'Ardern climbs Labour ladder', Stuff, 8 October 2012.

Fran O'Sullivan, 'Jacinda Ardern needs to put in the hard yards', The New Zealand Herald, 4 March 2017.

Vernon Small, 'Annette King's move from defiance to acceptance boosts Labour's chances in September', Stuff, 1 March 2017.

Julia Llewellyn Smith, 'Meet New Zealand's "First Bloke"; When the country's PM, Jacinda Ardern, gives birth next month, her partner Clarke will be taking on stay-at-home-dad duties', The Daily Telegraph (UK), 1 May 2018.

Claire Trevett, 'Ardern romps home in boring by-election', The New Zealand Herald, 25 February 2017.

Claire Trevett, 'Labour MP Jacinda Ardern wants to stand in David Shearer's Mt Albert electorate', The New Zealand Herald, 14 December 2016.

Tracy Watkins, '"I don't want to be prime minister" – Jacinda Ardern', Stuff, 28 November 2015.

6.記者会見

'Andrew Little's full statement on resignation', The New Zealand Herald, 1 August 2017.

AAP, 'Jacinda Ardern rejected Labour leadership "seven times"', The New Zealand Herald, 27 September 2017.

Eugene Bingham and Paula Penfold, 'A Stuff circuit interview: The demise and rise of Andrew Little', Stuff, December 2017.

Mei Heron (@meiheron), Twitter post, 1 August 2017.

Toby Manhire, 'Poll rewards Turei's welfare bombshell but Labour dives deeper into the abyss', The Spinoff, 30 July 2017.

Claire Trevett, 'Leaders unplugged: Labour Party Jacinda Ardern', The New Zealand Herald, 12 August 2017.

7.72時間以内に

'Greens co-leader Metiria Turei's benefit history investigated', RNZ, 26 July 2017.

'Paddy Gower receives gift from Gerry Brownlee', The New Zealand Herald, 7 August 2017.

'Should Metiria Turei stand down as co-leader of the Greens?', The AM Show, MediaWork New Zealand, Auckland, 3 August 2017.

'Timeline: Green Party co-leader Metiria Turei's downfall', RNZ, 9 August 2017.

Henry Cooke, 'Recap: Labour unveils election campaign slogan, as it says Turei would never have made it with them', Stuff, 4 August 2017.

Henry Cooke, 'When Jacinda Ardern knifed Metiria Turei she changed the election for good', Stuff, 21 September 2017.

Mei Heron, 'Greens' Turei reveals struggles at family policy launch', RNZ, 16 July 2017.

Bernard Hickey, 'Labour and Green parties sign first ever Memorandum of Understanding to work together to change government', interest.co.nz, 31 May 2016.

Stacey Kirk, 'Metiria Turei's electoral admission "not good" – Labour', Stuff, 4 August 2017.

Jenna Lynch, 'More questions raised about Metiria Turei's living situation', Newshub, 3 August 2017.

Toby Manhire, 'Poll rewards Turei's welfare bombshell but Labour dives deeper into the abyss', The Spinoff, 30 July 2017.

Tracy Watkins, 'Jacinda Ardern has been Labour leader for 24 hours – so what's changed?' Stuff, 2 August 2017.

Tracy Watkins, 'Jacinda Ardern shows her steel in week one', Stuff, 5 August 2017.

8.選挙戦

'Ardern attends grandmother's funeral', Otago Daily Times, 22 September 2017.

'Barnaby Joyce to face by-election after High Court ruling; Roberts, Nash also booted out of parliament', ABC News, 30 September 2017.

'Broadsides: Should NZ have a capital gains tax?', The New Zealand Herald, 20 July 2011.

'Watch the full Newshub Leaders Debate', Newshub, 4 September 2017.

Jacinda Ardern, Announcement at Hillmorton High, Christchurch, 8 September 2017.

Jacinda Ardern, Facebook Live Q&A, 3 August 2017.

Jacinda Ardern, Facebook Live Q&A, 9 August 2017.

Jacinda Ardern, 'Stardust & substance', Auckland Writers Festival, 19 May 2019, https://vimeo.com/337427477

Jacinda Ardern (@jacindaardern), Twitter post, 15 August 2017.

Julie Bishop, Press conference, Parliament House, Canberra, 16 August 2017.

Steve Braunias, 'On the campaign trail with Jacinda Ardern', The New Zealand Herald, 9 September 2017.

Lloyd Burr, 'Newshub-Reid Research poll: NZ First overtakes Greens as third biggest party', Newshub, 21 January 2020.

Michael Daly, 'Steven Joyce sticks to $11.7 billion hole in government budget', Stuff, 23 November 2017.

Stephen Levine (ed.), Stardust and Substance: The New Zealand General Election of 2017, Victoria University Press, Wellington, 2018.

Toby Manhire, 'The final poll, and one that befits a pulsating campaign', The Spinoff, 21 September 2017.

Toby Manhire, 'Labour soaks up the Town Hall rapture as Ardern goes nuclear on climate', The Spinoff, 20 August 2017.

Toby Manhire, 'Of tax U-turns, captain's calls and clusterfucks', The Spinoff, 14 September 2017.

Eleanor Ainge Roy, 'New Zealand election: Jacinda Ardern vows to decriminalise abortion', The Guardian, 5 September 2017.

Andrew Taylor, 'Jacinda Ardern as prime minister makes things awkward for Australian foreign minister', Stuff, 20 September 2017.

Tracy Watkins, 'King gives parting blessing for Ardern', The Press, 11 August 2017.

9.投票日の夜

'Watch: "Next question!" – belligerent Winston Peters has press pack in stitches after shutting down Aussie reporter', 1 News, 27 September.

'"We could and should be doing far better" – NZ First chooses Labour', RNZ, YouTube video, 19 October 2017.

'Who's who in parliament?', New Zealand Parliament/Pāremata Aotearoa, 8 February 2018.

Anna Bracewell-Worrall, 'Jacinda Ardern full speech: Let's keep doing this', Newshub, 23 September 2017.

Madeleine Chapman, 'Winston Peters is the hot girl on campus: A sexy guide to MMP relationships', The Spinoff, 7 October 2017.

Henry Cooke, 'A brief history of Winston Raymond Peters', Stuff, 21 June 2018.

Brad Flahive, 'Jacinda thanks the voters before tucking into a sausage', Stuff, 23 September 2017.

John Harvey and Brent Edwards, Annette King: The Authorised Biography, Upstart Press, Auckland, 2019.

Katie Kenny, 'Live: The day after the election' Stuff, 24 September 2017.

Toby Manhire, '7.17pm: The Spinoff's rash call of the election result based on 5% of vote counted', The Spinoff, 23 September 2017.

Toby Manhire, '11.00pm: Bill English wins. Winston Peter loses. And Winston Peters wins', The Spinoff, 23 September 2017.

10.外交

'Conversations: Pania Newton', E-Tangata, 5 May 2019.

'Jacinda Ardern meets with Malcolm Turnbull, rebuffs Manus Island offer', The New Zealand Herald, 5 November 2017.

'"This will be a government of change" Jacinda Ardern tells caucus', The New Zealand Herald, 20 October 2017.

'Trump thought Jacinda Ardern was Justin Trudeau's wife – Tom Sainsbury', Newshub, 19 November 2017.

'"A wonderful new neighbourhood": Fletcher Residential buys "sacred" Māori land at Ihumatao in south Auckland', Stuff, 28 December 2016.

Jacinda Ardern, 'Prime Minister's Waitangi powhiri speech', Beehive.govt.nz, 5 February 2018.

Maria Bargh and Andrew Geddes, 'What now for the Māori seats?' The Spinoff, 15 August 2018.

Ryan Bridge, 'Jacinda Ardern's 5 day visit to Waitangi', Your Sunday, RadioLIVE, 28 January 2018, www.magic.co.nz/home/archivedtalk/audio/2018/01/your-sunday--in-case-you-missed-it.html.

Mikaela Collins, 'Cabinet ministers to cook food for public at Prime Minister's Waitangi Day

Breakfast', The New Zealand Herald, 24 January 2018.

Peter de Graaf, 'Prime Minister Jacinda Ardern breaks new ground at Waitangi', The New Zealand Herald, 3 February 2018.

Wena Harawira, 'Sacrifices but no reward', E-Tangata, 3 October 2015.

Leonie Hayden, 'Let's not forget that Māori women had the vote long before Europeans arrived', The Spinoff, 29 September 2018.

Leonie Hayden (@sharkpatu), Twitter post, 6 February 2018.

Veranoa Hetet, 'They're not all korowai: A master weaver on how to identify Māori garments', The Spinoff, 26 April 2018.

Annabelle Lee, 'Why Jacinda Ardern's decision to spend five days at Waitangi is a really big deal', The Spinoff, 24 January 2018.

Peter Meihana, 'Teaching NZ history could be the most important nation- building project of a generation', Stuff, 20 September 2019.

Ministry for Culture and Heritage, 'Waitangi Day', New Zealand History (website), last modified 5 August 2014, https://nzhistory.govt.nz/politics/ treaty/waitangi-day/waitangi-day-1990s.

Jo Moir, 'The prime minister's five days at Waitangi has gone off with a barely a protest', Stuff, 6 February 2018.

New Zealand Labour Party, 'Taihoa at Ihumaao says Labour', Scoop, 27 August 2015.

Parliamentary Library, 'The origins of the Māori seats', Parliamentary Library Research Paper, 9 November 2003.

Richard Prebble, 'Jacinda Ardern will regret this coalition of losers', The New Zealand Herald, 20 October 2017.

Eleanor Ainge Roy, 'Jacinda Ardern to meet Donald Trump for first formal meeting', The Guardian, 17 September 2019.

Eleanor Ainge Roy, 'Jacinda Ardern wears Māori cloak to Buckingham Palace', The Guardian, 20 April 2018.

Shane Te Pou, 'Māori don't need Chris Hipkins to tell us what's best for our mokopuna', The Spinoff, 27 August 2018.

11.ワーキングマザー

'Flowers for Prime Minister Jacinda Ardern from Saudi Arabia "too big" for hospital room', The New Zealand Herald, 23 June 2018.

'Here comes the baby: Prime Minister Jacinda Ardern in labour, at Auckland Hospital with partner Clarke Gayford', The New Zealand Herald, 21 June 2018.

'Jacinda Ardern's reaction to seeing Neve at the UN and why it's significant she's there', Stuff, 26 September 2018.

'Jacinda's baby: Kiwi midwife explains how long we'll have to wait', The New Zealand Herald, 21 June 2018.

'Live blog: Jacinda Ardern and Clarke Gayford create entirely new human', The Spinoff, 24 June 2018.

'Prime Minister Jacinda Ardern gives birth to baby girl, with Clarke Gayford alongside, at Auckland Hospital', The New Zealand Herald, 22 June 2018.

'Special delivery: The route Prime Minister Jacinda Ardern took to hospital', The New Zealand Herald, 21 June 2018.

Charles Anderson, 'Jacinda Ardern #babywatch sends New Zealand media gaga', The Guardian, 21 June 2018.

Charles Anderson, 'New Zealand PM Jacinda Ardern goes into hospital to give birth' The Guardian, 21 June 2108.

Charles Anderson, 'New Zealand's Jacinda Ardern welcomes baby girl "to our village"', The Guardian, 21 June 2018.

Jacinda Ardern, 'Welcome to our village wee one', Instagram post, 21 June 2018, www.instagram.com/p/BkRrm87F8Cb.

Madeleine Chapman, 'Waiting for Neve Te Aroha: Inside the media room at Auckland Hospital', The Spinoff, 25 June 2018.

Emma Clifton, 'Jacinda Ardern: Our new life with Neve', Now to Love, 30 January 2019.

Helena de Bertodano, 'The Magazine Interview: Jacinda Ardern, the pregnant prime minister

of New Zealand, on her work/life balance and meeting Barack Obama', The Times (UK), 8 April 2018.

Clark Gayford (@NZClarke), 'Because everyone on twitter's been asking', Twitter post, 25 September 2018, https://twitter.com/NZClarke/status/1044252770268672000.

Leith Huffadine, 'Google plays tribute to PM Jacinda Ardern's baby', Stuff, 22 June 2018.

Emma Hurley, 'Timelines: How Prime Minister Jacinda Ardern's pregnancy unfolded', Newshub, 21 June 2018.

M. Ilyas Khan, 'Ardern and Bhutto: Two different pregnancies in power', BBC News, 21 June 2018.

Kim Knight, 'Exclusive: Labour's Jacinda Ardern and partner Clarke Gayford', The New Zealand Herald, 19 August 2017.

Amy Maas, 'Confession: "I killed Prime Minister Jacinda Ardern's cat, Paddles"', Stuff, 10 July 2019.

Sarah McMullan, 'The perfect playlist to welcome Jacinda Ardern's baby', Stuff, 21 June 2018.

Eleanor Ainge Roy, 'Babies in the Beehive: The man behind New Zealand's child-friendly parliament', The Guardian, 31 August 2019.

12.ヘレンとジャシンダ

'Abortion law reform just leapt its first hurdle. Here's what the MPs said,' The Spinoff, 9 August 2019.

'Labour president Nigel Haworth resigns as Jacinda Ardern issues apology', The Spinoff, 11 September 2019.

'NZ Politics daily: Jacinda Ardern and the "pretty little thing" debate', NBR, 3 September 2015.

'Storm erupts over Gareth Morgan's "lipstick on a pig" tweet', The New Zealand Herald, 21 August 2017.

'Winston Peters calls Labour turmoil a "disgraceful orgy of speculation"', Newstalk ZB, 16 September 2019.

Jacinda Ardern, 'Breaking silence', Metro (NZ), Issue 398, November 2015.

Hilary Barry (@Hilary_Barry), 'Panelist describes @jacindaardern's skill in politics', Twitter post, 26 August 2015, https://twitter.com/Hilary_Barry/ status/636273505554665472.

Anna Bracewell-Worrall, 'Jacinda Ardern: It is "totally unacceptable" to ask women about baby plans', Newshub, 2 July 2017.

Alex Casey, 'A Labour volunteer alleged a violent sexual assault by a Labour staffer. This is her story', The Spinoff, 9 September 2019.

Brian Edwards, Helen Clark: Portrait of a Prime Minister, Politico's Publishing, London, 2002.

Matthew Hooton, 'Pretty bloody stupid', Metro (NZ), issue 397, October 2015.

Alison Mau, 'Alison Mau: Labour sex assault group's masterful moves – and what they want', Stuff, 15 September 2019.

Gareth Morgan (@garethmorgannz), 'Sure but it's pathetic isn't it?', Twitter post, 20 August 2017, https://twitter.com/garethmorgannz/status/899178564989329409.

New Zealand Labour Party, '#LIVE Post-Cabinet press conference 16 September', Facebook post, 15 September 2019, www.facebook.com/NZLabourParty/videos/2459299004328695.

Tova O'Brien, 'Complainant "shocked" at new Labour representative after Nigel Hawthorn's resignation', Newshub, 12 September 2019.

Jane Patterson, 'Sexual assault allegations against ex-Labour staffer "not established"', RNZ, 18 December 2019.

Zane Small, 'PM Jacinda Ardern gives "timeline" of events around Labour sexual assault claims', Newshub, 12 September 2019.

Andrea Vance, 'Staffer at centre of Labour abuse claims has resigned', Stuff, 12 September 2019.

13.クライストチャーチ、 2019年3月15日

'Christchurch mosque shootings: Police reveal how they caught the alleged gunman', The New Zealand Herald, 18 March 2019.

'Christchurch shootings: Stories of heroism emerge from attacks', BBC News, 17 March 2019.

'Christchurch shootings: Vigils around NZ – live updates', Stuff, 18 March 2019.

'The end of our innocence', Stuff, 15 March 2019.

'"I don't know how many people died" – witnesses of Christchurch mosque shooting', 1 News, 15 March 2019.

Natalie Akoorie, 'Live: Christchurch mosque shootings: Friday's national day of reflection – the call to prayer, mosques open doors', The New Zealand Herald, 22 March 2019.

Jacinda Ardern, '#LIVE update on Christchurch', Facebook post, 14 March 2019, www.facebook.com/jacindaardern/videos/311920353011570.

Jacinda Ardern, '#LIVE press conference', Facebook post, 15 March 2019, www.facebook.com/jacindaardern/videos/853025415038912.

Jacinda Ardern, 'Nationwide reflection for victims of Christchurch terror attack announced', Beehive.govt.nz, 21 March 2019.

Jacinda Ardern, Statement on Christchurch mass shooting, 3.30pm, 16 March 2019.

Jacinda Ardern and Stuart Nash, 'New Zealand bans military style semi-automatics and assault rifles', Beehive.govt.nz, 21 March 2019.

Kurt Bayer, 'Firearms register announced as part of Government's second tranche of gun law reforms', The New Zealand Herald, 14 March 2019.

Mohammed bin Rashid Al Maktoum (@HHShkMohd), 'New Zealand today fell silent in honor of the mosque attack's martyrs', Twitter post, https://twitter.com/HHShkMohd/status/1109124817888915461.

John Campbell (@JohnJCampbell), 'Jay Waaka, one of the road crew', Twitter post, 18 March 2019, https://twitter.com/JohnJCampbell/status/1107348003025637377.

Madeleine Chapman, 'Jacinda Ardern, after Christchurch', The Spinoff, 22 March 2019.

Gamal Fouda, '"Hate will be undone, and love will redeem us": Imam Fouda, a week on', The Spinoff, 22 March 2019.

The Guardian, 'Thousands gather in Christchurch to mark one week on from deadly Mosque shootings – watch live', YouTube video, 21 March 2019, www.youtube.com/watch?v=MrOPS8XIt0Y.

Shaiq Hussain and Pamela Constable, 'Pakistan vows to honour "martyr" who tried to stop Christchurch mosque gunman', Stuff, 18 March 2019.

Nikki Macdonald, 'Alleged shooter approached Linwood mosque from wrong side, giving those inside time to hide, survivor says', Stuff, 18 March 2019.

Toby Manhire, 'Jacinda Ardern: "Very little of what I have done has been deliberate. It's intuitive"', The Guardian, 6 April 2019.

Thomas Mead, '"I don't hate him, I love him": Widower forgives Christchurch gunman who killed his wife', Newshub, 17 March 2019.

Newshub, 'New Zealand Prime Minister's meeting with Christchurch Muslim community', YouTube video, 21 March 2019, www.youtube.com/ watch?v=L9OdUnyHCdg.

Kate Newton, 'New Zealand's darkest day: A timelines of the Christchurch terror attacks', RNZ, 21 March 2019.

The New Zealand Herald, 'Jacinda Ardern visits Cashmere High School in Christchurch', Facebook post, 19 March 2019, www.facebook.com/ nzherald.co.nz/videos/638626069914560.

Mick O'Reilly and Logan Fish, 'Abdul Aziz Wahabzadah, a hero from Christchurch attacks recounts the day', Gulf News, 13 June 2019.

Adele Redmond, Dominic Harris, Oliver Lewis and Harrison Christian, 'Heroic worshippers tried to stop terror attacks at Christchurch mosques', Stuff, 16 March 2019.

Matthew Theunissen, 'Abdul Aziz: Saved lives by running at gunman in Mosque', RNZ, 17 March 2019.

Lynley Ward, '"I'm so grateful I was part of this kind gesture": Naima Abdi on the hug with Jacinda Ardern that made history', Now to Love, 9 April 2019.

14.いいときと悪いとき

'$320m package to tackle family and sexual violence "a good foundation"', RNZ, 20 May 2019.

'The Christchurch Call: Full text' The Spinoff, 16 May 2019.

'Editorial: Kiwi build solid base for future at last', The New Zealand Herald, 21 November 2012.

'Election 2014: Labour promises 100,000 more affordable homes', The New Zealand Herald, 27 August 2014.

'Fiona Ross appointed Director, Family Violence and Sexual Violence Joint Venture', New Zealand Family Violence Clearinghouse, 3 April 2019, https://nzfvc.org.nz/news/fiona-ross-appointed-director-family-violence- and-sexual-violence-joint-venture.

'Median price – REINZ', Interest.co.nz, no date, www.interest.co.nz/charts/ real-estate/median-price-reinz.

'New Zealand to head five-country climate trade agreement talks – Jacinda Ardern', RNZ, 26 September 2019.

'PM: Labour's KiwiBuild housing policy "dishonest"', The New Zealand Herald, 25 January 2013.

'Two vents on the Wellbeing Budget', RNZ, 31 May 2019.

'What exactly is a wellbeing budget?', RNZ, 3 May 2019.

'World's greatest leaders', Fortune, 19 April 2019.

Jacinda Ardern, 'New Zealand and France seek to end use of social media for acts of terrorism', press release, 24 April 2019.

Jacinda Ardern, New Zealand National Statement to United Nations General Assembly, 28 September 2018.

John Anthony, 'NZ First put an end to capital gains tax, Shane Jones claims in post-Budget speech', Stuff, 31 May 2019.

Kurt Bayer, 'Christchurch teen arrested for objectionable material after mosque attacks', The New Zealand Herald, 29 March 2019.

Madeleine Chapman, 'A special episode of The Block NZ: Kiwibuild edition', The Spinoff, 2 September 2018.

Henry Cooke, 'Capital gains tax: Jacinda Ardern took a lifeboat off a ship she could have saved', Stuff, 21 April 2019.

Henry Cooke, 'Government must be bold enough to bring in capital gains tax, Green leader James Shaw says', Stuff, 12 February 2019.

Henry Cooke, 'How KiwiBuild fell down, and whether anything can be saved from the wreckage', Stuff, 21 June 2019.

Henry Cooke, 'Refugee quota lifting to 1500 by 2020', Stuff, 19 September 2018.

Michael Daly, 'Winston Peters casts doubt on rise in refugee quota', Stuff, 4 September 2018.

Guyon Espiner, 'Jacinda Ardern: One to watch', Noted, 20 July 2012.

Anne Gibson, 'Phil Twyford reveals $2b KiwiBuild housing scheme', The New Zealand Herald, 25 October 2017.

Charlotte Graham-McLay, 'New Zealand's Next Liberal Milestone: A Budget Guided by "Well-Being"', The New York Times, 22 May 2019.

Calum Henderson, 'History in pictures – the 2016 Waitangi Dildo Incident', The Spinoff, 5 February 2016.

Helena Horton, '"No one marched when I was elected": New Zealand Prime Minister's biting response to Donald Trump', The Telegraph (UK), 16 November 2017.

Nicholas Jones, 'Housing constrained by lack of builders, lending: Treasury', The New Zealand Herald, 14 December 2017.

The Late Show with Stephen Colbert, CBS, 27 September 2018.

Amelia Lester, 'New Zealand's prime minister, Jacinda Ardern, is young, forward-looking, and unabashedly liberal – call her the anti-Trump', Vogue (USA), 14 February 2018. Madeleine Chapman, 'A step-by-step guide to writing a Jacinda Ardern profile', The Spinoff, 15 February 2018.

Jan Logie, 'New steps in improving our response to family violence', Beehive. govt.nz, 25 March 2019.

Tony Manhire, 'John Oliver's weird fixation on New Zealand: The complete works (so far)', The Spinoff, 19 February 2019.

Craig McCulloch, 'Christchurch Call: Tech companies overhaul organisation to stop terrorists online', RNZ, 24 September 2019.

Ministry of Foreign Affairs and Trade, The Christchurch Call (website), no date, www.christchurchcall.com.

Laine Moger, 'Mental health services gets $6M funding boost, prime minister announces', Stuff, 8 September 2019.

Jo Moir, 'Help for first home buyers as war for votes heats up', Stuff, 10 September 2017.

Winston Peters (@winstonpeters), 'No capital gains tax', Twitter post, 17 April 2019, https://twitter.com/winstonpeters/status/1118343994038050816.

Anjum Rahman, 'We warned you, we begged, we pleaded and now we demand accountability', The Spinoff, 17 March 2019.

Eleanor Ainge Roy, 'New Zealand's world-first "wellbeing" budget to focus on poverty and mental health', The Guardian, 14 May 2019.

Brian Rudman, 'Labour needs to build on its housing policy', The New Zealand Herald, 30 January 2013.

Sam Sachdeva, 'Ardern on Trump, and adjusting to life at the top', Newsroom, 16 November 2017.

James Shaw (@jamespeshaw), 'Disappointed!!!', Twitter post, 17 April 2019, https://twitter.com/jamespeshaw/status/1118358549996998657.

Vernon Small, 'The government's handling of housing crisis giving Labour something to celebrate', Stuff, 7 July 2016.

Cass R. Sunstein, 'New Zealand's "well-being" budget is worth copying', Bloomberg, 7 June 2019.

Tax Working Group, Future of Tax: Final Report Volume 1 – Recommendations, Tax Working Group, Wellington, 2019.

Tax Working Group, 'What is the Tax Working Group?', Tax Working Group (website), no date, https://taxworkinggroup.govt.nz/ what-is-the-tax-working-group.

Rino Tirikatene, 'What does a Wellbeing Budget in action look like?', Stuff, 13 June 2019.

Laura Walters and Jo Moir, 'Government's three strikes repeal killed by NZ First', Stuff, 11 June 2018.

Lally Weymouth, 'Jacinda Ardern on how to respond to gun violence', Stuff, 13 September 2019.

Olivia Wills, 'The Wellbeing Budget and what it means for mental health', The Spinoff, 31 May 2019.

Kim Willsher, 'Leaders and tech firms pledge to tackle extremist violence online', The Guardian, 16 May 2019.

Audrey Young, 'Jacinda Ardern on her international profile . . . it's not about me, it's about New Zealand', The New Zealand Herald, 14 September 2019.

15.新しいタイプのリーダー

'Fiona Ross appointed Director, Family Violence and Sexual Violence Joint Venture', New Zealand Family Violence Clearinghouse, 3 April 2019, https://nzfvc.org.nz/news/fiona-ross-appointed-director-family-violence- and-sexual-violence-joint-venture.

'Labour's Jacinda Ardern reveals why politics feels so personal', Now to Love, 31 July 2017.

Anna Bracewell-Worrall, 'Revealed: The MPs who have smoked marijuana', Newshub, 7 May 2019.

Helena de Bertodano, 'The Magazine Interview: Jacinda Ardern, the pregnant prime minister of New Zealand, on her work/life balance and meeting Barack Obama', The Times (UK), 8 April 2018.

Michael Field, 'More than neighbours', Stuff, 8 August 2010.

Colin James, 'The last Labour prime minister: The first New Zealand Prime Minister', colinjames.co.nz, 3 November 2012.

Ministry for Culture and Heritage, 'Labour government cancels Springbok rugby tour', New Zealand History (website), last modified 9 December 2016, https://nzhistory.govt.nz/page/labour-government-postpones- springbok-tour.

James Mitchell, 'Immigration and national identity in 1970s New Zealand', PhD thesis, University of Otago, 2003.

謝辞

ソフィ・ウィリアムズ、カースティ・イネス・ウィルをはじめとしたこの本の出版社〈ネロ〉のみなさん、このプロジェクトを推しすすめてくださったことに感謝します。みなさんのおかげで本を完成させることができました。

何十人もの政治家、記者、党職員、ジャシンダの友人にもお礼を申し上げます。みなさんのお話をうかがうことで、この本の土台を作ることができました。

また、わたしが直接インタビューしたわけではありませんが、根拠のない噂話を喜んで広めてくれたみなさんにも、楽しませてくれてありがとう、といいたいです。

索引ではなく出典にしかお名前を載せられなかった記者のみなさんには、お礼とともにお詫びを申し上げます。

執筆の場所を提供してくれたポーリー・ポープ、フィル・ピナー、〈The Spinoff〉（ウェブ・マガジン）、サイモン・チェスタマンにも感謝を。わたしが仕事をしていても寝ていても、なにもいわずにいてくれてありがとう。

クリステル・チャップマンとリオニー・ヘイデンのふたりには、はじめの何章かについて、とても貴重な感想とコメントをもらいました。

トニー・マンハイヤーには、冒頭部分を読んでもらっただけでなく、この四年間にわたって、政治に関する基本的な考えかたを丁寧に教えてもらいました。

たくさんのドアを開いてくれたダンカン・グリーヴにも感謝を。中には、ライターとしてのキャリアの中で初めて開けるドアもありました。

頭も心もパンクしそうなとき、いつも落ち着かせてくれたアンバー・イーズビー、ありがとう。苦しむわたしに笑いと安らぎをくれたアシュリー・ボグル、アレックス・ケイシー、ティナ・テイラー、ありがとう。

みんなで力を合わせてわたしを支え、どんなライターも羨むほどの恵まれた環境を作ってくれた家族・親戚のみんな、ありがとう。

尻ごみするわたしの背中をいつも押してくれるきょうだいにも、感謝を。

そのほかすべてのことは、両親のおかげです。いつも本当にありがとう。

マデリン・チャップマン

解説　人間が人間らしく生きられるホームのために

伊藤詩織

「ニュージーランド国民の代表として」とアーダーン首相は言う。

だが日本の総理大臣が「日本国民の代表」と言ったとしても「私たちの代表」だと素直に感じることは、私にはできないだろう。たしかに間接的にであれ、日本の首相も国民から選ばれた人である。でも、彼らに自分たちの声が届いている気がしないのだ。世界のトップの面々を思い浮かべてみても、そう思えるリーダーの方が少ないように思う。

しかしアーダーンは何かが違う。

彼女は小さな声を聞くことのできる耳を持っている。本書にも出てくるようにＬＧＢＴＱＩＡ＋、ムスリム、マオリのコミュニティーなど、ニュージーランド社会のマイノリティの人々と積極的にコミュニケーションをとり、足を運び、見て話して感じたことを言語化している。

クライストチャーチでの銃乱射事件ではニュージーランドを新たな「ホーム」に選んだ移民や難民が狙われ、襲われ、殺された。新天地を求めて来た人々、生まれ育った土地で紛争などが起こり、生き延びるために来た人々。そんな彼らの安心なはずの街角で起きた痛ましい事件だった。

このとき彼女は、まず、被害にあった人々が、その後も安心してニュージーランドに住み続けられるように対応した。そして国民に対しては、憎しみではなく愛を持つようにと呼びかけた。

「わたしたちの愛と支援の気持ちを受け取ってください。いま現在も、そしてこれからも。ここはあなたがたの家（ホーム）なのですから。アッサラーム・アライクム」

私は最近「ホーム」についていろいろな人に話を聞いている。あるNPO法人の作業所で会った三十四歳の男性は、人材派遣会社で契約社員として働いているとき「お前の代わりはいくらでもいる」と言われつづけたという。「人でなくモノとして扱われていた」と彼は語った。彼にとってホームとは何かと聞くと、「人間が人間らしくいられる場所」と答えた。今はそれが作業所の中にあるという。自分らしく、人間らしく、他者とつながって安心して働けるから。本来はそんな場所がもっとあるべきだが、ホームと呼べる場所が見出せない人々は、どう生きていけば良いのだろう。日本をホームと呼びたくても呼ぶことのできない技能実習生や、難民申請をしている人々はどうだろう。

群馬県の館林にロヒンギャのコミュニティーがある。ムスリムであるロヒンギャの人々は、祖国ミャンマーで迫害、虐殺が繰り返されたため、世界各地に安心して住むことができる土地を求めた。館林もそのひとつだ。しかし多くの人々には難民認定がおりず、就労や社会的システムへの参加、県をまたいでの移動が制限されている。長期間、見えない鎖をつけられたまま、先の見通せない生活をしている。取材で出会ったある男性は十年近くそのような状態にあるという。日本政府のサポートが受けられないため、同郷から先に来た人々に頼るしかなく、いつの間にか館林にロヒンギャのコミュニティーができた。しかし、いくら望んでも日本国民のような自由は許されないのだ。

ニュージーランドが受け入れている難民は毎年およそ千人以上。日本は五十人にも満たない。

非人間的な労働環境、差別、ハラスメント、暴力に対し国としてどう向き合うか。日本には課題が山積している。そんな課題に対するアーダーン首相の対応は、こんなにも人間的でシンプルだ。「人間が人間らしくいられる場所」をリーダーとして築き上げている姿は私たちの希望である。

リーダーは変化を恐れず、変わり続ける時代に対応していく必要がある。

アメリカ合衆国ではこれまで何度も悲惨な銃乱射事件が繰り返されてきた。二〇一八年のバレンタインデーにはフロリダのマージョリー・ストーンマン・ダグラス高校で銃乱射事件が起きた。これを受け、事件を生き延びた生徒たちを筆頭にMarch For Our Livesという呼びかけが行われ、銃規制強化を訴えるデモがスタートした。この動きはアメリカ全土だけでなく世界中に広がり、約八百ものマーチ、デモが行われた。ワシントンD.C.で行われたデモには八十万人が参加した。私はニューヨークで行われたデモに参加し、小学校でプラカードを作ってきたという子どもたち、犬の散歩途中だったという人々など町中の人々とセントラルパークの横を歩いた。ここまで大人数の人々が集まっているのは、ニューヨークに住んでいた学生時代にさえ見たことがなかった。

集まった彼らの声は全世界に響きわたり、報道され、ホワイトハウスにも届いていた。しかし今日までアメリカ合衆国で銃規制強化はなされていない。そして銃乱射事件はそれからも起きている。

一方でアーダーンの動きは早かった。クライストチャーチでの銃乱射事件の当日に銃規制法の強化を決意、翌日から改正案作成にとりかかり、わずか六日で具体的な改正案を宣言した。そしてそれは実際に施行された。アメリカで数え切れないほどの命が失われ、声があげられてきた銃規制強化を一週間もしないうちに行ったのだ。人の命を守る政治を率先して迅速にやってのけた。

日本では銃の売買、所持、使用が厳しく規制されているためこのような銃乱射事件は起きていない。しかし、命が大切にされなかった、という経験は記憶に新しい。新型コロナウイルスへの対策だ。オリンピックが開催されることに不安を寄せる国民の声は無視され、開催された結果、過去に例を見ないほど感染爆発した第五波として国民の命と健康を脅かした。

私たちのホーム、日本。いったいどれくらいの人が、人間が人間らしく生きられるホームだと実感しているのだろう。そして私たちの命は本当に尊重されているのだろうか？　私たちの声は届いているのだろうか？　本書でアーダーンという首相をより深く知り、新たなリーダーのロールモデルに出会えたと、希望を持つことができた。これを書いているのは衆院選を控えた二〇二一年十月の終わり。一人一人がどう生きていくのかを決め、「日本の代表」としての政治家、そのトップを決めるのは、結局のところ私たちなのだ。

いとうしおり（映像ジャーナリスト）

マデリン・チャップマン
Madeleine Chapman

ニュージーランドの作家。サモア、中国、ツバル系。スティーブン・アダムスのベストセラー自叙伝『My Life, My Fight』（Penguin Random House NZ）の共著者であり、2020年まで〈The Spinoff〉のシニアライターを務める。2018年ヤング・ビジネス・ジャーナリスト・オブ・ザ・イヤー、2019年ユーモア・オピニオン・ライター・オブ・ザ・イヤーに選ばれる。北島のポリルアに両親と暮らす。

西田佳子
Yoshiko Nishida

翻訳家。東京外国語大学英米語学科卒業。訳書にデボラ・クロンビー「警視シリーズ」（講談社文庫）、モンゴメリ『赤毛のアン』（西村書店）、マララ・ユスフザイ他『わたしはマララ』（共訳・学研プラス）、ニール・シャスタマン『僕には世界がふたつある』（共訳・集英社）など多数。

ニュージーランド アーダーン首相
世界を動かす共感力

2021年11月30日　第1刷発行

著者　マデリン・チャップマン
訳者　西田佳子（にしだよしこ）
発行者　岩瀬 朗
発行所　株式会社 集英社インターナショナル
〒101-0064　東京都千代田区神田猿楽町1-5-18
電話：03-5211-2632
発売所　株式会社 集英社
〒101－8050　東京都千代田区一ッ橋2-5-10
電話：読者係03-3230-6080　販売部：03-3230-6393（書店専用）
印刷所　凸版印刷株式会社
製本所　加藤製本株式会社

　ISBN978-4-7976-7403-3 C0098